Idylles magiques

NORA ROBERTS

Idylles magiques

Jade

Titres originaux :

This Magic Moment
Traduction française de DOMINIQUE DUBOUX

The Heart's Victory
Traduction française de ANDRÉE JARDAT

Jade® est une marque déposée par le groupe Harlequin

Photos de couverture

Gros coquillage : © WIN-INITIATIVE RM/GETTY IMAGES
Paysage : © DAVID C. TOMLINSON/GETTY IMAGES

This Magic Moment :
© 1983, Nora Roberts.
The Heart's Victory :
© 1982, Nora Roberts.
© 2011, Harlequin S.A.

83-85, boulevard Vincent-Auriol, 75646 PARIS CEDEX 13.
Tél. : 01 42 16 63 63
Service Lectrices — Tél. : 01 45 82 47 47
www.harlequin.fr
ISBN 978-2-2802-1579-4 — ISSN 1773-7192

L'invitée de l'orage

1

Il avait choisi la maison pour l'atmosphère étrange qui s'en dégageait. Ryan en fut certaine dès qu'elle la vit en haut de la falaise. Construite en pierres grises, elle était complètement isolée et tournait le dos à l'océan Pacifique. Il n'y avait en elle aucune symétrie, mais plutôt une sorte d'anarchie, avec des pans de différentes hauteurs qui s'élevaient par endroits et lui donnaient une grâce sauvage. Accessible par une route en lacet, perchée sur la falaise, avec comme toile de fond un ciel d'orage, c'était une demeure à la fois splendide et sinistre.

« On la croirait sortie d'un vieux film », pensa Ryan, alors qu'elle passait en première pour monter la côte. Elle avait entendu dire que Pierce Atkins était excentrique. Cette maison semblait le confirmer.

« Il ne manque que le tonnerre, un peu de brouillard et le hurlement des loups pour compléter le tableau », songea-t-elle, amusée. Elle arrêta la voiture et observa de nouveau la demeure. Il n'en existait sûrement pas une seule comme celle-là dans un rayon de deux cent cinquante kilomètres autour de Los Angeles. « Ailleurs non plus, d'ailleurs », corrigea-t-elle intérieurement.

Quand elle sortit de la voiture, le vent la fouetta, rabattant ses cheveux sur son visage et gonflant sa jupe. Elle eut envie d'aller jusqu'au promontoire pour voir la mer, mais elle préféra y renoncer et se hâta de gravir les marches du perron. Après tout, elle n'était pas venue jusqu'ici pour admirer la vue.

Le heurtoir était ancien et pesant, et quand elle le laissa retomber, il émit un bruit sourd, impressionnant.

Tout en attendant qu'on lui ouvre, Ryan se rendit compte qu'elle était en train de faire passer fébrilement sa serviette d'une main dans l'autre. Inutile d'essayer de se persuader qu'elle n'était pas nerveuse, songea-t-elle, elle savait pertinemment que son père serait furieux si elle revenait sans avoir obtenu la signature de Pierce Atkins au bas du contrat qu'elle venait lui proposer. Non, pas furieux, rectifia-t-elle. Silencieux. Personne ne savait utiliser le silence avec autant d'efficacité que Bennett Swan.

« Je ne repartirai pas les mains vides, se dit-elle pour se rassurer. Je sais comment m'y prendre avec les artistes. J'ai passé des années à les observer, et… »

La porte s'ouvrit brusquement, interrompant le cours de ses pensées, et ses yeux s'agrandirent de surprise. L'homme qui se tenait devant elle mesurait au moins deux mètres, et ses épaules étaient presque de la largeur de la porte. Quant à son visage… Ryan se dit que c'était indiscutablement l'être le plus laid qu'elle ait jamais rencontré. Sa figure était large et pâle. Son nez avait certainement été cassé et s'était ressoudé suivant un angle étrange. Il avait de petits yeux marron, d'une teinte terne, assortis à ses cheveux épais et en broussaille.

« Atmosphère… », songea de nouveau Ryan. Décidément Atkins avait le sens du détail.

— Bonjour, dit-elle. Je suis Ryan Swan. M. Atkins m'attend.

— Mademoiselle Swan.

Sa voix, lente et grave, s'accordait parfaitement avec son physique. Lorsqu'il se recula pour la laisser passer, Ryan dut se forcer à passer devant lui pour entrer dans la pièce. De gros nuages noirs, un maître d'hôtel impressionnant, une inquiétante maison sur une falaise battue par les flots… Oh! oui, décida-t-elle, Atkins savait parfaitement camper un décor.

Tandis que la porte se refermait derrière elle, Ryan jeta un rapide coup d'œil aux alentours.

— Attendez ici, lui ordonna le laconique majordome en traversant le hall d'un pas étonnamment léger pour un homme aussi grand.

— Oui, bien sûr, merci beaucoup, murmura-t-elle dans son dos.

Les murs blancs étaient drapés de lourdes tapisseries. Celle qui se trouvait le plus près d'elle — une scène médiévale aux couleurs délavées — représentait le jeune Arthur retirant l'épée de la pierre, avec Merlin l'Enchanteur à l'arrière-plan, debout dans un halo de lumière. Ryan hocha la tête. C'était une œuvre exquise qui convenait bien à quelqu'un comme Atkins. Derrière elle se trouvait une psyché au cadre ornementé. Elle se retourna et observa son reflet dans le miroir.

Constatant qu'elle était décoiffée, elle se dit avec contrariété que cela seyait mal à une représentante de la société Swan Productions et lissa ses mèches ébouriffées et humides. Un mélange d'anxiété et d'excitation avait obscurci le vert de ses yeux et fait rougir ses joues. Elle inspira profondément et s'obligea à se calmer tout en tirant sur sa veste.

Elle s'éloigna rapidement du miroir en entendant un bruit de pas. Pas question qu'elle se laisse surprendre en train de se refaire une beauté. Surprise, elle vit le majordome entrer de nouveau dans la pièce. Seul. Ryan réprima un élan de contrariété.

— Il vous attend en bas.

— Oh !

Elle ouvrit la bouche pour ajouter quelque chose, mais l'homme avait déjà tourné le dos. Elle se força à lui emboîter le pas.

Le couloir tournait vers la droite. Les talons de ses chaussures claquaient sur le sol tandis qu'elle courait pour suivre l'allure du majordome. Brusquement ce dernier s'arrêta, et elle faillit lui rentrer dedans.

— Là, en bas.

Il avait ouvert une porte et s'éloignait déjà.

— Mais…

Ryan lui lança un regard furieux et commença à descendre l'escalier mal éclairé. « Tout cela est vraiment ridicule », se dit-elle. La plupart des rendez-vous d'affaires avaient lieu dans des bureaux ou des restaurants. Pas dans des endroits de ce genre ! « Enfin, c'est le show business… », songea-t-elle, désabusée.

Répercuté par l'écho, le bruit de ses pas résonnait. Aucun son ne montait du bas. Oh ! oui, conclut-elle, Atkins savait camper un décor. Elle commençait à le détester de tout son être. Son cœur battait à tout rompre lorsqu'elle prit le dernier virage de l'escalier en colimaçon.

Le sous-sol était immense. Des caisses, des malles et tout un attirail hétéroclite étaient entassés çà et là, pêle-mêle. Les murs étaient lambrissés, le sol carrelé, mais il n'y avait aucune décoration dans la pièce. Tout en descendant les dernières marches, Ryan regarda autour d'elle en fronçant les sourcils.

Il l'observait. Il avait le don de rester comme cela, absolument immobile et concentré. C'était essentiel à son art. Il savait également jauger rapidement quelqu'un, ce qui faisait aussi partie de son métier. Elle était plus jeune qu'il ne l'aurait cru. Petite, l'air fragile, des attaches fines, des cheveux blonds légèrement ondulés qui entouraient un visage aux traits délicats… et un menton volontaire.

Il nota qu'elle était contrariée, mais pas du tout inquiète. Il esquissa un sourire, mais ne fit pas le moindre mouvement dans sa direction, la laissant à loisir examiner la pièce. Très femme d'affaires, pensa-t-il. Avec son tailleur bien coupé, ses chaussures élégantes, sa serviette de prix et ses mains extrêmement féminines. Intéressante.

— Mademoiselle Swan.

Ryan sursauta, puis jura intérieurement. Elle regarda l'endroit d'où venait la voix, mais ne vit que des ombres.

— Vous êtes très rapide.

Il bougea finalement, et Ryan vit qu'il se tenait sur une petite estrade. Il portait des vêtements noirs et se fondait dans l'ombre. Elle fit un effort pour ne pas montrer son agacement.

— Monsieur Atkins, dit-elle en s'avançant vers lui, un sourire professionnel plaqué sur le visage. Vous avez une maison étonnante.

— Merci.

Il ne descendit pas de son estrade pour l'accueillir, et c'est elle qui dut lever les yeux vers lui. Elle eut la surprise de constater qu'il était plus impressionnant en chair et en os qu'à l'écran. Normalement, c'était plutôt l'inverse. Elle avait vu son spectacle, bien sûr. Depuis que son père était tombé malade et l'avait à contrecœur chargée de ce contrat, elle avait passé deux soirées entières à visionner toutes les cassettes existantes de Pierce Atkins.

Impressionnant, décida-t-elle en observant son visage mince et anguleux, ses cheveux noirs, un peu trop longs. Il avait une petite cicatrice sur le menton, une bouche mince, des sourcils bien dessinés, légèrement relevés. Mais ce qui la fascina le plus, ce furent ses yeux. Elle n'en avait jamais vu d'aussi sombres, d'aussi profonds. Etaient-ils gris ? Etaient-ils noirs ? Pourtant ce n'était pas leur couleur qui la déconcertait, mais l'absolue concentration qui s'y lisait. Sa gorge se serra et elle avala sa salive. Elle eut l'impression qu'il lisait dans ses pensées.

Il était considéré comme le plus grand magicien de ces dix dernières années, voire de cette seconde moitié du XXe siècle. Ses illusions et ses évasions étaient audacieuses, brillantes et inexplicables. En croisant son regard, Ryan comprit soudain pourquoi on le présentait comme un enchanteur.

Elle fit un effort pour sortir de l'état second dans lequel elle s'était brusquement retrouvée plongée et se força à continuer. Elle ne croyait pas à la magie.

— Monsieur Atkins, mon père vous prie de l'excuser de n'avoir pu venir lui-même. J'espère…

— Il va déjà mieux.

Elle s'arrêta, confuse.

— Oui, en effet, dit-elle, attirée de nouveau par son regard.

Pierce Atkins descendit vers elle en souriant.

13

— Il m'a appelé, il y a une heure, mademoiselle Swan. Il s'agit d'une communication téléphonique, pas de télépathie.

Ryan lui lança un coup d'œil furieux, et le sourire d'Atkins s'élargit.

— Avez-vous fait bonne route ?

— Oui, merci.

— Un peu longue, peut-être, dit-il. Asseyez-vous.

Il tira une chaise et elle s'assit en face de lui.

— Monsieur Atkins, commença-t-elle, se sentant plus à son aise maintenant que les négociations étaient sur le point de commencer, je sais que mon père a déjà étudié longuement avec vous et votre agent la proposition de Swan Productions, mais peut-être voulez-vous que nous examinions ensemble certains détails.

Elle posa sa serviette sur la table et poursuivit :

— Je suis ici pour répondre à toutes vos interrogations.

— Est-ce que vous travaillez pour Swan Productions depuis longtemps, mademoiselle Swan ?

Bien que la question n'ait rien à voir avec sa présentation, Ryan se résolut à y répondre.

— Cinq ans, monsieur Atkins. Je vous assure que je suis qualifiée pour répondre à vos questions et pour négocier certains termes du contrat si nécessaire.

Sa voix était très douce, mais elle semblait nerveuse. Pierce le remarqua à la manière dont elle avait soigneusement posé ses mains sur la table.

— Je suis sûr que vous êtes qualifiée, mademoiselle Swan, reconnut-il. Votre père n'est pas un homme facile à contenter.

Une expression de surprise, teintée d'appréhension, passa dans les yeux de Ryan.

— En effet, répondit-elle calmement. Vous pouvez donc être certain de bénéficier de la meilleure publicité, du meilleur personnel de production et du meilleur contrat qui soient. Des émissions spéciales de trois heures, pendant trois ans, à des heures de grande écoute et produites avec un budget qui en garantira la qualité.

Elle fit une courte pause.

— Un arrangement intéressant aussi bien pour vous que pour Swan Productions.

— Peut-être.

Il la regardait trop attentivement. Elle s'obligea à ne pas bouger. Gris, remarqua-t-elle. Ses yeux étaient gris, aussi gris que possible sans jamais virer au noir.

— Bien entendu, reprit-elle, votre carrière repose essentiellement sur des shows en public, dans des salles de spectacle et des théâtres, à Las Vegas, au lac Tahoe, au London Palladium et d'autres endroits encore.

— Une illusion n'a pas de valeur si elle est filmée, mademoiselle Swan. Un film peut être truqué.

— Oui, je sais. Pour avoir un impact, un tour doit être réalisé en public.

— Illusion, corrigea Pierce. Je ne fais pas de tours.

Ryan se figea. Il avait les yeux plongés dans les siens.

— Illusion, rectifia-t-elle avec un mouvement de tête. Les émissions spéciales seront enregistrées en studio, en présence d'un public. La publicité…

— Vous ne croyez pas à la magie, n'est-ce pas, mademoiselle Swan ?

Il avait un léger sourire sur les lèvres et une nuance d'amusement dans la voix.

— Monsieur Atkins, vous avez beaucoup de talent, dit-elle prudemment. J'admire votre travail.

— Vous êtes diplomate, conclut-il en s'appuyant contre le dossier de sa chaise. Et cynique. J'aime ça.

Ryan ne prit pas sa remarque pour un compliment. Il se moquait d'elle sans même essayer de se cacher. « Fais ton travail », se dit-elle en serrant les dents.

— Monsieur Atkins, si nous pouvions parler des termes du contrat…

— Je ne parle jamais d'affaires sans savoir qui j'ai en face de moi.

Ryan prit sa respiration.

— Mon père…

— Je ne suis pas en train de parler avec votre père, dit doucement Pierce Atkins en l'interrompant.

— Je n'avais pas l'intention de vous raconter ma vie, répondit-elle d'un ton brusque.

Elle regretta immédiatement ses paroles et pensa qu'elle ne pouvait pas se permettre de perdre patience. Pourtant Pierce Atkins souriait, ravi.

— Je ne pense pas que ce soit nécessaire.

Avant même qu'elle ne comprenne ce qu'il faisait, il avait pris sa main.

« Jamais plus ! »

La voix qui retentit derrière elle la fit sursauter.

— Ce n'est que Merlin, annonça Pierce avec douceur tandis qu'elle tournait la tête.

Un grand mainate noir se tenait dans une cage sur sa droite. Ryan inspira profondément et tenta de maîtriser sa nervosité. L'oiseau la regardait fixement.

— Très intelligent, réussit-elle à dire tout en regardant l'oiseau avec méfiance. C'est vous qui lui avez appris à parler ?

— Mmm.

« J'te paye un verre, mon chou ? »

Les yeux écarquillés, Ryan eut un rire étouffé en se retournant vers Pierce qui jeta un coup d'œil désabusé vers l'oiseau.

— Mais je ne lui ai pas appris les bonnes manières.

Elle s'obligea à garder son sérieux.

— Monsieur Atkins, si nous pouvions…

— Votre père aurait voulu un fils.

Ryan oublia ce qu'elle allait dire et le fixa intensément.

— Ce qui rend les choses difficiles pour vous.

Pierce la regardait de nouveau dans les yeux. Il tenait toujours sa main dans la sienne sans la serrer.

— Vous n'êtes pas mariée et vous vivez seule. Vous êtes une femme réaliste qui se considère comme étant très pragmatique. Vous avez du mal à vous contrôler, même si vous faites des efforts pour y arriver. Vous êtes une personne qui ne prend pas de risques, mademoiselle Swan. Vous ne faites pas facilement confiance aux autres et vous êtes prudente dans vos relations. Vous êtes impatiente car vous avez quelque chose à prouver, aussi bien à vous-même qu'à votre père.

Son regard se fit moins direct et s'adoucit quand il lui sourit.

— Jeu de société, mademoiselle Swan, ou télépathie?

Profitant du fait que Pierce avait lâché sa main, Ryan la posa sur ses genoux. Elle n'avait pas apprécié la justesse de ses propos.

— Juste un peu de psychologie d'amateur, dit-il d'un ton léger, visiblement ravi de sa stupéfaction. La connaissance de Bennett Swan et la compréhension du langage du corps.

Il haussa les épaules.

— Pas de tour de magie, mademoiselle Swan. Seulement des suppositions. Sont-elles justes?

Ryan serra ses deux mains sur ses genoux avec force. Elle sentait encore sa chaleur sur sa paume.

— Je ne suis pas venue ici pour jouer à des petits jeux avec vous, monsieur Atkins.

— Non, je sais, dit-il avec un sourire irrésistible. Vous êtes venue pour conclure une affaire, mais j'ai l'habitude de faire les choses comme je veux et quand je veux. Mon métier développe l'excentricité. Faites-moi plaisir.

— Je fais de mon mieux.

Elle prit une profonde inspiration et s'appuya contre le dossier de sa chaise.

— Je pense que l'on peut dire sans se tromper que nous prenons tous les deux notre profession au sérieux, reprit-elle.

— Je suis d'accord.

— Vous comprendrez donc que mon travail est de vous faire signer ce contrat.

Elle poursuivit, pensant qu'un peu de flatterie ne pourrait pas faire de mal.

— Nous vous voulons parce que vous êtes le meilleur dans votre domaine.

— J'en suis conscient, répondit-il sans sourciller.

— Conscient que nous vous voulons ou conscient que vous êtes le meilleur ? s'entendit-elle demander.

Il lui lança un sourire séducteur.

— Les deux.

Ryan inspira à fond en se souvenant que les artistes étaient souvent impossibles.

— Monsieur Atkins…, reprit-elle.

Avec un battement d'ailes, Merlin quitta le dessus de sa cage sur lequel il était posé, descendit en piqué et vint atterrir sur son épaule. Ryan se figea, le souffle coupé.

— Mon Dieu ! murmura-t-elle.

« Ça dépasse l'entendement », pensa-t-elle, hébétée.

Pierce fronça les sourcils en regardant l'oiseau qui fermait ses ailes.

— Bizarre, il n'a jamais fait ça avec personne avant.

— Quelle chance j'ai ! murmura Ryan.

Tout en essayant de rester parfaitement immobile, elle se demanda si les oiseaux mordaient. Elle décida qu'elle n'avait pas envie d'attendre pour le savoir.

— Pensez-vous que vous pourriez… euh, le persuader d'aller se percher ailleurs ?

Pierce fit un petit geste de la main, et Merlin quitta l'épaule de Ryan pour aller se poser sur la sienne.

— Monsieur Atkins, s'il vous plaît. Je sais qu'un homme qui fait votre métier a un penchant pour… les ambiances.

Ryan inspira profondément pour essayer de se calmer, mais elle n'y parvint pas.

— Il est très difficile de parler affaires dans un cachot, déclara-t-elle tout en balayant la pièce de son bras. Avec un oiseau fou qui me plonge dessus et…

L'éclat de rire de Pierce l'arrêta net. Perché sur l'épaule du magicien, l'oiseau avait refermé ses ailes et la fixait de ses yeux couleur acier.

— Ryan Swan, je sens que je vais vous apprécier. Je travaille dans un cachot, dit-il gentiment, parce que c'est un endroit isolé et tranquille. L'illusionnisme demande plus que des compétences, il nécessite beaucoup d'organisation et de préparation.

— Je comprends, mais…

— Nous parlerons affaires pendant le dîner, dit-il, l'interrompant soudain.

Ryan se leva en même temps que lui. Elle n'avait pas prévu de rester plus d'une heure ou deux et il lui fallait encore une bonne demi-heure pour descendre la falaise et regagner son hôtel.

— Vous n'avez qu'à rester dormir, ajouta Pierce, comme s'il lisait dans ses pensées.

— Je vous remercie de votre hospitalité, commença-t-elle en le suivant tandis qu'il se dirigeait vers l'escalier, l'oiseau toujours perché sur son épaule. Mais j'ai déjà une réservation dans un hôtel en ville. Demain…

— Vous avez vos bagages avec vous ?

Pierce s'arrêta pour prendre son bras avant de monter l'escalier.

— Oui, dans ma voiture, mais…

— Link va annuler votre réservation. Il va y avoir un orage, dit-il en se tournant vers elle pour la regarder. Je ne supporterais pas de vous imaginer conduisant la nuit dans ces conditions.

Comme pour confirmer ses paroles, un coup de tonnerre éclata alors qu'ils arrivaient en haut des marches. Ryan marmonna quelque chose. Passer une seule nuit dans cette maison lui semblait totalement inconcevable.

« Rien dans ma manche », lança Merlin.

Elle lui jeta un regard plein de doutes.

2

Le dîner eut sur Ryan un effet apaisant. La salle à manger était immense. Sur l'un des côtés, il y avait un feu qui crépitait dans la cheminée et, à l'autre bout, une collection d'étains anciens. Une longue table de réfectoire était dressée au milieu, avec de la vaisselle en porcelaine de Sèvres et de l'argenterie de l'époque géorgienne.

— Link fait très bien la cuisine, dit Pierce Atkins tandis que le géant posait un poulet rôti sur la table.

Avant que Link quitte la pièce, Ryan jeta un coup d'œil sur ses mains impressionnantes. Elle prit lentement sa fourchette.

— Il est vraiment silencieux.

Pierce Atkins sourit et lui servit un verre d'un vin blanc aux reflets mordorés.

— Link ne parle que lorsqu'il a quelque chose à dire. Mais vous, mademoiselle Swan, aimez-vous la vie à Los Angeles?

Ryan leva les yeux pour le regarder. Son regard était à présent amical. Il avait perdu l'air pénétrant et inquisiteur qu'il avait tout à l'heure. Elle s'autorisa à se détendre.

— Oui, je suppose. C'est pratique pour mon travail.

— Un peu surpeuplé, non? demanda-t-il en coupant la volaille.

— Oui, c'est vrai, mais j'y suis habituée.

— Avez-vous toujours vécu à L.A.?

— Oui, sauf pendant mes études.

Atkins remarqua un léger changement dans sa voix, comme

une nuance de ressentiment que personne d'autre que lui n'aurait remarquée. Il continua à manger.

— Où est-ce que vous avez étudié ?

— En Suisse.

— Un beau pays, dit-il en prenant son verre.

Mais elle n'avait pas aimé qu'on l'envoie au loin, songea-t-il.

— Et quand vous êtes revenue, vous avez commencé à travailler pour Swan Productions, n'est-ce pas ?

Ryan fronça les sourcils et fixa le feu.

— Lorsque mon père a compris que j'étais vraiment déterminée, il a fini par céder.

— Vous semblez savoir ce que vous voulez, commenta Pierce Atkins.

— C'est vrai, admit-elle. La première année, je me contentais de trier des papiers et de servir le café, mais je n'avais pas le droit de m'approcher des vedettes.

Sa contrariété s'évanouit et une lueur d'humour s'alluma dans ses yeux.

— Un jour, des documents ont atterri presque par erreur sur mon bureau. Mon père essayait de faire signer un contrat à Mildred Chase pour un minifeuilleton, et elle ne voulait rien entendre. Après avoir fait quelques recherches, je suis allée la voir.

Son visage s'éclaira à ce souvenir et elle sourit.

— Ce fut une expérience inoubliable. Elle vit dans une fabuleuse maison sur les collines, qui est surveillée par des gardes et une douzaine de chiens. Elle a un style très « vieil Hollywood ». Je pense qu'elle m'a laissée entrer parce que je l'intriguais.

— Qu'avez-vous pensé d'elle ? demanda-t-il, surtout pour qu'elle continue à parler et à sourire.

— Je l'ai trouvée merveilleuse. Une véritable *grande dame*. Si mes jambes n'avaient pas tremblé autant, je me serais inclinée devant elle. Deux heures plus tard, j'avais obtenu sa signature au bas du contrat, dit-elle avec un éclair de triomphe dans les yeux.

— Comment votre père a-t-il réagi ?

— Il était furieux.

Ryan prit son verre de vin. Le feu dessinait sur sa peau un jeu d'ombre et de lumière. Plus tard, quand elle allait repenser à cette conversation, elle se demanderait pourquoi elle s'était confiée aussi facilement.

— Il m'a accablée de reproches pendant presque une heure.

Elle but une gorgée de vin et reposa le verre.

— Le lendemain, j'avais une promotion et un nouveau bureau. Bennett Swan apprécie les gens qui font avancer les choses.

— Est-ce le cas pour vous, mademoiselle Swan ?, murmura Atkins.

— Généralement, répondit-elle d'une voix égale. Je suis douée pour gérer les détails.

— Et les gens ?

Ryan hésita avant de répondre. Il la fouillait de nouveau du regard.

— Presque tous.

Il lui souriait, mais ses yeux restaient inquisiteurs.

— Votre dîner vous plaît-il ?

— Mon…

Ryan hocha la tête pour échapper à son regard et regarda dans son assiette. Elle fut étonnée de constater qu'elle avait mangé une belle part de poulet.

— C'était très bon. Votre…

Elle le regarda de nouveau. Elle ne savait pas comment qualifier Link. Serviteur ? Esclave ?

— Ami, conclut doucement Pierce en buvant une gorgée de vin.

Ryan s'efforça de se défaire de l'impression désagréable qu'il parvenait à lire dans ses pensées.

— Votre ami est un merveilleux cuisinier.

— Les apparences sont souvent trompeuses, fit remarquer Pierce Atkins d'un ton amusé. Nous sommes l'un comme l'autre des marchands de rêves. Swan Productions vend des illusions, au même titre que moi.

Elle eut un rapide mouvement de recul lorsqu'il s'approcha d'elle. Il tenait dans sa main tendue une rose rouge à longue tige.

— Oh!

A la fois surprise et ravie, Ryan prit la fleur. Son parfum était doux et enivrant.

— J'imagine que c'est le genre de choses auxquelles il faut s'attendre quand on dîne avec un magicien, dit-elle en souriant, le visage au-dessus du bouton de rose.

— Les fleurs et les belles femmes sont faites les unes pour les autres.

La méfiance qu'il crut lire dans ses yeux l'intrigua. « Elle ne prend pas de risques », se dit-il de nouveau. Il appréciait la prudence et la respectait. Il aimait aussi observer la manière dont les gens réagissaient.

— Vous êtes très belle, Ryan Swan.

— Merci.

Au ton presque guindé de sa réponse, Atkins se contracta légèrement.

— Encore un peu de vin?

— Non merci, ça va.

Mais son cœur commençait à s'emballer. Elle posa la fleur à côté de son assiette et baissa les yeux sur son repas.

— Je ne connaissais pas cette partie de la côte, dit-elle sur le ton de la conversation. Habitez-vous ici depuis longtemps, monsieur Atkins?

— Depuis quelques années.

Il fit tourner le vin dans son verre, mais elle remarqua qu'il ne buvait presque pas.

— Je n'aime pas la foule, reconnut-il.

— Sauf quand vous êtes sur une scène, fit-elle remarquer avec un sourire.

23

— Naturellement.

Lorsque Atkins se leva pour lui suggérer d'aller s'asseoir dans le salon, Ryan se rendit compte qu'ils n'avaient toujours pas parlé du contrat. Il fallait absolument qu'elle remette le sujet sur le tapis.

— Monsieur Atkins…, commença-t-elle tandis qu'ils entraient dans la pièce. Oh! quel endroit merveilleux!

Elle eut la sensation de se retrouver au XVIIIe siècle, sans les toiles d'araignées et les vieilleries poussiéreuses. Les meubles brillaient et les fleurs étaient fraîches. Un petit piano droit se trouvait dans un coin, une partition ouverte posée sur le pupitre. Sur la tablette de la cheminée étaient disposées de petites figurines de verre soufflé. Une ménagerie, observat-elle en s'approchant : des licornes, des chevaux ailés, des centaures et même un chien à trois têtes. La collection de Pierce Atkins était tout sauf conventionnelle. Pourtant le feu qui brûlait dans l'âtre était classique et la lampe, posée sur un guéridon aux bords finement sculptés, était certainement une Tiffany. Le genre d'endroit que Ryan se serait attendue à trouver dans une confortable maison de campagne anglaise.

— Je suis content que vous aimiez, déclara Atkins, debout à côté d'elle. Mais vous avez l'air étonnée.

— Oui. L'extérieur ressemble à un décor de films d'horreur des années quarante, mais…, dit-elle avant de s'interrompre, horrifiée. Oh! je suis désolée, je ne voulais pas…

Mais il souriait, visiblement enchanté par sa remarque.

— Elle a servi de toile de fond à plus d'un film de cette époque. C'est d'ailleurs pour cette raison que je l'ai achetée.

Ryan se détendit un peu pendant qu'elle parcourait la pièce.

— Je pensais que vous l'aviez choisie à cause de l'atmosphère étrange qui s'en dégageait.

Pierce Atkins leva un sourcil.

— J'ai un… faible pour les choses qui ont une apparence trompeuse aux yeux des autres.

Il se dirigea vers une table où une théière et des tasses étaient déjà disposées.

— Je suis désolé de ne pas pouvoir vous offrir de café, je n'en bois jamais. Mais le thé aux herbes est délicieux.

Il était déjà en train de servir quand Ryan s'approcha du piano.

— La tisane ira très bien, dit-elle distraitement.

La partition posée sur le piano était écrite à la main. Elle commença machinalement à la déchiffrer. La mélodie était envoûtante et romantique.

— C'est très beau, constata-t-elle en se tournant vers lui. Vraiment très beau. Je ne savais pas que vous écriviez de la musique.

— Ce n'est pas moi qui l'ai composée, répliqua Pierce en posant la théière. C'est Link.

Il vit les yeux de Ryan s'écarquiller d'étonnement.

— Il ne faut jamais se fier aux apparences, mademoiselle Swan.

Elle regarda ses mains.

— Je suis honteuse d'avoir porté un jugement aussi hâtif.

— Je n'avais pas l'intention de vous faire honte.

Pierce s'approcha d'elle et lui prit une nouvelle fois la main.

— La plupart des gens sont attirés par la beauté.

— Pas vous ?

— Je trouve la beauté attirante, rétorqua-t-il en la scrutant avec intérêt. Mais ensuite je cherche autre chose.

Elle éprouvait une impression étrange au contact de sa main. Sa voix n'était pas aussi ferme qu'elle l'aurait souhaité quand elle répondit :

— Et si vous ne trouvez pas ?

— Alors j'abandonne, dit-il simplement. Venez, votre thé va être froid.

Elle se laissa conduire jusqu'à sa chaise.

— Monsieur Atkins, je ne voudrais surtout pas vous offenser. Je ne peux pas me le permettre, mais…

Elle lâcha un soupir de frustration tout en s'asseyant.

— … Je pense que vous êtes un homme très étrange.

Il sourit, et elle trouva captivante la façon dont ses yeux se plissaient, une fraction de seconde avant sa bouche.

— Vous m'offenseriez si vous ne pensiez pas ainsi, mademoiselle Swan. Je n'ai aucune envie d'être comme tout le monde.

Il commençait à la fasciner. Ryan avait toujours eu soin de garder une certaine objectivité professionnelle lorsqu'elle traitait avec les vedettes. Il ne fallait surtout pas se laisser intimider, sinon on se retrouvait à ajouter des clauses au contrat et à faire des promesses irréfléchies.

— Monsieur Atkins, si nous parlions de notre contrat.

— J'y ai déjà beaucoup pensé.

Un coup de tonnerre fit trembler les vitres. Ryan jeta un coup d'œil vers la fenêtre tandis qu'il levait sa tasse.

— Les routes risquent d'être dangereuses cette nuit, commenta Atkins.

Il reporta son regard sur Ryan. Elle avait serré les poings sous l'effet du tonnerre.

— Avez-vous peur de l'orage?

— Non, pas vraiment, assura-t-elle tout en relâchant lentement les doigts. Mais je vous suis reconnaissante de votre hospitalité. Je n'aime pas conduire dans ces conditions.

Elle prit sa tasse et essaya d'ignorer les éclairs qui déchiraient le ciel.

— Si vous avez des questions à me poser au sujet du contrat, je serai ravie d'y répondre.

— Je pense qu'il est tout à fait compréhensible, dit-il en portant la tasse à ses lèvres. Mon agent a d'ailleurs très envie que je le signe.

— Ah bon?

Elle fit un effort pour cacher sa satisfaction. Il valait mieux qu'elle ne se réjouisse pas trop tôt.

— Je ne m'engage jamais sans être absolument sûr de ne pas le regretter. Je vous ferai part de ma décision demain.

Elle fit un signe de tête affirmatif. Il semblait sincère, et elle devinait que ni son agent ni personne ne parviendraient à l'influencer : il prenait ses décisions tout seul, un point c'est tout.

— Savez-vous jouer aux échecs, mademoiselle Swan ?

— Quoi ? demanda-t-elle distraitement en levant les yeux vers lui. Je vous demande pardon ?

— Savez-vous jouer aux échecs ? répéta-t-il.

— Oui, je sais. Pourquoi ?

— Je m'en doutais. Vous savez agir au bon moment et attendre quand il le faut. Voulez-vous faire une partie avec moi ?

— Oui, dit-elle sans hésiter, avec plaisir.

Il se leva, lui offrit la main et la conduisit jusqu'à une table qui se trouvait à côté de la fenêtre. Dehors, la pluie et le vent fouettaient les vitres. Mais, à la vue des pièces posées sur l'échiquier, elle oublia l'orage.

— Quel jeu merveilleux !

Elle souleva le roi des blancs. Il était très grand et sculpté dans du marbre.

— Arthur, remarqua-t-elle, saisissant ensuite la reine. Et Guenièvre.

Elle examina les autres pièces, une à une.

— Lancelot, le cavalier. Merlin, le fou. Et bien sûr Camelot, compléta-t-elle en faisant tourner la tour entre ses mains. Je n'en ai jamais vu d'aussi beaux.

— Prenez les blancs, proposa-t-il tout en s'installant devant les noirs. Jouez-vous pour gagner, mademoiselle Swan ?

Elle s'assit en face de lui.

— Oui, n'est-ce pas le cas de tout le monde ?

Il lui jeta un long regard énigmatique.

— Non. Certaines personnes jouent pour le plaisir de jouer.

Au bout de dix minutes, Ryan n'entendit plus le bruit de la pluie sur les carreaux. Pierce Atkins était un joueur à la fois habile et silencieux. Elle se surprit à observer ses mains pendant qu'il faisait glisser les pièces sur l'échiquier. De longues mains fines, aux doigts agiles. Il portait une bague à l'auriculaire, avec un symbole en forme de parchemin qu'elle ne reconnut pas. On disait ces mains capables de crocheter n'importe quelle serrure et de défaire n'importe quel nœud. Elle songea qu'elles ressemblaient plutôt à des mains de violoniste. Lorsqu'elle releva les yeux, il la regardait avec son petit sourire amusé. Elle fixa son attention sur sa stratégie.

Quand Ryan attaquait, il se défendait. Quand il avançait, elle contre-attaquait. Atkins apprécia d'avoir trouvé une partenaire à sa hauteur. Elle jouait prudemment avec, de temps en temps, de brusques élans impulsifs. Il pressentit que sa façon de jouer devait refléter sa personnalité. Elle ne semblait pas être du genre à se laisser facilement duper ou vaincre. Il admirait à la fois son esprit vif et la force qu'il sentait en elle et qui rendait sa beauté encore plus attirante.

Ses mains étaient douces. Tout en lui prenant son fou, il se demanda si sa bouche l'était tout autant, et combien de temps il lui faudrait pour s'en assurer. Il avait d'ores et déjà décidé qu'il finirait par le savoir ; c'était une question de temps. Et Pierce était bien placé pour connaître l'inestimable valeur du timing.

— Echec et mat, déclara-t-il tranquillement tandis que Ryan poussait un cri de surprise.

Elle étudia l'échiquier pendant un instant, puis un sourire éclaira son visage.

— Bon sang ! Je n'ai rien vu arriver. Etes-vous sûr que vous n'aviez aucune pièce cachée dans votre manche ?

« Rien dans ma manche », lança Merlin, à l'autre bout de la pièce.

Ryan lui jeta un coup d'œil en se demandant à quel moment il les avait rejoints.

— Je n'ai jamais recours à la magie quand les compétences suffisent, répondit Pierce, sans prêter attention à l'oiseau. Vous jouez bien, mademoiselle Swan.

— Pas aussi bien que vous, monsieur Atkins.

— Pour cette fois, approuva-t-il. Vous m'intéressez.

— Ah ! dit-elle en le regardant posément. Dans quel sens ?

— De différentes manières.

Il s'appuya contre le dossier et caressa la reine noire du doigt.

— Vous jouez pour gagner, mais vous savez aussi perdre. Est-ce toujours vrai ?

— Non.

Elle rit, mais se leva de table. Elle sentait la tension l'envahir de nouveau.

— Et vous, monsieur Atkins, savez-vous perdre ?

— Je perds rarement.

Lorsque Ryan releva les yeux, il se tenait debout à côté d'une autre table, un paquet de cartes dans les mains. Elle ne l'avait pas vu bouger, et cela la troubla.

— Connaissez-vous les tarots ?

— Non. Je veux dire, corrigea-t-elle, je sais qu'ils servent à dire la bonne aventure ou quelque chose de ce genre.

— Ou quelque chose de ce genre, répéta-t-il avec un petit rire en commençant à battre les cartes avec doigté. Rien de plus qu'un rituel, mademoiselle Swan. Un moyen de retenir l'attention et d'ajouter une touche de mystère à une certaine perspicacité, et à un bon sens de l'observation. La plupart des gens préfèrent se faire des illusions. Les explications déçoivent même les plus réalistes.

Elle traversa la pièce pour le rejoindre.

— Vous n'y croyez pas. Vous savez bien que de jolies cartes colorées ne suffisent pas à prédire l'avenir.

— Rien de plus qu'un outil, une diversion, précisa-t-il en haussant les épaules. Un jeu, si vous préférez. Les jeux m'aident à me décontracter.

D'un geste rapide et efficace, Pierce forma un éventail avec les longues cartes et le posa sur la table.

— Vous faites cela très bien, murmura Ryan.

Ses nerfs étaient de nouveau tendus, mais elle n'aurait pas su dire pourquoi.

— Une compétence de base, que je pourrais vous apprendre facilement, dit-il, détendu. Vos mains sont habiles.

Il en saisit une, mais c'était son visage qu'il observait.

— Est-ce que je peux tirer une carte?

Ryan retira sa main. Son pouls commençait à s'emballer.

— C'est votre jeu.

Avec un doigt, Pierce Atkins fit glisser une carte et la retourna d'un geste précis. Le Magicien.

— Confiance en soi et créativité, murmura-t-il.

— C'est vous, remarqua Ryan avec désinvolture, pour masquer la nervosité qui montait en elle.

— On dirait bien.

Atkins posa le doigt sur une autre carte qu'il retira du jeu. La Grande Prêtresse.

— Sérénité, dit-il rapidement. Force. Est-ce vous?

— C'est facile pour vous de tirer la carte que vous voulez, après avoir triché en mélangeant le jeu, répondit-elle en haussant les épaules.

Atkins sourit, pas le moins du monde offensé.

— Choisissez la prochaine, vous qui êtes cynique, pour qu'on sache ce qui va se passer entre ces deux personnes. Prenez une carte, mademoiselle Swan. N'importe laquelle.

Contrariée, Ryan en tira une qu'elle lança à l'endroit sur la table. Elle étouffa un cri et fixa la carte en silence, le souffle coupé. Les Amants. Son cœur battait trop fort dans sa poitrine.

— Fascinant, murmura Atkins.

Il ne souriait plus et examinait la carte comme s'il ne l'avait jamais vue auparavant.

Ryan fit un pas en arrière.

— Je n'apprécie pas votre petit jeu, monsieur Atkins.

— Mmm?

Son regard flotta un instant avant qu'il reporte les yeux sur elle.

— Non? Bien, dans ce cas...

Il fit négligemment voltiger les cartes en l'air et les regroupa.

— ... je vais vous montrer votre chambre.

Pierce Atkins avait ressenti le même trouble que Ryan quand elle avait tiré cette fameuse carte. Il savait cependant que la réalité était souvent beaucoup plus étrange que n'importe quelle illusion qu'il pouvait concevoir. Mais il avait du travail et beaucoup de problèmes pratiques à régler concernant son prochain spectacle à Las Vegas, dans deux semaines. Pourtant, assis dans sa chambre, il pensait à Ryan et non aux mécanismes de ses numéros.

Elle avait un rire éclatant et plein d'énergie, qui lui plaisait autant que la voix prudente qu'elle prenait pour discuter d'un contrat et de ses clauses.

Il connaissait déjà leur engagement. Il n'était pas du genre à négliger ce genre de détails. Il n'apposait sa signature au bas d'aucun document sans en avoir saisi chaque nuance. Tant mieux si le public le considérait comme quelqu'un de mystérieux, de brillant et d'étrange. Son image était un mélange d'illusion et de réalité, et il préférait qu'il en soit ainsi. Il avait passé la seconde moitié de sa vie à organiser les choses à sa façon.

Ryan Swan. Atkins enleva sa chemise et la lança sur une chaise. Il n'était pas encore sûr de ce qu'il ressentait à son égard. Il avait vraiment l'intention de signer ce contrat, avant de la voir descendre les dernières marches de l'escalier. Mais l'instinct l'avait fait hésiter, et Pierce Atkins faisait totalement confiance à ses intuitions. Il lui fallait maintenant réfléchir à tout cela.

Les cartes n'avaient pas d'influence sur lui. Il savait les manipuler à sa guise. Les coïncidences, par contre, le troublaient. Etrange de voir Ryan tirer la carte symbolisant les amants au moment même où il se demandait quel effet ça lui ferait de la tenir dans ses bras.

Il s'assit en riant et commença à griffonner sur un bloc de papier. Le projet qu'il avait ébauché, pour un nouveau numéro, allait devoir être annulé ou modifié. Il se calma en tournant le problème dans sa tête comme il l'avait fait précédemment avec l'image de Ryan.

Il aurait peut-être été plus sage de signer les papiers dès le lendemain, et de la laisser poursuivre sa route. Il n'aimait pas qu'une femme envahisse ses pensées. Mais Pierce ne faisait pas toujours ce que la sagesse lui recommandait. Si cela avait été le cas, il serait encore à faire des tours de magie dans les clubs, à sortir des lapins de son chapeau et des écharpes colorées de ses manches, tout cela payé au tarif syndical. Aujourd'hui, il était capable de changer une femme en panthère et de passer au travers d'un mur de brique.

Et hop! pensa-t-il. De la magie instantanée. Mais personne ne se souvenait des années de lutte, de frustration et d'échec. Là aussi, il avait organisé les choses à sa manière. Peu de gens savaient d'où il venait et qui il était avant d'avoir vingt-cinq ans.

Pierce reposa son stylo. Penser à Ryan Swan le mettait mal à l'aise. Il décida de descendre dans son atelier pour travailler jusqu'à ce qu'il y voie plus clair. C'est alors qu'il l'entendit hurler.

Ryan se déshabilla avec désinvolture. La colère lui faisait toujours cet effet. De la magie de salon, pensa-t-elle rageusement tout en baissant la fermeture Eclair de sa jupe. Ah, les gens du spectacle! Elle aurait dû être habituée, pourtant.

Elle se remémora un rendez-vous qu'elle avait eu avec un comédien connu, le mois précédent. Il lui avait fait un numéro de vingt minutes avant qu'elle parvienne à discuter avec lui des modalités de sa participation à un show télévisé, produit par Swan Productions. Toute cette histoire avec les tarots n'était rien d'autre qu'un spectacle monté de toutes pièces pour l'impressionner, décida-t-elle en enlevant ses chaussures d'un coup de pied. Encore un artiste égocentrique et mal dans sa peau.

Ryan fronça les sourcils et déboutonna son chemisier. Elle ne parvenait pas à analyser ses propres conclusions. Que ce soit sur scène ou en privé, Pierce Atkins ne ressemblait pas à l'image qu'elle se faisait d'un homme possédant ce genre de caractéristiques. Elle aurait juré qu'il avait été aussi surpris qu'elle quand elle avait tiré cette carte. Ryan retira son chemisier et le jeta sur le lit. « Bon, c'est un comédien, se dit-elle. Un magicien est-il autre chose qu'un acteur intelligent et habile de ses mains ? »

A cette pensée, elle se rappela leur finesse et leur grâce tandis qu'elles saisissaient les pièces d'échecs en marbre noir. Mais elle choisit de ne plus y penser. Demain, elle obtiendrait sa signature au bas du contrat et elle s'en irait. Il la perturbait. Avant même qu'il donne sa petite représentation avec les cartes, il la troublait déjà. « Ses yeux ont quelque chose d'indéfinissable », se dit Ryan en frissonnant.

« Il a une forte personnalité, c'est tout, décida-t-elle. Il est attirant et très beau. Mais il a cultivé ces atouts, tout comme, sans doute, son air mystérieux et son sourire énigmatique. »

Des éclairs illuminèrent le ciel, et Ryan sursauta. Elle n'avait pas été totalement honnête avec Atkins. Les orages lui mettaient les nerfs à vif. Elle parvenait à rationaliser sa peur, mais, au fond, le tonnerre et les éclairs l'avaient toujours terrorisée. Elle détestait cette vulnérabilité, essentiellement féminine. Atkins avait raison : Bennett Swan aurait voulu avoir un fils. Et Ryan avait travaillé dur pour compenser le fait d'être une femme.

« Va te coucher, s'ordonna-t-elle. Va au lit, couvre-toi la tête avec les couvertures et ferme les yeux. » Elle traversa la chambre d'un air décidé pour tirer les rideaux. Elle regarda dehors. Deux yeux verts lui rendirent son regard. Elle hurla.

Ryan traversa la pièce comme une flèche. Ses mains moites glissèrent sur la poignée. Quand Pierce Atkins ouvrit la porte, elle lui tomba dans les bras et s'accrocha à lui de toutes ses forces.

— Ryan, que diable se passe-t-il ?

Il l'aurait bien écartée, mais elle avait les bras étroitement noués autour de son cou. Elle semblait petite, sans ses talons hauts. Il pouvait deviner la forme de son corps tandis qu'elle se serrait désespérément contre lui. Tout en éprouvant un sentiment mêlé d'inquiétude et de curiosité, il sentit une puissante vague de désir le traverser. Contrarié, il la repoussa fermement en la saisissant par les bras.

— Que se passe-t-il? demanda Atkins.

— La fenêtre, dit-elle.

Elle serait retournée se blottir dans ses bras, s'il ne l'avait pas tenue à distance.

— Là, près du lit.

Il l'écarta et alla voir de plus près. Ryan, les deux mains sur la bouche, s'appuya sur la porte qui se ferma en claquant.

Elle entendit Atkins jurer tout bas tandis qu'il ouvrait la fenêtre pour aller dehors. Lorsqu'il rentra, il tenait à bout de bras un énorme chat noir tout mouillé. Ryan s'effondra contre la porte avec un gémissement sourd.

— Mon Dieu! Que va-t-il encore m'arriver?

— Je vous présente Circé.

Atkins posa la chatte par terre. Elle se secoua rapidement, puis sauta sur le lit.

— Je ne savais pas qu'elle était dehors par un temps pareil, conclut-il.

Il se retourna pour regarder Ryan. S'il se moquait d'elle maintenant, elle ne le lui pardonnerait jamais. C'est donc avec un regard d'excuse qu'il lui dit :

— Je suis désolé. Elle a dû vous faire une belle frayeur. Voulez-vous que j'aille vous chercher un brandy?

— Non merci, répondit-elle avec un long soupir. Un brandy ne me guérira pas de mon embarras.

— Il n'y a rien d'embarrassant dans le fait d'avoir peur.

Comme ses jambes tremblaient toujours, elle préféra rester appuyée contre la porte.

— Vous devriez me prévenir, s'il y a d'autres animaux de compagnie dans cette maison, dit-elle en s'efforçant de sourire. Comme ça, si je me réveille avec un loup couché à côté de moi, je n'aurai pas peur et je pourrai me rendormir.

Il ne répondit pas. Son regard la parcourait lentement, de la tête aux pieds. Elle se rendit compte qu'elle ne portait qu'un petit ensemble de lingerie de soie. Elle se raidit contre la porte et, quand les yeux de Pierce Atkins rencontrèrent les siens, elle resta figée sur place, sans voix. Avant même qu'il ne fasse le premier pas vers elle, sa respiration commençait à s'accélérer.

« Dis-lui de partir ! », lui souffla sa voix intérieure. Mais les mots refusaient de franchir ses lèvres. Son regard l'attirait comme un aimant. Lorsqu'il s'approcha d'elle, elle releva la tête afin de ne pas rompre le charme. Son cœur battait la chamade. Son corps tout entier vibrait de désir.

« Je le veux. » Cette constatation la stupéfia. « Je n'ai jamais voulu aucun autre homme avec cette intensité. » Sa respiration s'affola. Celle d'Atkins restait calme et régulière. Il posa un doigt sur son épaule et fit glisser lentement la bretelle de son caraco. Ryan ne fit pas un mouvement. Il la regardait intensément tandis qu'il faisait tomber l'autre bretelle. Le petit morceau de soie descendit jusqu'à la pointe de ses seins et s'y suspendit dangereusement. Au moindre geste, il glisserait jusqu'à ses pieds. Elle resta clouée sur place, hypnotisée.

Atkins leva les mains et releva les mèches qui tombaient sur son visage. Il passa les doigts dans ses cheveux, se pencha vers elle, hésita un instant. Les lèvres de Ryan s'entrouvrirent en tremblant. Il attendit que ses yeux se ferment avant d'y poser sa bouche.

Elle était douce et ferme. Au début, elle ne fit qu'effleurer la sienne, comme pour l'apprivoiser. Puis il fit une petite pause, suspendant un instant son baiser. Etait-ce une promesse ou une menace ? Ryan n'aurait su le dire. Elle sentit que ses jambes étaient sur le point de céder et elle s'accrocha aux bras de Pierce. Leurs muscles étaient durs, mais le moment n'était pas encore venu d'y penser. Pour l'instant, il n'y avait que ses lèvres qui comptaient. Il l'embrassait à peine, mais ce simple contact lui coupait le souffle.

Il faisait durer le plaisir, la laissait sur sa faim. Ryan resserra désespérément l'étreinte de ses doigts sur ses biceps. La bouche de Pierce effleura ses lèvres, les pressa doucement, puis sa langue frôla la sienne. Il eut envie de caresser son corps, mais ses mains restèrent dans ses cheveux. Ce baiser, à lui seul, fit jaillir du fond de son être des ondes de plaisir intense.

Il avait déjà eu faim de nourriture, d'amour ou de femmes, mais il n'avait pas ressenti depuis longtemps un besoin aussi sauvage et déchirant. Pourtant, il se satisfaisait d'un avant-goût de sa saveur, douce et piquante à la fois. Tandis qu'il s'en imprégnait, il sut qu'il y aurait un temps où il en voudrait plus. Mais, pour l'heure, ses lèvres le contentaient.

Pierce sentit qu'il avait atteint le point de non-retour et qu'il ne pourrait bientôt plus faire marche arrière. Il releva la tête et attendit que Ryan ouvre les paupières.

Ses yeux étaient troubles et d'un vert assombri. Il remarqua qu'elle semblait aussi abasourdie qu'excitée. Il savait qu'il aurait pu la prendre maintenant, ici même, debout. Il suffisait qu'il l'embrasse et qu'il fasse glisser le petit bout de soie qu'elle portait. Mais il n'en fit rien. Ryan desserra les doigts, et ses bras retombèrent. Sans rien dire, il la contourna et ouvrit la porte. Le chat sauta du lit pour se glisser dans l'entrebâillement, avant que Pierce la referme derrière lui.

3

Au matin, les seuls vestiges de l'orage étaient le goutte à goutte régulier de l'eau de pluie qui tombait du balcon de la chambre. Ryan s'habilla avec soin. Il fallait absolument qu'elle ait retrouvé sa maîtrise d'elle-même quand elle descendrait. Les choses auraient été bien plus faciles si elle avait pu se convaincre qu'elle avait rêvé, que Pierce Atkins n'était jamais venu dans sa chambre, qu'il ne lui avait jamais donné ce baiser étrange et envoûtant. Mais non, il ne s'agissait pas d'un songe.

Ryan avait trop le sens des réalités pour prétendre le contraire ou pour se trouver des excuses. Tout en pliant le tailleur qu'elle avait porté la veille, elle reconnut qu'elle était en grande partie responsable de ce qui était arrivé. Elle s'était comportée comme une idiote en poussant ce hurlement, tout cela parce qu'un chat voulait échapper à la pluie. Elle s'était jetée dans les bras d'Atkins, quasiment nue et les nerfs à fleur de peau. Pour finir, et c'était ce qui la dérangeait le plus, elle n'avait rien fait, elle ne s'était pas débattue, elle n'avait proféré aucune protestation indignée.

Il l'avait peut-être hypnotisée, se dit-elle avec un sourire tout en se brossant les cheveux. Sa façon de la regarder, la manière dont sa volonté s'était annihilée… Avec un soupir de frustration, Ryan jeta la brosse dans la valise. Personne ne pouvait être hypnotisé par un simple regard.

Si elle voulait résoudre le problème, il fallait d'abord qu'elle se rende à l'évidence : elle voulait qu'il l'embrasse. Et, lorsqu'il était passé à l'acte, elle s'était laissé dominer par son désir.

37

Ryan fit claquer les fermetures de la valise, puis la posa près de la porte. Elle serait allée au lit avec lui. C'était un fait acquis. Inutile de se mentir à elle-même : s'il était resté, elle aurait fait l'amour avec lui, alors qu'elle ne le connaissait que depuis quelques heures.

Ryan inspira profondément et attendit un instant avant d'ouvrir la porte. Pour quelqu'un comme elle, qui se vantait d'avoir du bon sens, cette vérité était dure à affronter. Elle était venue jusqu'ici pour obtenir la signature de Pierce Atkins au bas du contrat et non pas pour coucher avec lui.

« Pour l'instant, tu n'as fait ni l'un ni l'autre, se souvint-elle en faisant la grimace. Mais aujourd'hui est un autre jour. » Le moment était venu de se concentrer sur le contrat et d'oublier son désir. Ryan ouvrit la porte et descendit l'escalier.

La maison était calme. Après avoir jeté un rapide coup d'œil dans le salon et découvert qu'il était vide, elle traversa le hall. Elle voulait à tout prix mettre la main sur Atkins afin de conclure l'affaire pour laquelle elle était venue. Mais une porte ouverte sur sa droite l'invita à s'arrêter. Elle resta bouche bée devant ce qu'elle découvrit dans la pièce.

Il y avait des murs — littéralement des murs — de livres. Ryan n'en avait jamais vu autant chez un particulier, même pas dans la bibliothèque de son père. Bizarrement, elle savait que ces livres étaient plus qu'un simple investissement : ils étaient là pour être lus. Et Atkins les connaissait certainement tous. Elle entra dans la pièce pour regarder de plus près. Il y flottait un mélange d'odeurs de cuir et de bougie.

Robert-Houdin démasqué, par Harry Houdini ; *Les Frontières de l'inconnu*, par Arthur Conan Doyle ; *Les Illusionnistes et leurs secrets*. Des ouvrages, parmi beaucoup d'autres, sur la magie et les magiciens que Ryan ne fut pas étonnée de trouver chez Pierce Atkins. Mais il y avait aussi des livres de T. H. White, de Shakespeare, de Chaucer, ainsi que les poèmes de Byron et de Shelley. Intercalées entre les autres, des œuvres de Francis Scott Fitzgerald, de Norman Mailer et de Ray Bradbury. Ryan pensa à son père, qui connaissait, au centime près, le prix de chacun des ouvrages de sa bibliothèque, bien qu'il n'en ait pas lu plus d'une douzaine.

« Il a des goûts très éclectiques », songea-t-elle tandis qu'elle parcourait la pièce. Des personnages ciselés et peints, qu'elle identifia comme étant les habitants de la Terre du Milieu de Tolkien, ornaient le manteau de la cheminée. Une sculpture en métal, très moderne, était posée sur le bureau.

« Qui est Pierce Atkins ? s'interrogea Ryan. Qui est-il vraiment ? Il est lyrique et fantasque en apparence, mais il a aussi les deux pieds ancrés dans la réalité. » Elle fut irritée de constater à quel point elle avait envie de mieux le connaître.

— Mademoiselle Swan ?

Ryan se retourna précipitamment. Link était debout dans l'encadrement de la porte.

— Oh ! Bonjour.

Elle se demanda si son expression était désapprobatrice ou si c'était simplement son visage ingrat qui donnait cette impression.

— Je suis désolée, ajouta-t-elle. Peut-être n'aurais-je pas dû entrer ici ?

Link haussa ses épaules massives.

— S'il avait voulu vous en interdire l'accès, il aurait fermé la porte à clé.

— Oui, bien sûr, murmura Ryan, ne sachant si la remarque devait l'offenser ou l'amuser.

— Pierce vous fait dire que vous pourrez l'attendre en bas, après avoir pris votre petit déjeuner.

— Est-il sorti ?

— Oui, dit Link brièvement. Il court huit kilomètres par jour.

— Huit kilomètres ?

Mais Link tournait déjà les talons. Ryan traversa la pièce à toute vitesse pour le rejoindre.

— Je vais faire votre petit déjeuner, annonça-t-il.

— Juste du café, euh, du thé, corrigea-t-elle, se souvenant de la scène de la veille.

Elle ne savait pas comment l'aborder, mais elle se rendit compte qu'à force de courir après lui elle serait bientôt trop essoufflée pour parler.

— Link.

Ryan posa la main sur son bras, et il s'arrêta.

— J'ai lu votre composition hier soir, sur le piano.

Il la regarda dans les yeux, sans changer d'expression.

— J'espère que cela ne vous dérange pas, reprit-elle.

Il haussa de nouveau les épaules. Ryan en conclut qu'il se servait souvent de ce geste pour remplacer les mots.

— La mélodie est très belle, continua-t-elle.

Ryan eut la surprise de constater qu'il rougissait. Elle n'avait jamais imaginé qu'un homme de cette taille puisse se sentir gêné.

— Ce n'est pas encore terminé, marmonna-t-il.

Ryan, émue, dit en souriant :

— Ce qui est fait est déjà très beau. Vous avez beaucoup de talent.

Il frotta ses semelles sur le sol et s'éloigna d'un pas lourd en maugréant qu'il allait s'occuper de son thé.

Tout en grignotant ses toasts, Ryan songeait à la remarque de Pierce Atkins sur les apparences. Même si cette étrange visite n'avait pas d'autres résultats, elle aurait au moins appris quelque chose. Elle savait qu'elle ne porterait plus jamais de jugements hâtifs, basés sur des faux-semblants.

Elle traîna délibérément pour prendre son petit déjeuner, mais Atkins n'était toujours pas revenu quand elle le termina. Réticente à l'idée d'affronter le sous-sol, elle but son thé froid à petites gorgées et attendit. Finalement, elle se leva, ramassa sa serviette et se dirigea vers l'escalier.

La lumière avait été allumée, et elle en fut soulagée. Et même si un certain nombre de recoins restaient dans l'ombre, Ryan n'éprouva pas le même sentiment d'appréhension que la veille. Elle savait maintenant à quoi s'attendre.

Apercevant Merlin dans sa cage, elle se dirigea vers lui. Comme la porte était ouverte, elle resta prudemment à côté tout en l'observant. Elle n'avait pas envie qu'il se perche de nouveau sur son épaule, d'autant plus qu'Atkins n'était pas là pour le rappeler.

— Bonjour, dit-elle, curieuse de savoir s'il lui parlerait quand même, maintenant, alors qu'elle était seule.

Merlin la fixa un court instant.

— « J'te paye un verre, mon chou ? »

Elle rit et décida que celui qui lui avait appris à parler avait un curieux sens de l'humour.

— Merci, mais ce n'est pas mon truc, répondit-elle en se penchant en avant pour le regarder dans les yeux. Que sais-tu dire d'autre ? Je suis sûre qu'il t'a appris à dire pas mal de choses. Il doit avoir la patience de le faire.

Elle sourit, amusée de voir que l'oiseau semblait l'écouter avec attention.

— Es-tu un oiseau intelligent, Merlin ?

— « Hélas, pauvre Yorick ! » lança-t-il, affable.

— Bon sang ! Cet oiseau cite *Hamlet*.

Incrédule, elle reporta son attention sur l'estrade. Deux grandes malles, un panier d'osier, et une table longue et haute s'y trouvaient. Piquée par la curiosité, Ryan posa sa serviette par terre et gravit les marches. Sur la table étaient posés un jeu de cartes à jouer, deux cylindres vides, une bouteille de vin et des verres, ainsi qu'une paire de menottes.

Ryan prit les cartes et chercha à savoir comment il les marquait. Elle ne vit rien, même après les avoir bien examinées à la lumière. Elle les posa et observa les menottes, qui semblaient être les mêmes que celles de la police. En acier froid et hostile. Elle chercha une clé et n'en trouva pas.

Ryan avait fait des recherches concernant Pierce Atkins. Elle savait qu'aucune fermeture au monde ne lui résistait. On l'avait

41

enfermé, pieds et mains menottés, dans un coffre fermé à triple tour. Il s'en était évadé en moins de trois minutes, libéré des menottes. « Impressionnant, songea-t-elle, étudiant toujours les bracelets d'acier. Où est le truc ? »

— Mademoiselle Swan.

Elle laissa tomber les menottes avec fracas et se retourna vivement. Atkins se tenait debout juste derrière elle. « Il n'a pas pu descendre par l'escalier », pensa-t-elle. Elle l'aurait entendu arriver. Il devait certainement y avoir une autre entrée. Depuis combien de temps était-il là, à l'observer ? Il ne la quittait pas des yeux tandis que la chatte se frottait contre ses jambes en ondulant.

— Monsieur Atkins, réussit-elle à articuler d'une voix plutôt calme.

— J'espère que vous avez passé une bonne nuit, dit-il en la rejoignant. L'orage ne vous a-t-il pas empêchée de dormir ?

— Non.

Il avait l'air incroyablement frais et dispos pour quelqu'un qui venait de courir huit kilomètres. Ryan se souvint des muscles de ses bras. Il avait de la force et manifestement de l'endurance, aussi. Il la toisait presque, la scrutant intensément. Ses yeux ne contenaient plus aucune trace de la passion contenue qui semblait l'habiter hier soir.

Atkins changea abruptement de sujet et lui adressa un sourire. Puis il balaya la table d'un geste de la main.

— Que voyez-vous ici ?

— Quelques-uns de vos instruments.

— Ah ! mademoiselle Swan, vous avez toujours les pieds sur terre.

— J'aime à le croire, répondit-elle, agacée. Que suis-je censée y voir ?

Il sembla apprécier sa réponse et il versa un peu de vin dans un des verres.

— L'imagination, mademoiselle Swan, est un don inestimable. Etes-vous d'accord ?

— Oui, bien sûr, concéda-t-elle en regardant les mains du magicien avec attention. Jusqu'à un certain point.

— C'est vrai, approuva-t-il en lui montrant les cylindres vides. Mais peut-on y apporter la moindre restriction ? demanda-t-il tout en glissant un des cylindres à l'intérieur de l'autre. Croyez-vous que l'esprit ait le pouvoir de modifier les lois de la nature ?

Atkins plaça les deux cylindres sur la bouteille de vin et observa Ryan qui se concentrait toujours sur ses mains, les sourcils froncés.

— En théorie, répliqua-t-elle.

— Seulement en théorie.

Il retira le premier des cylindres et le plaça sur le verre de vin. Il souleva ensuite l'autre pour lui montrer que la bouteille était toujours en dessous.

— Mais pas en pratique, continua-t-il.

— Non.

Ryan surveillait attentivement chacun de ses gestes. Impossible qu'il réussisse à changer quoi que ce soit, juste sous son nez.

— Où est le verre, mademoiselle Swan ?

— Ici, répondit-elle en montrant le premier cylindre.

— En êtes-vous sûre ?

Pierce Atkins souleva le tube. La bouteille était dessous. Ryan regarda le second cylindre, frustrée. Pierce le retira et révéla le verre à moitié plein.

— Apparemment, la théorie ne suffit pas, conclut-il en remettant les cylindres à leur place.

— Très malin, dit-elle, irritée de n'avoir rien perçu.

— Désirez-vous un peu de vin, mademoiselle Swan ?

— Non merci, je…

Elle n'avait pas fini sa phrase qu'il soulevait déjà le premier cylindre. A l'endroit où elle venait juste de voir la bouteille, le verre avait réapparu. Charmée malgré elle, Ryan se mit à rire.

— Vous êtes très fort, monsieur Atkins.

— Merci.

Il avait prononcé ce mot si sérieusement que Ryan leva les yeux. Le regard du magicien était calme et pensif. Intriguée, elle redressa la tête.

— Je suppose que vous ne m'expliquerez pas comment vous avez fait.

— Non.

— C'est bien ce que je pensais.

Elle souleva les menottes. Elle avait, pour l'instant, oublié sa serviette qui était restée au pied de l'estrade.

— Font-elles aussi partie de votre spectacle ? Elles ont l'air d'être vraies.

— Elles sont tout à fait vraies, répondit-il.

Il souriait de nouveau, satisfait d'avoir entendu son rire. Il savait qu'il n'oublierait pas son timbre, et qu'il lui reviendrait à l'esprit chaque fois qu'il penserait à elle.

— Elles n'ont pas de clés, fit-elle remarquer.

— Je n'en ai pas besoin.

Elle fit passer les menottes d'une main à l'autre tout en les étudiant attentivement.

— Vous êtes très sûr de vous.

— Oui.

Il avait mis une nuance d'amusement dans sa voix et elle s'interrogea sur ce qu'il lui réservait. Il lui tendit les mains, poignets serrés.

— Allez-y. Mettez-les-moi.

Ryan n'hésita qu'une seconde. Elle voulait le voir opérer, juste sous ses yeux.

— Si vous ne réussissez pas à les retirer, suggéra-t-elle en les fermant d'un coup sec, nous pourrons alors nous asseoir et parler de ce contrat.

Elle releva la tête et lui jeta un regard pétillant.

— Et quand vous l'aurez signé, nous appellerons un serrurier.

— Je ne pense pas que ce sera nécessaire.

Il brandit les menottes en les balançant devant elle, ouvertes.

— Oh ! Mais comment…

Elle laissa sa phrase en suspens et secoua la tête.

— ... Non, c'était trop rapide, conclut-elle en les lui prenant des mains.

Atkins aimait la façon dont son expression était passée de la stupéfaction au doute.

— Elles sont faites sur mesure, dit Ryan, retournant soigneusement les bracelets en tous sens. Il doit y avoir un bouton ou autre chose.

— Pourquoi ne les essayez-vous pas ? suggéra-t-il.

Il les referma sur ses poignets avant qu'elle puisse refuser. Il s'attendait à la voir se mettre en colère mais elle riait.

— Je me suis laissé piéger, constata-t-elle l'air enjoué.

Puis elle concentra son attention sur les menottes. Elle fit tourner ses poignets en vain dans tous les sens.

— Elles semblent vraies, sans aucun doute. Il faudrait se disloquer les poignets pour atteindre le bouton, s'il y en a un, murmura-t-elle entre ses dents.

Elle se débattit encore un moment. Elle essaya par tous les moyens de passer les mains par l'ouverture.

— Bon, d'accord, vous avez gagné, reconnut-elle en abandonnant la partie. Elles sont bien réelles, reconnut-elle avec un sourire. Pourriez-vous me tirer de là, maintenant ?

— Peut-être, murmura-t-il en prenant ses poignets.

— Quelle réponse réconfortante ! dit-elle sèchement.

Mais ils sentirent tous deux son pouls qui s'accélérait, au moment où Atkins l'effleura avec son pouce. Il continua à la regarder dans les yeux, jusqu'à ce qu'elle sente la même langueur que la veille l'envahir.

— Je crois..., commença-t-elle d'une voix rauque... Je crois que vous feriez mieux...

Les mots s'étranglèrent dans sa gorge quand la caresse se prolongea sur la veine de son poignet.

— Arrêtez ! ordonna-t-elle, pas du tout certaine d'avoir envie qu'il s'interrompe.

Sans dire un mot, Pierce souleva ses mains menottées et les posa derrière sa nuque. Elle se retrouva serrée contre lui. Elle ne permettrait pas que la scène de la veille se reproduise. Elle allait protester.

— Non !

Elle se débattit en vain. Ses lèvres se posaient déjà sur les siennes.

La veille, sa bouche n'était pas aussi impatiente, ni ses doigts aussi actifs. Pierce lui prit la taille alors que sa langue forçait la barrière de ses lèvres. Ryan lutta contre le sentiment d'impuissance qui la paralysait — une impuissance liée à son propre désir plus qu'aux entraves de ses poignets. Elle s'abandonnait déjà corps et âme. Sa bouche était avide. Ses lèvres brûlaient, tandis que celles de Pierce étaient fraîches et fermes. Pendant qu'il la serrait plus fort contre lui, elle l'entendit murmurer quelque chose. « Une incantation, se dit-elle, prise de vertige. Il est en train de m'ensorceler ; il n'y a pas d'autre explication. »

Pourtant, ce ne fut pas un cri de protestation, mais de plaisir qui s'échappa de ses lèvres lorsque les mains de Pierce remontèrent doucement jusqu'à ses seins. Il y dessina lentement de petits cercles avant que ses pouces ne viennent en caresser les mamelons. Ryan se pressa contre lui, mordillant sa lèvre inférieure tandis qu'une nouvelle vague de désir l'envahissait. Puis il plongea les mains dans ses cheveux, lui repoussant la tête en arrière, afin que sa bouche soit totalement à sa merci.

« Il possède sûrement des pouvoirs magiques », pensa-t-elle. Sa bouche, en tout cas, l'ensorcelait. Personne ne lui avait encore fait éprouver un tel plaisir rien qu'en l'embrassant.

Ryan voulait toucher sa peau, provoquer en lui un désir aussi intense que le sien. Elle pesta contre les menottes qui entravaient ses poignets et découvrit soudain qu'elle avait les mains libres. Ses doigts pouvaient maintenant lui caresser la nuque, s'enfouir dans ses cheveux.

Il la relâcha brusquement, aussi vite qu'il l'avait capturée. Il la tenait par les épaules et l'écartait de lui.

Confuse, encore vibrante de plaisir, Ryan le dévisagea.

— Pourquoi?

Atkins ne répondit pas tout de suite. Il lui caressait les épaules d'un air songeur.

— J'ai eu envie d'embrasser Mlle Swan. Hier soir, c'est à Ryan que j'ai goûté.

— C'est ridicule.

Elle essaya de se libérer, mais il la tenait fermement.

— Non. Mlle Swan porte des tailleurs classiques et se tracasse au sujet de ses contrats. Ryan porte des dessous de soie et a peur de l'orage. Ce mélange me fascine.

Ces mots la troublèrent suffisamment pour qu'elle lui réponde d'une voix sèche et pleine de froideur :

— Je ne suis pas venue jusqu'ici pour vous fasciner, monsieur Atkins.

— Juste un petit à-côté, mademoiselle Swan.

Il sourit et lui embrassa les doigts. Elle retira vivement sa main.

— Il est temps de régler notre affaire.

— Vous avez raison, mademoiselle Swan.

Elle n'apprécia ni la lueur d'amusement dans ses yeux ni sa façon de prononcer son nom. Elle se rendit compte qu'il lui était complètement égal qu'il signe ou non le contrat. Elle voulait juste se libérer de son emprise.

— Bien, dans ce cas…, commença-t-elle en se penchant pour prendre sa serviette.

Elle tenait déjà la poignée quand Atkins posa sa main sur la sienne et l'enserra doucement.

— J'ai décidé de signer votre contrat, après quelques ajustements.

Ryan se força à retrouver son calme. Ajustement signifie généralement argent. Elle négocierait donc avec lui afin de se débarrasser de cette affaire.

— Je serai heureuse de discuter avec vous des modifications que vous désirez apporter.

— Très bien. Je veux une collaboration directe avec vous. Je veux que ce soit vous qui vous occupiez de la production.

Les doigts de Ryan se raidirent sur la poignée.

— Moi ? Mais mon activité n'inclut pas la production. Mon père…

— Je n'ai pas l'intention de travailler avec votre père, mademoiselle Swan, ni avec aucun autre producteur, dit-il en l'interrompant, sa main serrant toujours doucement la sienne. Je veux travailler avec vous.

— Vous me flattez, monsieur Atkins, mais…

— Venez à Las Vegas dans deux semaines.

— Las Vegas ? Mais pour quoi faire ?

— Je voudrais que vous assistiez à mon spectacle avec attention. Il n'y a rien de plus précieux pour un illusionniste que l'avis d'une personne cynique. Votre présence m'obligera à être vigilant. Vous avez l'esprit critique, j'aime ça.

Ryan poussa un soupir. La critique aurait dû le déranger, non pas l'attirer, songea-t-elle.

— Monsieur Atkins, je suis compétente pour négocier des affaires, pas pour diriger une production.

— Vous m'avez dit que vous étiez douée pour les détails, lui rappela-t-il gentiment. Je vais aller contre mes principes pour me présenter à la télévision. Je veux quelqu'un comme vous pour s'occuper de tout. Pour être plus précis, continua-t-il, je veux que ce soit *vous* qui gériez les détails.

— Vous n'êtes pas raisonnable, monsieur Atkins. Votre agent serait sûrement de mon avis. Il y a chez Swan Productions de nombreuses personnes mieux qualifiées que moi pour produire l'émission.

— Voulez-vous que je signe ce contrat, mademoiselle Swan ?

— Oui, évidemment, mais…

— Alors faites les modifications, dit-il simplement. Et soyez au Caesar's Palace dans deux semaines.

Il se pencha pour prendre le chat dans ses bras.

— Je me réjouis de travailler avec vous.

4

Quatre heures plus tard, lorsqu'elle franchit la porte de son bureau de chez Swan Productions, Ryan enrageait encore. « Il a un sacré toupet, décida-t-elle. Il pourrait remporter la palme d'or de l'individu le plus culotté du monde. » Il se figurait qu'il avait gagné la partie. Croyait-il vraiment être la seule vedette de renom qu'elle soit capable d'inscrire au palmarès de Swan Productions ? Quelle incroyable prétention ! Ryan jeta brutalement sa serviette sur le bureau et se laissa tomber sur sa chaise. Pierce Atkins pouvait d'ores et déjà se préparer à une surprise.

Ryan s'appuya contre le dossier, croisa les doigts et attendit d'être suffisamment calme pour réfléchir. Atkins ne connaissait pas Bennett Swan. Celui-ci était habitué à prendre ses décisions tout seul. Les conseils des autres pouvaient être pris en considération et discutés, mais il ne se laissait jamais influencer, surtout quand il s'agissait d'une décision importante. En vérité, songea-t-elle, il y avait toutes les chances qu'il fasse exactement le contraire de ce qu'on attendait de lui. Il n'apprécierait certainement pas qu'on lui dicte le choix de la personne appropriée pour diriger la production. Particulièrement, se dit Ryan avec quelque regret, si cette personne était sa fille.

Son père allait exploser de colère quand elle lui ferait part des conditions imposées par Atkins. Malheureusement le magicien ne serait pas là pour en subir les retombées. Swan trouverait une autre vedette pour son programme, et Atkins retournerait à ses petits numéros de bouteilles qui disparaissent.

Ryan s'absorba dans ses pensées. Elle n'avait aucune envie d'avoir à se préoccuper de convoquer des acteurs aux répétitions, d'élaborer des plannings de tournage et de résoudre les innombrables petits détails qu'implique la production d'un show télévisé de une heure — sans parler de la folie inhérente à une émission enregistrée en public. Que savait-elle de la résolution des problèmes techniques, des règles imposées par les syndicats et de la décoration de plateau ? La production est un travail complexe. Elle n'avait jamais eu la moindre envie de tenter sa chance dans ce secteur d'activité. Les tâches administratives et la gestion des détails préliminaires la contentaient parfaitement.

Elle s'appuya de nouveau contre le dossier, les coudes sur la table, le menton dans les mains. « Comme c'est ridicule, songea-t-elle, de se mentir à soi-même. Et comme il serait épanouissant de mener à bien un projet du début à la fin. » Elle avait des idées, beaucoup d'idées, qui étaient constamment étouffées dans l'œuf à cause des tracasseries administratives et juridiques qu'elle avait à résoudre.

Chaque fois qu'elle avait essayé de convaincre son père de lui donner sa chance dans le domaine de la création, elle avait rencontré le même refus inflexible. Elle n'avait pas d'expérience ; elle était trop jeune. Il oubliait délibérément qu'elle avait côtoyé le milieu du spectacle toute sa vie et qu'elle aurait vingt-sept ans le mois prochain.

Un des directeurs de production les plus talentueux avait réalisé, pour Swan Productions, un film qui avait gagné cinq prix. Et il n'avait que vingt-six ans à l'époque, se rappela Ryan avec indignation. Comment son père pouvait-il juger ses idées avant même de les avoir testées ? Elle avait juste besoin d'une opportunité.

Oui, elle devait admettre que rien ne lui conviendrait mieux que de suivre un projet depuis sa signature jusqu'à sa réalisation. Mais pas celui-là. Cette fois, elle allait reconnaître avec joie son manque de compétences et remettre Pierce Atkins et son contrat entre les mains de son père. Elle ressemblait suffisamment à une Swan pour détester qu'on lui pose un ultimatum.

Faites les modifications. Ryan proféra un grognement sarcastique et ouvrit sa serviette. Il avait dépassé les bornes, songea-t-elle, et, maintenant, il allait… Elle laissa sa phrase en suspens, le regard fixé sur les papiers soigneusement rangés. Une nouvelle rose rouge à longue tige y était posée.

— Comment a-t-il…?

Son propre rire l'interrompit. Elle s'adossa et fit tourner la fleur sous son nez. « Il est malin, songea-t-elle en s'imprégnant du parfum capiteux. Très intelligent. Mais qui diable est-il? Comment est-il devenu ainsi? » Assise dans son bureau fonctionnel et bien organisé, Ryan décida qu'elle avait très envie de le savoir, et que peut-être une explosion de colère et quelques intrigues seraient utiles pour y parvenir.

Il y avait des mystères enfouis au fond de l'âme d'un homme qui parlait d'une voix si calme et qui vous dominait d'un simple regard. Des énigmes dissimulées derrière des remparts de protection, songea-t-elle. Combien de murailles allait-elle devoir faire tomber avant de pouvoir accéder au tréfonds de son être? Entreprise risquée, décida-t-elle, mais… Ryan se rappela en secouant la tête qu'on ne lui donnerait de toute façon pas l'occasion de le faire. Bennett Swan obligerait le magicien à signer le contrat selon ses propres termes ou il le rayerait de sa liste. Elle sortit le contrat de sa serviette et la referma d'un coup sec. Pierce Atkins ne faisait plus partie de ses préoccupations. Pourtant, elle tenait toujours sa rose à la main.

La sonnerie de son téléphone lui rappela qu'elle n'avait pas le temps de rêver éveillée.

— Oui, Barbara.

— Le patron veut vous voir.

Ryan fit la grimace. Bennett Swan avait eu connaissance

51

de son arrivée au moment même où elle était passée devant la guérite du gardien.

— J'arrive tout de suite.

Laissant la rose sur son bureau, elle saisit le contrat.

Bennett Swan fumait un cigare cubain qui coûtait très cher. Il appréciait les choses de valeur. En fait, il aimait savoir qu'il pouvait se les payer. Entre deux costumes du même style et de la même qualité, il choisissait toujours le plus coûteux. C'était une question de fierté.

Les récompenses, accrochées sur les murs de son bureau, étaient elles aussi un motif d'orgueil. Bennett Swan était à la fois le créateur et le moteur de Swan Productions. Les oscars et les prix témoignaient de sa réussite. Au même titre que les peintures et les sculptures que son courtier en art lui avait conseillé d'acquérir.

Il aimait sa fille et aurait été choqué que quelqu'un prétende le contraire. Il était sûr d'être un père irréprochable. Il avait donné à Ryan tout ce que son argent pouvait lui offrir : les plus beaux vêtements, une nounou irlandaise quand sa mère était morte, des études coûteuses et, enfin, un emploi bien payé lorsqu'elle avait insisté pour travailler.

Il avait été obligé de reconnaître qu'elle était plus compétente qu'il ne l'imaginait. Ryan faisait preuve d'une vive intelligence et était douée pour couper court aux inepties et pour entrer directement dans le vif du sujet. Ce qui prouvait que l'argent investi dans cette école suisse avait porté ses fruits.

Il contempla les volutes de fumée qui montaient de son cigare. Sa fille l'avait bien récompensé. Il l'adorait.

Ryan frappa et entra. Il la regarda traverser le large espace, couvert d'une épaisse moquette, qui séparait son bureau de la porte. Une jolie fille, se dit-il. Comme sa mère.

— Tu voulais me voir ?

Elle attendit qu'il lui dise de s'asseoir. Swan n'était pas

grand, mais il avait toujours compensé sa petite taille par un naturel expansif. D'un large geste du bras, il lui indiqua qu'elle pouvait prendre place. Il était encore beau, avec un visage buriné et bronzé que les femmes trouvaient attirant. Il avait pris un peu de poids ces cinq dernières années et perdu quelques cheveux. Mais, dans l'ensemble, il était toujours comme dans les souvenirs d'enfance de Ryan. Tandis qu'elle l'observait, elle sentit monter en elle un sentiment familier : un mélange d'amour et de frustration. Ryan avait conscience des limites de l'affection que son père lui portait.

— Ça va mieux ? s'enquit-elle.

Elle remarqua que la grippe n'avait laissé aucune trace sur lui. Son visage coloré respirait la santé et ses yeux étaient brillants. Il balaya la question d'un geste. L'évocation de la maladie l'impatientait, surtout s'il s'agissait de la sienne. Il n'avait pas de temps pour cela.

— Alors, que penses-tu d'Atkins ? lui demanda-t-il quand elle fut installée.

L'interroger sur son opinion au sujet de quelqu'un était un des petits avantages qu'il lui concédait. Comme toujours, Ryan réfléchit soigneusement avant de répondre.

— C'est un homme singulier, énonça-t-elle sur un ton qui aurait fait sourire Pierce Atkins. Il a un talent extraordinaire et une forte personnalité. Je ne suis pas sûre que l'un et l'autre soient liés.

— Est-il excentrique ?

— Non, en tout cas ce n'est pas l'image qu'il veut donner de lui.

Ryan fronça les sourcils en pensant à sa maison et à son style de vie. *Les apparences.*

— Je pense que c'est un homme très profond, quelqu'un qui vit exactement de la façon qu'il a choisie. Sa profession est beaucoup plus qu'une simple carrière. Il s'y consacre avec la même ardeur qu'un peintre passionné pour son art.

Swan hocha la tête et souffla un nuage de coûteuse fumée.

— Il est en tête du box-office.

Ryan sourit et fit passer le contrat d'une main dans l'autre.

— Oui, car il est probablement le meilleur dans son domaine ; en plus, il est dynamique sur scène et quelque peu mystérieux en dehors. On dirait qu'il a verrouillé la porte dissimulant la première partie de sa vie et qu'il en a jeté la clé. Le public adore les énigmes, et il est le mystère personnifié.

— Et le contrat ?

« Nous y sommes », pensa Ryan, se préparant au pire.

— Il voudrait donner son accord, mais sous certaines conditions. C'est-à-dire qu'il...

— Il m'a déjà fait part de ses exigences, dit Swan en l'interrompant.

L'exposé soigneusement préparé par Ryan tombait à l'eau.

— Il t'a déjà mis au courant ?

— Il m'a téléphoné, il y a deux heures.

Swan retira le cigare de sa bouche. Le diamant qu'il avait au doigt étincela tandis qu'il jetait un coup d'œil à sa fille.

— Il dit qu'il t'a trouvée à la fois cynique et pointilleuse. Il prétend que cela lui convient très bien.

— Je ne crois pas que ses tours soient autre chose qu'une mise en scène intelligente, rétorqua Ryan.

Elle était contrariée à l'idée qu'Atkins l'ait devancée en parlant à son père avant elle. Elle avait la désagréable impression qu'ils engageaient une nouvelle partie d'échecs. Il l'avait déjà vaincue une fois.

— Il a la manie d'introduire la magie dans la vie quotidienne. C'est efficace, mais c'est gênant pendant un rendez-vous d'affaires.

— Apparemment, tes insultes ont eu l'effet voulu, commenta Swan.

— Je ne l'ai pas insulté ! objecta-t-elle en se levant, le contrat dans la main. J'ai passé vingt-quatre heures dans cette maison, avec des oiseaux parleurs et des énormes chats noirs, et, malgré tout, je ne l'ai pas insulté. J'ai tout fait pour qu'il signe ce contrat, sauf me laisser enfermer dans une caisse et scier en deux.

Elle jeta les papiers sur le bureau de son père.

— Il y a des limites à ce que je suis disposée à faire pour satisfaire les caprices d'une vedette, même si elle est en tête du box-office.

Swan joignit les mains et la regarda.

— Il a dit également que ton mauvais caractère ne le dérangeait pas. Il n'aime pas les gens ennuyeux.

Ryan ravala les premiers mots qui lui vinrent à l'esprit et se rassit lentement.

— D'accord, tu m'as rapporté ses paroles. Mais toi, que lui as-tu dit ?

Swan prit son temps pour répondre. C'était la première fois qu'un professionnel faisait allusion au caractère de sa fille. Swan savait qu'elle en avait, mais aussi qu'elle le contrôlait quand elle faisait des affaires. Il décida de ne pas mentionner ce détail.

— Je lui ai dit que nous serions ravis de le satisfaire.

— Tu...

Les mots s'étranglèrent dans sa gorge avant qu'elle puisse terminer sa phrase.

— ... Tu as accepté ? Pourquoi ?

— Parce que nous voulons qu'il signe. Et que c'est toi qu'il a choisie comme collaboratrice.

« Pas d'explosion », pensa-t-elle complètement déconcertée. A quel sortilège Atkins avait-il eu recours pour accomplir ce prodige ? Quel qu'il soit, elle ne se laisserait pas envoûter, se dit-elle, farouchement déterminée. Elle se leva de nouveau.

— Ai-je mon mot à dire à ce sujet ?

— Non. Pas tant que tu travailleras sous mes ordres, répondit Swan en jetant un coup d'œil distrait au contrat. Tu attendais avec impatience de t'essayer à la production. Je te donne ta chance. Et, ajouta-t-il en levant les yeux pour rencontrer son regard, je te surveillerai de près. Si tu ne réussis pas à t'en sortir, je te retire de l'affaire.

Elle contrôla difficilement la vague de fureur qui l'envahissait.

— Je n'ai pas l'intention de rater mon coup. Ce sera la meilleure de toutes les émissions que Swan ait jamais produites.

— Fais en sorte que ce soit vrai, dit-il en la mettant en garde. Et arrange-toi pour ne pas dépasser le budget. Occupe-toi de faire les modifications et envoie le contrat à son agent. Je veux qu'il soit signé avant la fin de la semaine.

— Ce sera fait.

Ryan ramassa les papiers avant de se diriger vers la porte.

— Atkins m'a dit que votre collaboration avait des chances d'être très positive, ajouta Swan tandis qu'elle ouvrait la porte avec brusquerie. Il a dit que c'était écrit dans les cartes.

Ryan tourna la tête et lui lança un regard furieux avant de sortir d'un pas décidé en claquant la porte derrière elle.

Swan eut un petit sourire. C'était vraiment sa mère toute crachée, songea-t-il. Puis il appuya sur un bouton pour appeler sa secrétaire. Il avait un autre rendez-vous.

S'il y avait une chose que Ryan détestait, c'était de se faire manipuler. Une fois sa colère retombée, elle se remémora la façon habile avec laquelle Atkins et son père avaient agi. Cela ne l'étonnait pas tellement de la part de Bennett Swan. Il savait que le meilleur moyen de lui faire accomplir quelque chose était de suggérer qu'elle ne puisse pas y parvenir. Mais, pour ce qui était d'Atkins, c'était différent. Il ne la connaissait pas, enfin cela n'aurait pas dû être le cas. Pourtant, il avait joué avec elle, subtilement, adroitement. Et il avait obtenu ce qu'il voulait.

Tandis qu'elle rédigeait le nouveau contrat, Ryan retournait ces pensées dans sa tête. Elle avait eu ce qu'elle voulait, en fin de compte. Elle décida de voir les choses sous un autre angle. Swan Productions aurait Atkins dans la poche pour trois émissions spéciales à des heures de grande écoute, et elle allait avoir sa chance en tant que productrice.

Ryan Swan, directrice de production. Elle sourit. Oui, son nouveau titre sonnait bien. Elle ressentit un frisson d'excitation et, prenant son agenda, calcula le temps nécessaire pour régler certains détails et pouvoir se consacrer entièrement à son nouveau travail.

Elle était penchée depuis une heure sur ses dossiers administratifs quand le téléphone sonna.

— Ryan Swan, répondit-elle d'un ton brusque en coinçant le combiné sur son épaule et en continuant à griffonner.

— Mademoiselle Swan, je vous dérange.

Personne ne prononçait son nom de cette façon. Ryan ravala la phrase qu'elle avait préparée pour répondre poliment :

— Ce n'est pas grave, monsieur Atkins. Que puis-je pour vous ?

Il rit, provoquant immédiatement sa contrariété.

— Qu'y a-t-il de si drôle ?

— Votre voix professionnelle est charmante, répondit-il d'un ton où perçait une nuance d'amusement. Je pensais qu'étant donné votre goût du détail vous aimeriez connaître les dates auxquelles j'aurai besoin de vous à Las Vegas.

— Le contrat n'est pas encore signé, monsieur Atkins, rétorqua Ryan d'une voix sèche.

— Je commence le 15, annonça-t-il comme si elle n'avait rien dit. Mais les répétitions auront lieu le 12.

Ryan fronça les sourcils tout en notant les dates. Elle l'imagina, dans sa bibliothèque, le chat sur les genoux.

— Mon contrat se terminera le 26, précisa-t-il.

Elle remarqua distraitement que c'était le jour de son anniversaire.

— Bon, d'accord. Nous pourrons donc commencer les mises au point préalables à la production la semaine suivante.

— Parfait, dit Atkins.

Il fit une petite pause avant de reprendre :

— Puis-je vous demander une faveur ?

— Vous pouvez toujours essayer, répondit Ryan prudemment.

— J'ai une représentation le 11 à Los Angeles. Pourriez-vous m'accompagner ?

— Le 11 ?

Ryan changea le combiné de place et tourna les pages de son agenda.

— A quelle heure ?

— A 14 heures.

— Oui, c'est d'accord, déclara-t-elle en notant le rendez-vous. Où devrons-nous nous retrouver ?

— Je viendrai vous chercher. A 13 h 30.

— O.K. pour 13 h 30. Monsieur Atkins…

Elle hésita, puis prit la rose sur son bureau.

— … Merci pour la fleur.

— Ce fut un plaisir, Ryan.

Pierce Atkins raccrocha et resta assis un moment, perdu dans ses pensées. Il imagina Ryan qui tenait encore la fleur dans sa main. Savait-elle que sa peau était aussi douce qu'un pétale de rose ? Son visage, juste sous le menton… Il pouvait encore se souvenir de sa texture sous ses doigts. Il caressa l'échine de Circé, couchée sur ses genoux.

— Que penses-tu d'elle, Link ?

Le grand homme continua à remettre des livres à leur place et répondit sans se retourner :

— Elle a un rire charmant.

— Oui, je pense la même chose.

Atkins se rappelait parfaitement sa sonorité ; il se déclenchait au moment où on l'attendait le moins, totalement en contraste avec l'expression sérieuse qu'elle avait un instant auparavant. Son rire et sa passion l'avaient tous deux surpris. Il se remémora la chaleur de ses lèvres quand il l'embrassait. Il n'avait pas réussi à fournir le moindre travail, cette nuit-là. Il se la représentait au premier étage, étendue dans son lit, vêtue seulement de ce petit carré de soie.

Il n'aimait pas que sa concentration soit perturbée, pourtant il pensait sans cesse à elle. L'instinct, se souvint-il. Il suivait encore son instinct.

— Elle a dit qu'elle aimait ma musique, murmura Link tout en rangeant les livres.

Atkins leva les yeux, sortant de sa rêverie. Il savait à quel point Link était sensible à l'opinion d'autrui sur ses compositions.

— Elle a réellement beaucoup aimé. Elle a trouvé la mélodie que tu avais laissée sur le piano superbe.

Link hocha la tête. Pierce lui disait toujours la vérité.

— Tu l'aimes bien, n'est-ce pas ?

— En effet, répondit Pierce distraitement en caressant la chatte. Oui, je crois bien.

— Je suppose que tu vas faire ce truc pour la télévision.

— C'est un défi, rétorqua Pierce.

Link fit volte-face.

— Pierce ?

— Mmm ?

Link hésitait à poser la question. Il avait peur d'en connaître déjà la réponse.

— As-tu l'intention de faire ce nouveau numéro d'évasion à Las Vegas ?

— Non, dit Pierce en fronçant les sourcils.

Link eut un soupir de soulagement.

Pierce se souvint qu'il avait justement essayé d'y travailler, la nuit où Ryan avait dormi chez lui, dans une chambre située à quelques pas de la sienne.

— Non, je n'ai pas eu le temps de le mettre au point, reprit-il.

Le soulagement de Link fut de courte durée.

— Je le garderai pour l'émission spéciale, à la place.

— Je n'aime pas ça, répliqua-t-il, d'une façon si brusque que Pierce leva les yeux. Les choses peuvent mal tourner.

— Tout ira bien, Link. Il faut juste que je m'y attelle encore un peu avant de pouvoir l'utiliser.

— Le timing est trop court, insista Link en argumentant d'une manière inhabituelle. Tu pourrais le faire différemment ou juste le reporter à une autre fois.

— Tu t'inquiètes trop, assura Pierce. Il n'y aura pas de problèmes. Il ne me reste que quelques petits détails à régler.

Mais il ne faisait pas allusion aux mécanismes de son numéro d'évasion. Il pensait à Ryan.

5

Ryan se surprit à regarder l'horloge. *13 h 15.* Elle n'avait pas vu passer les jours qui avaient précédé son départ pour Las Vegas. Elle avait eu du travail par-dessus la tête et avait souvent passé plus de dix heures par jour à se débarrasser de toutes ses tâches administratives. Il fallait qu'elle ait l'esprit libre quand elle commencerait à produire l'émission spéciale. Elle avait l'intention de compenser son manque d'expérience en consacrant à la fois tout son temps et toute son énergie à ce projet.

Il lui restait encore à prouver, non seulement à elle-même et à son père, mais, en outre, à Pierce Atkins, que ses compétences allaient au-delà des contrats et de leurs clauses.

Oui, le temps avait passé rapidement, songea-t-elle. Mais certes pas cette dernière heure… *13 h 17.* Ryan prit un dossier et l'ouvrit en poussant un soupir de contrariété. Elle surveillait la pendule comme si c'était un amoureux qu'elle attendait et non un rendez-vous d'affaires. C'était ridicule. Pourtant, lorsqu'on frappa à la porte, elle releva vivement la tête et oublia les pages soigneusement dactylographiées, bien rangées dans la chemise posée devant elle. Contenant son impatience, elle répondit calmement :

— Entrez !

— Bonjour, Ryan.

Elle réprima sa déception en voyant Ned Ross entrer dans la pièce d'un air nonchalant. Il lui adressa un sourire raffiné.

— Bonjour, Ned.

Ned Ross. Trente-deux ans, blond et bien de sa personne, vêtu avec une élégance désinvolte typiquement californienne. Il avait des cheveux bouclés et portait un pantalon bien coupé, venant d'une boutique à la mode, et une chemise de soie classique. Ryan remarqua qu'il n'avait pas de cravate. Cela nuisait à son image, au même titre que le parfum subtil et frais de son eau de toilette la flattait. Ned était conscient de son charme et s'en servait intentionnellement.

Ryan se blâma sans conviction pour ces pensées critiques et lui rendit son sourire.

Ned était le second assistant de son père. Pendant des mois, et jusqu'à très récemment encore, il avait aussi été le chevalier servant de Ryan. Il l'avait invitée à dîner et à boire un verre, lui avait donné quelques excitantes leçons de surf, l'avait emmenée admirer les magnifiques couchers de soleil sur la plage et lui avait fait croire qu'elle était la femme la plus attirante et la plus désirable qu'il ait jamais rencontrée. Elle avait éprouvé une cuisante désillusion lorsqu'elle s'était rendu compte qu'il ne la courtisait pas pour elle-même, mais parce qu'elle était la fille de Bennett Swan.

— Le patron m'a demandé de faire le point avec toi avant que tu t'envoles pour Las Vegas.

Il s'assit sur un coin de son bureau et se pencha pour lui donner un léger baiser. Il avait encore des vues sur la fille de Bennett Swan.

— Et je voulais aussi te dire au revoir, ajouta-t-il.

— J'ai mis à jour tout mon travail, dit-elle en glissant avec désinvolture le dossier entre eux.

Elle avait encore du mal à croire que ce beau visage bronzé cachait un esprit hypocrite et ambitieux.

— J'avais l'intention de mettre mon père au courant moi-même.

— Il a un emploi du temps très chargé, répondit Ned avec décontraction en prenant le dossier pour le feuilleter. Il vient de prendre l'avion pour New York. Il ne reviendra pas avant la fin de la semaine.

— Oh !

Ryan regarda ses mains. « Il aurait pu prendre le temps de me prévenir », se dit-elle en soupirant. Mais s'était-il jamais donné cette peine ? Et quand cesserait-elle enfin de s'attendre à ce genre d'attentions de sa part ?

Elle reprit le dossier et le posa devant elle.

— Bon, tu peux lui dire que tout est réglé. J'ai également rédigé un compte rendu.

— Toujours efficace, à ce que je vois.

Ned lui sourit, mais ne fit aucun mouvement pour partir. Il savait très bien qu'il avait commis un impair et perdu du terrain. Il fallait absolument qu'il reprenne l'avantage.

— Alors, ça fait quel effet d'avoir été promue productrice ?

— J'ai hâte de commencer.

— Cet Atkins, continua-t-il en feignant d'ignorer sa froideur, il semble un peu bizarre, non ?

— Je ne le connais pas assez pour en juger, répondit-elle évasivement.

Elle n'avait pas envie d'aborder le sujet avec Ned. La journée qu'elle avait passée avec Pierce lui appartenait.

— Ned, j'ai un rendez-vous dans quelques minutes, continua-t-elle en se levant. Alors, si tu veux bien...

— Ryan...

Ned lui prit les mains, comme il le faisait quand ils sortaient ensemble. Un geste qui l'avait toujours amusée.

— ... Tu m'as beaucoup manqué ces dernières semaines...

— Mais on s'est vus plusieurs fois, Ned.

Ryan laissa sans enthousiasme ses mains dans les siennes.

— Tu sais bien ce que je veux dire, Ryan.

Il lui caressa doucement les poignets. Sa voix était tendre et persuasive lorsqu'il ajouta :

— Tu es encore en colère contre moi pour avoir fait cette suggestion idiote ?

Elle leva les sourcils.

— Laquelle ? User de mon influence pour persuader mon père de te laisser diriger la production d'O'Mara ? Non, Ned, assura-t-elle d'une voix égale. Je ne suis pas fâchée contre toi. J'ai entendu dire que Bishop avait eu le poste, ajouta-t-elle, incapable de contenir cette petite pointe. J'espère que tu n'es pas trop déçu.

— Ça n'a pas d'importance, déclara-t-il, masquant sa contrariété par un haussement d'épaules. Laisse-moi t'inviter à dîner ce soir.

Ned l'attira un peu plus près, et Ryan ne résista pas. Elle voulait savoir jusqu'où il était capable d'aller.

— Dans ce petit restaurant français que tu aimes tant. On pourra remonter la côte en voiture et en profiter pour parler.

— Il ne t'est pas venu à l'esprit que je pouvais avoir un autre rendez-vous ?

Au moment où il allait poser sa bouche sur ses lèvres, la question l'arrêta net. L'idée qu'elle puisse sortir avec quelqu'un d'autre ne l'avait pas effleuré. Il était persuadé qu'elle était toujours folle de lui. Il avait consacré beaucoup de temps et fait de nombreux efforts pour y parvenir. Il en conclut qu'elle avait juste envie d'être persuadée.

— Annule-le, murmura-t-il.

Il l'embrassa doucement, sans même remarquer que son regard était froid et ses yeux grands ouverts.

— Non.

Ned ne s'attendait pas à essuyer un refus aussi catégorique. Il savait par expérience que Ryan était facile à émouvoir. En outre, il avait déçu les espérances d'une assistante de production très amicale pour tenter de la reconquérir. Sans se douter de ce qui l'attendait, il releva la tête pour la regarder.

— Voyons, Ryan, ne sois pas…

— Désolée.

Ryan retira vivement ses mains et regarda vers la porte.

— Mademoiselle Swan, dit Pierce en saluant de la tête.

— Monsieur Atkins.

Elle avait rougi, furieuse de s'être laissé surprendre dans une situation aussi compromettante. Pourquoi n'avait-elle pas demandé à Ned de fermer la porte derrière lui ?

— Ned, je te présente Pierce Atkins. Ned Ross, l'assistant de mon père.

— Monsieur Ross.

Atkins entra dans la pièce, mais ne tendit pas la main.

— C'est un plaisir de faire votre connaissance, monsieur Atkins, dit Ned avec un grand sourire. Je suis un de vos fans.

— Ah bon ?

Pierce lui adressa un sourire poli qui lui donna la sensation d'avoir été plongé dans un univers glacial et sombre.

Ned vacilla. Il retrouva ses esprits et se tourna vers Ryan.

— Bon séjour à Las Vegas, Ryan, dit-il tout en se dirigeant vers la porte. Ravi de vous avoir rencontré, monsieur Atkins.

Déconcertée, Ryan observa la retraite précipitée de Ned. Il ne subsistait plus rien de l'allure décontractée qui le caractérisait.

— Que lui avez-vous fait ? demanda-t-elle quand la porte se ferma.

Pierce leva un sourcil et s'avança vers elle.

— Qu'en pensez-vous ?

— Je ne sais pas, murmura Ryan. Mais quoi que ce soit, ne l'essayez jamais sur moi.

Il prit les mains de Ryan dans les siennes.

— Vos mains sont froides, Ryan. Pourquoi ne lui avez-vous pas simplement dit de partir ?

Il la troublait lorsqu'il l'appelait « Ryan ». Il la troublait quand il l'appelait « Mademoiselle Swan » avec cette voix légèrement moqueuse. Ryan baissa le regard sur leurs mains jointes.

— Je l'ai… C'est-à-dire, j'allais…

Elle se surprit à balbutier une explication.

— Nous ferions mieux d'y aller, sinon vous allez être en retard pour votre spectacle.

— Mademoiselle Swan…

Les yeux de Pierce étaient pleins d'humour tandis qu'il portait les mains de Ryan à ses lèvres. Ils ne contenaient plus aucune trace de froideur.

— … Cet air sérieux et ce ton professionnel m'ont manqué.

La laissant sans voix, Pierce lui prit le bras et l'escorta jusqu'à la porte.

Après qu'ils se furent installés dans la voiture de Pierce et qu'ils eurent rejoint le flot du trafic, Ryan essaya d'engager une conversation superficielle. S'ils étaient destinés à travailler en étroite collaboration, il fallait qu'elle établisse rapidement des relations convenables. *La reine contre le deuxième fou*, songea-t-elle en se souvenant de la partie d'échecs.

— Quel genre de numéro allez-vous faire pour le spectacle de cet après-midi ?

Atkins s'arrêta au feu rouge et lui lança un rapide coup d'œil. Ils échangèrent un regard bref mais intense.

— Un show est un show, répondit-il d'un air énigmatique. Vous ne semblez pas beaucoup aimer l'assistant de votre père.

Ryan se raidit. Il attaquait, elle se défendait.

— Il est compétent.

— Pourquoi lui avoir menti ? demanda Pierce avec douceur quand le feu passa au vert. Vous auriez pu lui dire que vous n'aviez pas envie de dîner avec lui, au lieu de prétendre que vous aviez déjà un rendez-vous.

— Qu'est-ce qui vous fait croire que je n'en ai pas ? rétorqua vivement Ryan, blessée dans son amour-propre.

Atkins s'engagea dans une rue perpendiculaire.

— Je voulais simplement savoir pourquoi vous aviez eu cette réaction.

Ryan n'apprécia pas le ton calme qu'il avait pris pour lui répondre.

— Ça ne regarde que moi, monsieur Atkins.

— Pourriez-vous laisser tomber le « monsieur Atkins » pour cet après-midi ?

Pierce entra dans un parking et trouva une place pour garer

la voiture. Une fois le moteur arrêté, il lui fit un grand sourire. « Il est vraiment trop charmant », songea Ryan.

— Peut-être, dit-elle la bouche en cœur. Mais juste pour aujourd'hui. Est-ce que Pierce est votre vrai prénom ?

— Pour autant que je sache.

Ryan descendit du véhicule et remarqua qu'ils étaient sur le parking du plus grand hôpital de Los Angeles.

— Que vient-on faire ici ?

— J'ai un spectacle à y donner.

Pierce sortit du coffre un sac noir, pas très différent de celui qu'un médecin pourrait utiliser.

— Les instruments du métier, expliqua-t-il à Ryan en remarquant son air étonné. Mais pas de seringues ni de scalpels, promit-il.

Il lui tendit la main. Son regard était plongé dans le sien et il attendait patiemment pendant qu'elle hésitait. Elle l'accepta finalement, et ils entrèrent ensemble par une porte latérale.

Ryan ne se serait jamais attendue à passer l'après-midi dans le département de pédiatrie d'un hôpital. Elle n'aurait pas non plus imaginé que Pierce Atkins pourrait témoigner d'un quelconque intérêt pour les enfants. Au bout des cinq premières minutes, elle constata qu'il leur offrait beaucoup plus qu'un show et que tous les tours qu'il avait dans son sac. Il se donnait corps et âme.

« Pourquoi ? Il est beau, reconnut-elle avec un petit coup au cœur. Il se produit dans les casinos de Las Vegas, où l'entrée coûte cent dollars par personne, il fait salle comble à Covent Garden, mais il vient ici juste pour donner du bon temps à une bande de gamins. Et il n'y a aucun journaliste pour en parler demain dans ses colonnes. Il est juste là pour apporter un peu de bonheur. »

Ce fut à cet instant, quoiqu'elle ne s'en rendît pas compte sur le moment, que Ryan tomba amoureuse de lui.

Elle le regarda tandis qu'il faisait glisser une balle d'un doigt à l'autre, en un mouvement incessant. Ryan était aussi fascinée que les enfants. Il eut un geste rapide de la main, et la balle disparut pour ressortir par l'oreille d'un garçon qui poussa un cri de joie.

Ses illusions étaient simples mais impressionnantes. Des petits tours d'adresse que même un amateur aurait pu réussir. La salle retentissait d'exclamations de surprise, de rires et d'applaudissements, qui avaient, à l'évidence, bien plus de valeur pour Pierce que le tonnerre d'acclamations que déclenchait la fin d'un numéro de magie complexe et risqué. Ses racines étaient ici, au milieu des enfants. Il ne l'avait jamais oublié. Il se souvenait trop bien de l'odeur d'antiseptique et de désodorisant qui régnait dans une chambre de malade.

— Vous remarquerez la superbe assistante que j'ai amenée avec moi, annonça Pierce en montrant Ryan.

Elle mit un court instant avant de comprendre qu'il parlait d'elle. Elle le regarda d'un air surpris, mais il se contenta de sourire.

— Aucun magicien ne se déplace sans assistante, Ryan.

Il leva le bras, la main tournée vers elle. Les rires et les applaudissements fusèrent, et elle se sentit obligée de le rejoindre.

— Que faites-vous ? s'enquit-elle rapidement.

Il se tourna vers le public d'enfants alités ou en fauteuils roulants et déclara avec décontraction :

— Je suis en train de faire de vous une star. Ryan va vous expliquer que si elle a un si joli sourire, c'est parce qu'elle boit trois verres de lait par jour. N'est-ce pas, Ryan ?

— Euh… en effet, dit-elle en embrassant du regard tous ces visages pleins d'attente. Oui, c'est vrai.

« Que va-t-il faire ? » Jamais autant de regards curieux et d'yeux écarquillés ne s'étaient posés sur elle en même temps.

— Je suis sûr que tout le monde ici sait à quel point le lait est bon pour la santé.

Il n'obtint, pour toute réponse, que des approbations sans enthousiasme, mêlées à quelques plaintes étouffées. Pierce sembla surpris quand il ouvrit son sac et en retira un verre déjà à moitié plein d'un liquide blanc. Personne ne voulut savoir comment il ne s'était pas renversé pendant le voyage.

— Vous buvez tous du lait, n'est-ce pas ?

Il y eut des rires, cette fois, et encore quelques gémissements. Secouant la tête, Pierce sortit du sac un journal et commença à lui donner la forme d'un entonnoir.

— Voici un tour très délicat. Je ne sais pas si je réussirai à le faire, sauf si tout le monde promet de boire son lait ce soir.

Un concert de promesses s'éleva immédiatement. Ryan constata qu'il n'était pas seulement magicien : il était comme le joueur de flûte de Hamelin, tout aussi psychologue qu'amuseur. Mais cela revenait peut-être au même, en fin de compte. Elle remarqua qu'il la regardait en levant un sourcil.

— Oh, moi je promets, dit-elle gentiment.

Elle souriait, complètement subjuguée, comme les enfants.

— Bon, voyons ce qui va se passer. Pourriez-vous verser ce verre de lait là-dedans ? demanda-t-il à Ryan en lui tendant le verre. Doucement, faites attention, dit-il en adressant un clin d'œil à l'auditoire. Il ne faut surtout pas le renverser. C'est du lait magique, vous savez. Le seul que les magiciens puissent boire.

Pierce prit la main de Ryan et la guida, tenant l'entonnoir juste au-dessus de ses yeux.

Sa paume était ferme et chaude. Il émanait de lui un parfum qu'elle ne parvenait pas à définir. Une odeur de grand air, de forêt. « Ce n'est pas une senteur de pin, décida-t-elle, mais quelque chose de plus mystérieux, de plus profond, de plus proche de la terre. » Cet effluve provoqua en elle une réaction à la fois imprévue et inopportune. Elle essaya de se concentrer sur le fait de bien maintenir le verre au-dessus de l'entonnoir. Quelques gouttes de lait s'échappèrent.

— Où est-ce que tu achètes ton lait magique ? voulut savoir un des enfants.

— Oh, on ne peut pas l'acheter, répondit Pierce avec sérieux.

Je dois me lever très tôt et jeter un sort à la vache pour qu'il le devienne. Bon, je crois que ça ira.

Pierce remit lentement le verre vide dans son sac.

— Maintenant, si tout s'est bien déroulé…

Il s'interrompit et plongea les yeux dans l'entonnoir d'un air préoccupé.

— C'était mon lait, Ryan, dit-il avec un air de reproche. Vous auriez pu boire le vôtre plus tard.

Au moment où elle ouvrait la bouche pour répondre, il secoua brusquement la main, et l'entonnoir s'ouvrit. Elle poussa un cri de surprise et se recula instinctivement afin d'éviter les éclaboussures. Mais le cône de papier était vide.

Les enfants hurlèrent de joie tandis qu'elle le regardait, le souffle coupé.

— Elle est quand même très belle, dit-il à la ronde tout en embrassant les doigts de Ryan. Même si elle est un peu trop gourmande.

— J'ai versé ce lait moi-même, fit-elle remarquer tandis qu'ils parcouraient le couloir qui menait aux ascenseurs. J'ai vu des gouttes qui s'échappaient du papier. Je les ai vues de mes propres yeux.

Pierce la poussa doucement dans l'ascenseur.

— Ah! la façon dont les choses semblent être, et ce qu'elles sont en réalité… C'est fascinant, n'est-ce pas, Ryan?

Elle perçut que l'ascenseur amorçait sa descente et resta silencieuse pendant un moment avant de répondre :

— Vous non plus n'êtes pas entièrement ce que vous paraissez, n'est-ce pas?

— Non. N'est-ce pas le cas de tout le monde?

— En une heure, vous avez fait plus de bien à ces enfants qu'une flopée de médecins.

Il baissa les yeux sur elle tandis qu'elle ajoutait :

— Et j'imagine que ce n'est pas la première fois que vous faites ce genre de choses.

— Non.

— Pourquoi ?

— Il ne fait pas bon vivre dans un hôpital lorsqu'on est enfant, répliqua-t-il simplement en guise de réponse.

— Aujourd'hui, vous leur avez prouvé le contraire.

Pierce prit de nouveau sa main quand ils arrivèrent au rez-de-chaussée.

— Aucun public n'est aussi difficile à contenter que les enfants. Ils sont très pragmatiques.

Ryan ne put retenir un rire et lui lança un rapide coup d'œil.

— Vous avez sûrement raison. Quel adulte aurait eu l'idée de vous demander où vous achetiez votre lait magique ? Je trouve que vous avez habilement répondu à la question.

— Je commence à avoir l'habitude. Les gamins vous obligent à garder les pieds sur terre. L'attention d'un adulte est plus facilement distraite grâce à de la poudre aux yeux ou un boniment bien mené, ajouta-t-il en lui souriant. Même la vôtre. Bien que vous n'ayez cessé de m'observer avec ces fascinants yeux verts.

Ryan parcourut le parking du regard tandis qu'ils franchissaient la porte. Il était presque impossible de s'intéresser à autre chose qu'à lui lorsqu'il vous regardait et vous parlait de la sorte.

— Pierce, pourquoi m'avez-vous demandé de vous accompagner aujourd'hui ?

— J'avais envie que vous me teniez compagnie.

— Je crois que je n'ai pas bien saisi, dit-elle en se tournant vers lui.

— Avez-vous vraiment besoin de tout comprendre ?

Sous les rayons du soleil, les cheveux de Ryan avaient la couleur du blé mûr. Pierce y passa les doigts pour prendre ensuite son visage dans ses mains, comme il l'avait fait cette fameuse nuit.

— Toujours ? compléta-t-il.

Ryan sentit son cœur cogner dans sa poitrine.

— Oui. Je crois…

Mais la bouche de Pierce était déjà posée sur la sienne, et son esprit se vida de toute pensée. Ce doux baiser faisait frémir tout son corps. Elle sentit une brûlante vague de désir l'envahir tandis que les doigts du magicien caressaient sa tempe et descendaient pour s'arrêter juste au-dessus de son cœur. Des gens passaient à côté d'eux, mais elle ne les voyait pas. Ils n'étaient que des ombres, des fantômes. Seules les mains et la bouche de Pierce comptaient.

Etait-ce un souffle de vent qu'elle sentit passer sur elle ou les doigts de Pierce qui glissèrent sur sa peau ? Lequel des deux murmura quelque chose, lui ou elle ? Elle ne sut le dire.

Pierce l'écarta un peu. Le regard de Ryan était flou. Il s'éclaircit, sa vision s'accommoda, comme si elle émergeait d'un songe. Mais il n'était pas encore prêt à voir ce rêve s'évanouir. Il la ramena vers lui et prit ses lèvres de nouveau, savourant leur goût intime, mystérieux.

Il dut lutter contre l'envie de la serrer avec force contre lui, d'écraser brutalement sa bouche chaude et consentante contre la sienne. Mais c'était une femme qui méritait qu'on la traite avec douceur. Ressentir un tel désir l'affligea, alors il l'élimina. Il y avait eu une époque où on l'avait enfermé dans un réduit obscur et sans air, où il avait dû refréner ce besoin de s'échapper, cette impatience qui le brûlait. Il se sentait maintenant presque gagné par la même panique irraisonnée. *Quel effet avait-elle sur lui ?* La question lui trottait dans la tête tandis qu'il l'enlaçait. Tout ce qu'il savait, c'est qu'il la voulait avec un désespoir dont il ne se serait pas cru capable.

Portait-elle encore des dessous de soie ? D'une étoffe fine, fragile, légèrement imprégnée de son parfum ? Il voulait lui faire l'amour à la lumière des bougies ou dans un champ baigné de soleil. Dieu ! comme il la désirait !

— Je veux rester avec vous, murmura-t-il, ce qui la fit frémir. Je vous désire. Venez avec moi, maintenant.

Il fit basculer sa tête et l'embrassa encore.

— Ryan, laissez-moi vous aimer, tout de suite.

— Pierce...

Le sol se dérobait sous ses pieds, elle luttait pour retrouver son assise. Elle s'appuya contre lui tout en secouant la tête.

— ... Je ne vous connais pas.

Pierce contrôla un désir soudain et sauvage de la pousser dans sa voiture, de l'emmener chez lui, de l'attirer dans son lit.

— Non, dit-il, autant pour lui-même que pour Ryan.

Il la repoussa et, la tenant par les épaules, il l'étudia.

— Non, vous ne me connaissez pas. Et, pour une Mlle Swan, ce serait inacceptable.

Il n'aimait pas sentir son cœur s'affoler ainsi. Le calme et le contrôle de soi faisaient étroitement partie de son métier et, par conséquent, de lui-même.

— Quand vous me connaîtrez mieux, assura-t-il tranquillement, nous serons amants.

— Non.

Son ton froid et sans émotion avait provoqué l'objection véhémente de Ryan.

— Non, Pierce, nous ne serons pas amants, sauf si je le veux bien. Les marchés que je conclus concernent des contrats, non ma vie privée.

Pierce sourit. La contrariété qu'elle exprimait le conforta beaucoup plus que ne l'aurait fait sa docilité. Il se méfiait des gens qui cèdent trop facilement.

— Mademoiselle Swan, murmura-t-il en prenant son bras, les cartes nous ont déjà révélé la vérité.

6

Personne n'attendait Ryan à l'aéroport de Las Vegas. Elle avait insisté pour qu'il en soit ainsi. Après avoir retrouvé son calme, elle avait décidé qu'il serait dangereux d'établir des relations trop personnelles avec Pierce Atkins. Il valait mieux garder ses distances avec un homme qui avait le pouvoir de vous faire oublier le monde extérieur avec un baiser : telle était la nouvelle règle que Ryan Swan s'était imposée.

Pendant presque toute sa vie, elle avait été totalement soumise à son père. Il fallait qu'elle ait son accord avant d'entreprendre quoi que ce soit. Il ne lui avait peut-être pas consacré beaucoup de temps, mais il lui avait toujours donné son avis. Et il avait invariablement le dernier mot.

Elle avait attendu le jour de ses vingt ans pour jouir d'une certaine indépendance. Elle appréciait trop sa liberté pour se laisser dominer de nouveau. Elle savait par expérience que les hommes n'étaient pas toujours dignes de confiance. Pour quelle raison Atkins serait-il différent des autres ?

Après avoir payé le taxi, Ryan s'accorda quelques instants pour jeter un coup d'œil autour d'elle. Elle venait à Las Vegas pour la première fois. Même à 10 heures du matin, la ville avait de quoi surprendre. Le boulevard principal, le légendaire Strip, s'étendait à perte de vue, du nord au sud. Des deux côtés s'alignaient des enseignes d'hôtels casinos prestigieux. Les panneaux d'affichage annonçaient des noms célèbres en lettres énormes. Pour l'heure, le soleil brûlant inondait les rues ; la nuit, elles seraient baignées par la lumière des néons.

Ryan fit volte-face pour admirer le Caesar's Palace, un complexe à la fois gigantesque et somptueux. Au-dessus d'elle, sur la façade blanche, était inscrit en lettres colossales le nom de Pierce Atkins et la date de ses représentations. Que pouvait ressentir un homme comme lui en voyant son nom annoncé de façon aussi insolente ? s'interrogea-t-elle.

Elle prit ses bagages et s'engagea sur le tapis roulant qui menait à l'entrée en passant devant une fontaine étincelante de lumière.

Au moment où elle entrait dans le hall de l'hôtel, elle entendit les roulements et les tintements des machines à sous. Elle refréna son envie d'aller jeter un coup d'œil au casino au lieu de se présenter à l'accueil.

— Je suis Ryan Swan, annonça-t-elle en posant ses valises au pied du long comptoir. J'ai une réservation.

— Oui, mademoiselle Swan, dit le réceptionniste avec un grand sourire, sans même consulter son registre. Le groom va prendre vos bagages, ajouta-t-il en tendant la clé au jeune homme qui avait répondu à son appel. Je vous souhaite un très bon séjour, mademoiselle Swan. Si vous avez besoin de quoi que ce soit, nous sommes à votre disposition.

— Merci.

Ryan avait l'habitude qu'on lui témoigne une certaine déférence. Quand les gens s'apercevaient qu'elle était la fille de Bennett Swan, ils la traitaient comme si elle était un dignitaire en visite. Il n'y avait là rien de nouveau. C'était juste légèrement gênant.

L'ascenseur l'emmena jusqu'au dernier étage. Le groom, debout à côté d'elle, gardait un silence respectueux. Il la précéda le long du couloir, ouvrit la porte et se recula pour la laisser entrer.

Ryan eut une première surprise en découvrant que la pièce n'était pas une chambre mais une suite. Une seconde en se rendant compte qu'elle était déjà occupée. Atkins était assis sur le canapé, examinant des papiers étalés sur la table basse.

— Ryan, dit-il en se levant.

Ryan attendit que la porte se soit refermée sur le groom.

— Que faites-vous ici ? demanda-t-elle.

— J'ai une répétition prévue cet après-midi. Avez-vous fait bon voyage ?

— Oui, répondit-elle, contrariée par sa réponse et par les soupçons qui commençaient à s'insinuer dans son esprit.

— Voulez-vous boire quelque chose ?

— Non merci.

Elle examina la pièce, jeta un bref regard par la fenêtre puis, désignant l'ensemble d'un large geste, demanda :

— C'est quoi ça, exactement ?

Pierce leva un sourcil à cause du ton qu'elle avait pris, mais répondit gentiment :

— Notre suite.

— Oh ! non, dit-elle d'une voix tremblante. *Notre* suite !

Elle ramassa ses bagages et se dirigea vers la porte.

— Ryan.

Sa voix calme l'obligea à s'arrêter — et raviva sa colère.

Elle laissa tomber ses valises et se retourna vers lui.

— Quelle ruse mesquine, quel habile stratagème ! Pensiez-vous vraiment pouvoir annuler ma réservation et...

— Et quoi ? dit-il en l'interrompant.

Elle désigna de nouveau la pièce.

— ... Me forcer à m'installer ici, avec vous, sans que je proteste ? Croyiez-vous réellement que j'allais sauter dans votre lit sans broncher. Quelle audace ! Comment osez-vous me mentir en m'affirmant que vous aviez besoin de moi pour assister à votre show, alors que vous vouliez juste que je réchauffe votre couche ?

L'inflexion de sa voix passa de l'accusation voilée à la fureur déchaînée avant que Pierce saisisse son poignet. La force avec laquelle il la serra la surprit et l'inquiéta.

— Je ne mens pas, rectifia-t-il doucement, mais ses yeux

étaient plus sombres que jamais. Et je n'ai pas besoin de stratagèmes pour attirer une femme dans mon lit.

Elle n'essaya pas de se libérer. Son instinct lui conseillait de ne pas le faire, mais elle ne parvint pas à contrôler sa rage.

— Alors comment appelez-vous ceci ? rétorqua-t-elle.

— Un arrangement commode.

Il sentit son pouls qui s'emballait sous la pression de ses doigts. La colère qu'il ressentait rendit sa voix dangereusement froide.

— Pour qui ? s'enquit-elle.

— Il va falloir que nous discutions d'un certain nombre de points dans les jours qui viennent, dit-il posément, sans pour autant relâcher son étreinte. Je n'ai pas l'intention de courir jusqu'à votre chambre chaque fois que j'aurai besoin de parler avec vous. Je suis ici pour travailler, et vous aussi.

— Vous auriez dû me consulter avant.

— Mais je ne l'ai pas fait, répondit-il d'un ton glacial. Et je n'oblige pas les femmes à coucher avec moi, sauf si elles le veulent bien, mademoiselle Swan.

— Je n'apprécie pas que vous ayez pris sur vous de changer l'organisation sans m'avertir.

Ryan décida de s'en tenir fermement à cette position, bien que ses genoux se soient mis à trembler. La maîtrise de Pierce sur sa propre colère la rendait encore plus effrayante.

— Je vous avais déjà prévenue : je fais les choses à ma manière. Si vous êtes inquiète, fermez votre porte à clé.

La moquerie contenue dans ses derniers mots l'incita à répondre d'une voix sèche :

— Cela ne servirait à rien. Il n'existe pas un seul verrou qui soit capable de vous retenir.

Les doigts de Pierce se resserrèrent rapidement, douloureusement sur son poignet et, soudain, il la lâcha.

— Peut-être, dit-il. Mais un simple *non* aurait été suffisant.

Il était parti avant que Ryan puisse répondre. Elle s'adossa contre la porte en frissonnant de tout son corps. Elle venait de se rendre compte à quel point elle avait eu peur. Elle était habituée à supporter les spectaculaires éclats de colère de son père ou ses silences boudeurs. Mais là…

Elle avait vu dans les yeux de Pierce une violence plus froide que la banquise. Ryan aurait préféré affronter n'importe quel homme hurlant plutôt que ce regard glacial.

Elle se massa distraitement le poignet. Les marques laissées par les doigts de Pierce l'élançaient. Elle avait raison de prétendre ne pas le connaître. Il était encore plus mystérieux qu'elle l'avait supposé. Un rempart était tombé, mais elle n'était pas sûre d'être en mesure d'affronter ce qu'elle avait découvert derrière. Elle resta appuyée un instant contre la porte en attendant que son tremblement se calme.

Elle jeta un regard circulaire sur la pièce et décida qu'elle avait peut-être eu tort de réagir aussi violemment, à cause d'un simple arrangement. Après tout, le fait de partager une suite revenait quasiment au même que d'avoir deux chambres attenantes.

Mais lui aussi avait eu tort, se dit-elle. Ils auraient facilement pu trouver un terrain d'entente, si seulement il lui avait fait part de ses intentions au lieu de la mettre devant le fait accompli. Lorsqu'elle avait quitté la Suisse, elle s'était fait la promesse de ne plus recevoir d'ordres de quiconque.

Et puis cette déclaration de Pierce la tracassait. *Il n'obligeait pas une femme à coucher avec lui, sauf si elle le voulait bien.* Elle n'était que trop consciente qu'ils savaient, l'un et l'autre, à quel point elle le désirait.

Un simple *non* aurait été suffisant. Oui, se dit-elle en soulevant ses valises, de cela elle pouvait être certaine : il n'était pas du genre à prendre une femme de force. Mais avec elle, ce ne serait pas nécessaire. Combien de temps allait-elle résister avant de lui céder ?

Ryan secoua la tête. Le projet était tout aussi important pour Atkins que pour elle. Ce n'était pas malin de commencer par se chamailler pour des problèmes de logement. Elle décida d'aller défaire ses valises.

Quand Ryan arriva au théâtre, la répétition avait déjà débuté. Pierce se tenait au centre de la scène. Il y avait une femme avec lui. Bien qu'elle soit habillée simplement, d'un jean et d'un sweat-shirt trop large, Ryan reconnut la sculpturale assistante aux cheveux roux qui accompagnait toujours Atkins pendant ses spectacles. Sur les bandes qu'elle avait visionnées, elle était vêtue de petits ensembles pailletés ou de robes vaporeuses. *Aucun magicien ne se déplace sans une superbe assistante.*

« Contrôle-toi Ryan, se dit-elle. Ce ne sont pas tes affaires. » Elle descendit tranquillement les marches et alla s'asseoir au milieu du parterre. Pierce ne regarda pas une seule fois dans sa direction. Machinalement, Ryan se mit à réfléchir aux angles de prises de vues et aux décors.

« Cinq caméras, pensa-t-elle, et un arrière-plan plutôt discret. Rien qui risque de détourner l'attention du public. Quelque chose de sombre, décida-t-elle, qui fera ressortir l'image du magicien, plutôt que celle de l'homme de scène. »

Quelle ne fut pas sa surprise lorsque la femme se mit à tomber lentement en arrière et à flotter horizontalement au-dessus du sol. Ryan interrompit le cours de ses pensées pour regarder. Pierce ne faisait aucun boniment, seulement des gestes — de larges mouvements de bras qui balayaient l'espace, qui évoquaient le temps des magiciens en cape et de l'éclairage à la lumière des chandelles. L'assistante commença à tournoyer sur elle-même, lentement au début, puis de plus en plus vite.

Ryan avait déjà vu cette illusion en vidéo, mais y assister faisait un tout autre effet. Elle se rendit compte qu'elle retenait sa respiration et se força à expirer. L'abondante chevelure rousse et bouclée de la femme tournait avec le mouvement. Elle avait les yeux fermés, son visage semblait serein, et ses mains étaient posées l'une sur l'autre, sur son ventre. Ryan observait attentivement, cherchant à découvrir des fils, des trucs. Frustrée, elle s'appuya contre le dossier.

Elle ne put retenir un cri d'admiration quand la femme commença à rouler sur elle-même, tout en continuant à tourbillonner. Elle avait toujours la même expression de calme peinte sur le visage, comme si elle était endormie alors qu'elle virevoltait à un mètre au-dessus de la scène. D'un geste, Pierce arrêta le mouvement et la ramena lentement à la verticale, jusqu'à ce que ses pieds touchent le sol. Lorsqu'il passa la main devant son visage, elle ouvrit les yeux et sourit.

— J'étais comment ?

Ryan sursauta quand ces mots banals, proférés d'un ton joyeux, se répercutèrent sur les murs du théâtre.

— Bien, répondit simplement Pierce. Ce sera encore mieux avec l'accompagnement musical. Je veux des lumières rouges, quelque chose de chaud. Atténuées au début et qui aillent en s'intensifiant au fur et à mesure que la vitesse du tournoiement augmente.

Ayant donné ses directives au chef éclairagiste, il se tourna vers son assistante.

— Nous allons travailler les numéros de transport dans l'espace.

Pendant une heure, Ryan assista au spectacle, fascinée, frustrée mais indéniablement enchantée. Elle constata que la créativité de Pierce ne se limitait pas à la seule pratique de la magie. Il savait également manier les lumières et le son, mettre en valeur, accentuer, souligner chaque séquence de son show.

Un perfectionniste, remarqua Ryan. Il officiait tranquillement, sans le dynamisme dont il faisait preuve pendant les représentations ni l'aisance qu'il avait démontrée durant le spectacle dédié aux enfants. Il travaillait dur, c'était indéniable. Magicien peut-être, songea-t-elle, mais qui devait son génie à de longues heures de répétition et d'efforts. Plus elle l'observait et plus elle le respectait.

Ryan s'était demandé comment se déroulerait leur collaboration. Maintenant, elle le savait. Ils allaient se disputer, c'était prévisible, mais elle avait hâte de commencer. Cette émission allait être une vraie réussite.

— Voulez-vous venir ici, Ryan ?

Elle fut étonnée lorsqu'il l'appela. Elle aurait juré qu'il n'avait pas remarqué son arrivée. Fataliste, elle se leva. Elle commençait à se rendre compte que rien ne lui échappait. Pendant qu'elle s'approchait, il glissa un mot à son assistante. Elle eut un rire bref et l'embrassa sur la joue.

— Ouf ! Pour une fois je resterai en un seul morceau, dit-elle en souriant à Ryan qui montait sur la scène.

— Ryan Swan, dit Pierce. Bess Frye.

Vue de près, la femme n'était pas aussi belle qu'elle en avait l'air, remarqua Ryan. Elle n'avait pas les traits assez fins pour correspondre aux canons de la beauté classique. Ses cheveux étaient d'un roux éclatant et retombaient en dégradé autour d'un visage large, à la mâchoire carrée. Elle avait des yeux ronds, d'un vert plus foncé que ceux de Ryan. Son maquillage était aussi exubérant que sa tenue était décontractée, et elle était presque aussi grande que Pierce.

— Bonjour !

Le salut fut lancé avec chaleur. Bess tendit la main pour serrer celle de Ryan avec enthousiasme. Difficile d'imaginer cette femme en train de tournoyer à un mètre du sol.

— Pierce m'a parlé de vous.

— Ah ? dit Ryan en le regardant rapidement.

— Oh ! oui, répliqua-t-elle en posant la main sur l'épaule du magicien. Pierce pense que vous êtes très intelligente. Il aime les femmes cérébrales, mais il n'avait pas mentionné que vous étiez tellement jolie. Pourquoi ne m'as-tu pas dit qu'elle était belle, mon chou ?

— Pour que tu m'accuses de considérer les femmes comme de simples accessoires ? rétorqua-t-il en plongeant les mains dans ses poches.

Bess eut un autre éclat de son rire vigoureux.

— Lui aussi, il est intelligent, dit-elle à Ryan sur un ton de confidence. Alors c'est vous qui allez produire cette émission spéciale ?

— Oui, répondit Ryan en souriant, quelque peu étonnée par cette gentillesse débordante.

— Super ! Il est temps qu'une femme prenne enfin la relève. Je suis entourée d'hommes dans ce métier, mon chou. Je suis la seule personne du sexe féminin qui participe à la tournée. Il faut qu'on trouve un moment pour boire un verre ensemble et faire connaissance.

« J'te paye un verre, mon chou ? » Ryan se souvint du mainate. Son sourire s'élargit.

— Ça me ferait très plaisir.

— Bon, il faut que j'aille voir ce que fabrique Link, avant que le patron décide de me remettre au boulot. A plus tard.

Bess sortit de la scène à grands pas — un mètre quatre-vingts d'enthousiasme débordant. Ryan resta debout à contempler sa silhouette jusqu'à ce qu'elle disparaisse.

— Elle est merveilleuse, murmura-t-elle.

— C'est ce que j'ai toujours pensé.

— Elle semble si calme sur scène, dit Ryan en souriant à Pierce. Travaille-t-elle avec vous depuis longtemps ?

— Oui.

La chaleur apportée par Bess s'estompait rapidement. Ryan s'éclaircit la voix et poursuivit :

— La répétition s'est très bien passée. Il faudra qu'on discute pour savoir lesquelles de ces illusions vous projetez d'incorporer à l'émission spéciale, et s'il y en a de nouvelles que vous avez l'intention de développer.

— Très bien.

— Il y aura naturellement des mises au point à faire pour adapter votre spectacle à la télévision, continua-t-elle, tentant d'ignorer ses réponses monosyllabiques. Mais j'imagine que vous voudrez une version concentrée de votre show.

— Oui, exactement.

Ryan connaissait Pierce depuis peu, mais elle avait déjà remarqué qu'il était doté d'une gentillesse naturelle et d'un solide sens de l'humour. A présent, son regard était méfiant et il semblait visiblement impatient de la voir tourner les talons. Les excuses qu'elle avait prévu de lui faire seraient peu appropriées face à une telle attitude.

— J'ai l'impression que vous êtes très occupé, dit-elle avec raideur tout en s'éloignant.

Elle prit conscience qu'elle souffrait d'avoir été repoussée ainsi. Il n'avait aucun droit de lui faire du mal. Elle quitta la scène sans se retourner.

Atkins l'observa jusqu'à ce que les portes situées au fond du théâtre se referment derrière elle en battant. Les yeux toujours fixés sur la sortie, il écrasa la balle qu'il avait dans la main et en fit une galette. Il avait des doigts puissants, il aurait pu lui broyer les os du poignet au lieu de se contenter d'y laisser des traces.

Il n'avait pas aimé voir ces ecchymoses. Il ne voulait pas se souvenir de la façon dont elle l'avait accusé de chercher à la prendre en traître. Il n'avait jamais eu besoin d'user de ce genre de stratagèmes avec les femmes. Pourquoi le ferait-il avec Ryan Swan ?

Il aurait pu la prendre, la première nuit, tandis que l'orage éclatait et qu'il tenait son corps serré contre le sien.

« Pourquoi ai-je reculé ? », s'interrogea-t-il en lançant la balle au loin. Pourquoi ne l'avait-il pas attirée dans son lit à ce moment-là ? Et pourquoi avait-il hésité à lui faire partager le désir intense qu'il ressentait ? Parce qu'il avait lu dans son regard un mélange de panique et de consentement. Elle était vulnérable. Il s'était rendu compte qu'il l'était également et il avait eu peur. Mais elle continuait à hanter ses pensées.

Ce matin, quand il l'avait vue pénétrer dans la suite, vêtue d'un de ses fameux tailleurs bien coupés, son esprit s'était vidé de toute pensée. Comme lors de leur première rencontre, ses cheveux étaient décoiffés par le vent après le trajet en voiture. Il n'avait eu qu'une envie : la tenir contre lui, sentir ce corps si doux s'abandonner contre le sien.

Peut-être était-ce à cet instant précis que sa colère avait commencé à monter, pour exploser devant son regard accusateur et les mots blessants qu'elle avait prononcés.

Il regrettait de lui avoir fait mal. Pierce contempla ses mains et jura tout bas. Il n'avait pas le droit de la meurtrir, c'était l'acte le plus laid qu'un homme puisse infliger à une femme. Elle était plus faible que lui et il avait donné libre cours à cet... à son impatience, et fait usage de sa force, deux réactions qu'il s'était promis, il y a de cela très longtemps, de ne jamais avoir avec les femmes. Aucune provocation ne pouvait justifier son comportement. Il était le seul à blâmer pour cet écart de conduite.

Mais il ne pouvait pas s'absorber dans ce genre de pensées et travailler en même temps. Il avait besoin de toute sa concentration. La meilleure solution était de replacer leur relation dans le cadre que Ryan avait voulu dès le début. Ils se contenteraient d'avoir une collaboration professionnelle fructueuse, un point c'est tout. Il avait appris à contrôler son corps par le biais de sa volonté. Grâce à elle, il pourrait également maîtriser ses besoins et ses émotions.

Il se promit de se tenir à ces résolutions et fit demi-tour afin de consulter le personnel de sa tournée au sujet des accessoires.

7

Difficile de résister à l'attraction de Las Vegas. Une fois à l'intérieur des casinos, il était impossible de savoir s'il faisait jour ou nuit. Sans horloges pour donner l'heure et avec le tintement incessant des machines à sous en bruit de fond, on se sentait baigner dans une atmosphère d'intemporalité permanente, à la fois fascinante et déconcertante. Ryan remarqua des gens, en habits de soirée, qui prolongeaient leur nuit de jeu jusqu'en fin de matinée. Elle vit des milliers de dollars changer de mains aux tables de black-jack et de baccara. Elle retint plusieurs fois sa respiration tandis que la roulette tournait, le sort d'une petite fortune dépendant des caprices d'une boule en ivoire.

Elle savait que la fièvre du jeu pouvait avoir plusieurs visages : certains tranquilles ou sans passion, d'autres passionnés ou désespérés.

Les années qu'elle avait passées dans la très convenable école suisse avaient contribué à tempérer la passion du jeu que Ryan avait héritée de son père. Pour la première fois depuis longtemps, elle sentit l'excitation monter en elle. Elle résista, se disant qu'elle se contentait parfaitement de son rôle d'observatrice. Mais elle n'avait rien d'autre à faire et elle s'ennuyait.

Elle ne voyait Pierce que sur scène pendant les répétitions. Elle trouvait incroyable que deux personnes qui partageaient la même suite se croisent aussi rarement. Quelle que soit l'heure à laquelle elle se levait, même la plus matinale, il était déjà sorti. Une ou deux fois, alors qu'elle était déjà couchée depuis longtemps, elle avait entendu le bruit de la porte d'entrée qu'on fermait. Quand ils se parlaient, c'était pour échanger des idées concernant les modifications à apporter à son spectacle afin de l'adapter à la télévision. Leurs conversations se déroulaient calmement et se limitaient à la résolution de problèmes techniques.

« Il fait tout ce qu'il peut pour m'éviter, pensa-t-elle, le soir de la première, et il y réussit sacrément bien. » S'il avait voulu prouver que leur cohabitation n'impliquait aucune relation intime, il avait atteint son but. C'était, bien sûr, ce qu'elle avait souhaité, mais leurs rapports amicaux lui manquaient. Tout comme les sourires spontanés qu'il lui adressait.

Ryan décida de suivre le spectacle depuis les coulisses. Les répétitions lui avaient déjà donné un aperçu des méthodes de travail de Pierce. Maintenant, elle voulait saisir des images que ni les spectateurs ni les caméras ne pourraient percevoir.

En faisant bien attention à ne pas gêner les cameramen et les machinistes, elle se posta dans un coin et observa. Dès la première salve d'applaudissements qui accueillit son entrée, Pierce avait déjà conquis l'auditoire. « Mon Dieu, qu'il est beau ! », pensa-t-elle en appréciant la majesté de son allure. Sa personnalité extraordinaire et son dynamisme auraient, à eux seuls, tenu la salle en haleine. Son charisme n'était pas feint. Au même titre que la couleur de ses cheveux, il faisait partie intégrante de sa nature. Il était vêtu de noir, comme à l'accoutumée, n'ayant pas besoin de porter des vêtements chamarrés pour que tous les yeux soient braqués sur lui.

Il parlait tout en faisant ses numéros. « Du boniment », aurait-il précisé, mais c'était beaucoup plus que cela. Il manipulait les émotions des gens au moyen des mots et de leur rythme. Il se jouait du public, puis le subjuguait complètement en faisant jaillir une flamme de sa paume nue ou grâce à un pendule en argent brillant qui se balançait, comme par enchantement, suspendu dans le vide. Le pragmatisme dont il faisait preuve lors des répétitions avait disparu. Il émanait de lui une aura sombre et mystérieuse.

Les numéros d'évasion la mettaient mal à l'aise. A la vue de ces volontaires, issus du public, clouant le couvercle d'une solide caisse d'emballage, elle sentait ses mains devenir moites. Elle imaginait Pierce, dans l'obscurité, sans air pour respirer. Son propre souffle se bloquait dans sa gorge. Mais, en moins de deux minutes, il s'était déjà libéré.

Le numéro final consista à enfermer Bess dans une cage, à fermer les rideaux qui l'entouraient et à la faire monter jusqu'au plafond, en lévitation. Lorsqu'il la fit redescendre, il y avait une jeune panthère au poil lustré au lieu de l'assistante. Face à l'intensité de son regard, au mystérieux jeu d'ombre et de lumière sur son visage, Ryan fut presque convaincue qu'il avait réussi à transcender les lois de la nature. A l'instant précis où le grand rideau allait tomber, le félin redevint Bess, et Pierce le Magicien se changea en enchanteur.

Ryan avait l'intention de le convaincre de lui expliquer au moins cette illusion, en termes simples qu'elle pourrait comprendre. Mais au moment où il sortit de scène, et où leurs yeux se rencontrèrent, elle oublia les paroles qu'elle avait préparées.

Son visage était en sueur à cause de la chaleur des projecteurs et de ses efforts de concentration. Elle eut envie de le toucher. A sa grande surprise, elle découvrit que sa performance avait éveillé en elle du désir. Une pulsion à la fois sauvage et intense, comme elle n'en avait jamais ressenti auparavant. Elle se vit entre ses bras puissants. Elle imagina ses lèvres, chaudes et sensuelles, qui se posaient sur sa bouche pour l'entraîner dans ce monde étrange et aérien dont il avait le secret. Elle se demanda quelle serait sa réaction si elle s'offrait à lui, maintenant. Répondrait-il à son attente sans rien dire, se contentant de l'emmener loin d'ici pour lui révéler la magie de ses charmes ?

Pierce s'arrêta en face d'elle et Ryan fit un pas en arrière, perturbée par les pensées qui lui avaient traversé l'esprit. Son sang bouillonnait dans ses veines, son corps la suppliait de faire le premier pas vers lui. Mais, trop consciente pour s'abandonner, elle refréna son désir et garda ses distances.

— Vous avez été merveilleux, dit-elle.

Mais elle comprit en proférant le compliment qu'elle avait mis trop de raideur dans sa voix.

— Merci.

Pierce s'éloigna sans rien ajouter.

Ryan ressentit une douleur dans les mains et se rendit compte qu'elle avait les ongles enfoncés dans la chair. « Cela ne peut pas durer », se dit-elle, et elle fit volte-face, décidée à le rattraper.

— Coucou, Ryan !

Elle s'arrêta net lorsqu'elle vit Bess passer la tête par la porte de sa loge.

— Comment avez-vous trouvé le spectacle ?

— Fantastique.

Elle jeta un coup d'œil dans le couloir. Pierce avait déjà disparu. C'était peut-être mieux ainsi.

— Je suppose que vous ne me dévoileriez pas le secret du numéro final ?

— Même pas si ma vie en dépendait, répondit Bess en riant. Entrez donc ; nous parlerons pendant que je me change.

Ryan remercia et ferma la porte derrière elle. Des odeurs de fard et de poudre flottaient dans la pièce.

— Ça doit faire une drôle d'impression d'être transformée en panthère.

— Oh ! mon Dieu, si vous saviez ! Pierce m'a déjà métamorphosée en tout un tas de créatures : sur pattes, avec des ailes, rampantes. Il m'a sciée en deux et m'a tenue en équilibre sur des épées. Une fois, il m'a fait dormir sur un lit de clous, à trois mètres au-dessus de la scène.

Tout en parlant, elle se déshabillait sans montrer aucune gêne, comme une gamine impudique.

— Vous devez avoir en lui une confiance absolue.

Ryan regarda autour d'elle en quête d'un endroit libre pour s'asseoir. Bess semblait avoir la particularité d'éparpiller ses affaires dans tous les coins.

L'assistante saisit un peignoir bleu pétrole posé sur l'accoudoir d'un fauteuil.

— Si je lui fais confiance? reprit-elle en attachant sa ceinture. Il est le meilleur de tous, vous savez. Vous avez dû vous en rendre compte pendant les répétitions.

Assise devant le miroir, elle retirait son maquillage.

— Oui, répondit Ryan en pliant un chemisier chiffonné pour le poser à un autre endroit. Il est très exigeant.

— Vous n'avez encore rien vu. Il commence par élaborer ses illusions sur papier. Ensuite, enfermé dans son donjon, il les teste, encore et encore, avant de songer à nous révéler quoi que ce soit, à Link ou à moi.

Elle regarda Ryan avec un œil démaquillé et l'autre encore fardé à outrance.

— La plupart des gens ne se rendent pas compte de la quantité de travail nécessaire pour réussir ses numéros. Il veut donner aux gens cette impression de facilité.

— Et ses évasions, voulut savoir Ryan tout en défroissant les vêtements de Bess, sont-elles dangereuses?

— Il y en a certaines que je déteste.

Bess enleva le reste de son fond de teint avec un mouchoir en papier. Son visage était étonnamment jeune et frais.

— Qu'il s'échappe de menottes ou d'une camisole de force est une chose, dit-elle en haussant les épaules et en se levant. Mais je n'ai jamais aimé le voir interpréter sa propre version du numéro de torture chinoise du fameux Houdini, ni l'évasion aux mille serrures qu'il a lui-même inventée.

— Pourquoi prend-il de tels risques, Bess?

Ryan continua à arpenter la pièce nerveusement.

— Ses illusions seraient plus que suffisantes.

— Pas pour Pierce, expliqua Bess en mettant un soutien-gorge.

Les évasions et le danger qui va avec elles sont indispensables. C'est comme ça depuis toujours.

— Mais pourquoi ?

— Parce qu'il veut toujours tester son potentiel. Il n'est jamais satisfait de ce qu'il a fait le jour précédent.

— Une mise à l'épreuve incessante, murmura Ryan, songeant qu'elle avait déjà deviné cette tendance, mais qu'elle était encore loin d'en comprendre les raisons. Depuis combien de temps êtes-vous avec lui, Bess ?

— Depuis ses débuts, répondit Bess en enfilant un jean. Dès le moment où il a commencé sa carrière.

— Comment est-il vraiment ? se surprit à demander Ryan. Qui est-il réellement ?

Bess jeta à Ryan un regard pénétrant.

— Pourquoi cette question ?

— Il…, commença-t-elle en s'interrompant, ne sachant plus quoi dire. Je ne sais pas.

— Vous vous intéressez à lui, n'est-ce pas ?

Ryan ne répondit pas tout de suite. Elle voulut nier, mais décida d'être franche. Elle se sentait en confiance.

— C'est vrai, finit-elle par reconnaître. J'ai de l'attirance pour lui.

— Allons boire un verre ensemble, suggéra Bess en passant sa chemise. On pourra parler.

Elles s'installèrent dans un box du bar de l'hôtel et Bess commanda deux cocktails au champagne.

— C'est moi qui paye, déclara-t-elle en allumant une cigarette. Ne dites surtout pas à Pierce que je fume, ajouta-t-elle avec un clin d'œil. Il désapprouve l'usage du tabac.

— Link m'a dit qu'il courait huit kilomètres par jour.

— Oui, c'est une pratique qu'il a depuis longtemps. Pierce modifie rarement ses vieilles habitudes, dit Bess en tirant une bouffée avec un soupir. Il a toujours été déterminé, vous savez ! Ça se voyait déjà quand il était petit.

— Vous connaissiez déjà Pierce lorsqu'il était enfant ?

— Nous avons grandi ensemble — Pierce, Link et moi.

Bess leva les yeux vers la serveuse et ordonna :

— Mettez ça sur ma note.

Puis elle reporta son attention sur Ryan.

— Pierce n'évoque jamais cette époque, pas même avec Link et moi qui sommes ses amis. Il fait comme s'il l'avait chassée de son esprit — ou, plutôt, il s'y emploie activement.

— Et moi qui croyais qu'il cherchait à soigner son image, murmura Ryan.

— Il n'en a pas besoin.

— Je suppose que c'est vrai, dit Ryan, leurs regards se rencontrant de nouveau. A-t-il eu une enfance malheureuse ?

Bess porta le verre à ses lèvres et but une longue gorgée.

— Et comment ! C'était un enfant chétif et malingre.

— Pierce ?

Médusée, Ryan songea au corps dur et musclé qu'elle connaissait.

— Lui-même ! confirma Bess en laissant échapper une version assourdie de son rire éclatant. C'est incroyable mais vrai. Il était petit pour son âge et les autres gamins le tourmentaient sans cesse. Ils avaient besoin d'un souffre-douleur. Personne n'aime grandir dans un orphelinat.

— Un orphelinat ?

Ce mot la fit sursauter. Elle examina la physionomie amicale de Bess et fut envahie par un élan de sollicitude.

— Tous les trois, vous, Pierce et Link ?

Bess haussa les épaules.

— Maudit endroit.

Le sentiment de détresse qui envahit Ryan se lut clairement dans ses yeux.

— Enfin, c'était mieux que la rue. On avait de quoi manger,

un toit sur la tête et du monde autour de nous. Rien à voir avec ce que l'on peut lire dans *Oliver Twist*.

— Avez-vous perdu vos parents, Bess? demanda Ryan, préférant montrer de l'intérêt plutôt qu'une compassion mal-venue.

— Oui, quand j'avais huit ans. Et je n'avais personne pour s'occuper de moi. Link était dans le même cas, continua-t-elle sans autre trace d'apitoiement ou de regret. Presque tout le monde veut adopter des bébés. Ce n'est pas si facile de placer des enfants déjà grands.

Ryan sirota son cocktail pensivement.

— C'était il y a vingt ans, avant qu'on s'intéresse à l'adoption.

— Et qu'en était-il de Pierce?

— En ce qui le concerne, la situation était différente. Il avait des parents. Mais ils refusaient de signer le consentement, donc personne ne pouvait l'adopter.

Ryan plissa le front en signe d'incompréhension.

— Mais, dans ce cas, que faisait-il dans un orphelinat?

— Le juge avait ordonné que sa garde leur soit retirée. Son père…

Bess exhala un long nuage de fumée. Elle prenait des risques en racontant ces choses à Ryan. Pierce n'apprécierait certainement pas s'il l'apprenait. Elle espérait seulement que le jeu en vaudrait la chandelle.

— … Son père était violent avec sa femme.

— Oh! mon Dieu! s'exclama Ryan, horrifiée, en fixant Bess du regard. Et… et il frappait aussi Pierce?

— Parfois, répondit Bess calmement. Mais c'était surtout sa mère qui faisait les frais de sa brutalité. Il buvait des coups dans les bars et, quand il rentrait, il frappait sa femme.

Ryan sentit une douleur sourde l'envahir. Elle trempa ses lèvres dans sa boisson. Elle savait bien sûr que de tels malheurs existaient, mais elle avait toujours vécu dans un monde protégé. Ses propres parents l'avaient peut-être négligée, mais ils n'auraient jamais songé à lever la main sur elle. C'était la première fois qu'elle entrait en contact aussi intime avec la violence physique. Même en faisant tout son possible, elle ne parvenait pas à concevoir le genre d'horreurs que Bess relatait d'une voix si calme.

— Racontez-moi, demanda-t-elle finalement. J'aimerais tellement réussir à comprendre.

Elle prononça précisément les mots que Bess désirait entendre. Cette dernière approuva de la tête et poursuivit :

— A l'époque où il avait quatre ans, le père de Pierce a frappé sa femme si violemment qu'il l'a envoyée à l'hôpital. D'habitude, il enfermait le petit dans un placard avant de donner libre cours à sa fureur. Mais pas cette fois-ci. Ce jour-là, il lui a flanqué quelques coups de pied auparavant.

Ryan contrôla la révolte que ces paroles avaient provoquée et resta silencieuse. Bess la regardait sans détourner les yeux, tout en continuant à parler.

— C'est à ce moment-là que les travailleurs sociaux sont intervenus. Ils ont engagé une procédure et, après les séances de tribunal habituelles, ses parents ont été jugés inaptes à élever leur enfant, et Pierce a été placé dans cet orphelinat.

— Et sa mère, Bess, dit Ryan en secouant la tête pour essayer de comprendre, pourquoi n'a-t-elle pas quitté son mari afin de s'occuper de son fils ? Comment une femme normale peut-elle… ?

— Je ne suis pas psychiatre, dit Bess en lui coupant la parole. Pour autant que je sache, elle est restée avec son père.

— Et elle a abandonné son fils, murmura Ryan. Il a dû se sentir terriblement seul, effrayé et rejeté.

Elle s'interrogea sur l'ampleur du traumatisme qu'un tel choc avait pu provoquer dans l'esprit d'un enfant aussi jeune. A quel genre de compensations avait-il eu recours pour en atténuer les retombées ? Ce besoin de se délivrer de ces chaînes, de s'échapper d'une malle ou d'un coffre-fort, venait-il de son enfance, du temps où on l'enfermait dans un placard noir et étroit ? Etait-ce parce qu'il s'était senti un jour si vulnérable et désespéré qu'il s'efforçait constamment de tenter l'impossible ?

— Il aimait être seul, continua Bess en commandant une nouvelle tournée. C'est peut-être la raison pour laquelle tout le monde le maltraitait. Jusqu'à ce que Link arrive.

Bess sourit. Elle semblait se souvenir avec plaisir de cette partie de l'histoire.

— Personne n'a plus jamais osé toucher Pierce quand Link était dans les parages. Il était déjà deux fois plus grand que tous les autres. Et en plus, avec la tête qu'il a !

Elle rit encore mais sans aucune méchanceté.

— Lorsque Link est arrivé à l'orphelinat, personne ne lui parlait, sauf Pierce. Tout le monde les traitait comme des parias. J'étais une exclue, moi aussi. Dès lors, Link ne lâcha plus Pierce d'une semelle. Je ne sais pas ce qu'il serait advenu de lui, si Pierce n'avait pas été là. Ni de moi, d'ailleurs.

— Vous l'aimez vraiment, n'est-ce pas ?

Elle commençait à avoir des affinités certaines avec cette grande femme aux cheveux roux et au style exubérant.

— C'est mon meilleur ami, déclara simplement Bess. Ils m'ont acceptée dans leur club quand j'avais dix ans, expliqua-t-elle, souriant par-dessus le bord de son verre. Un jour, j'ai vu Link arriver et j'ai grimpé en haut d'un arbre pour lui échapper. Il me faisait une peur bleue. On l'appelait « *Missing Link* », le Maillon Manquant.

— Les enfants sont parfois cruels.

— Vous pouvez le dire ! Bon, juste au moment où il est passé dessous, la branche où je m'étais réfugiée s'est cassée, et je suis tombée. Il m'a rattrapée avant que je touche le sol, raconta-t-elle en posant le menton dans ses mains. Je n'oublierai jamais cet instant. Je me suis vue chuter comme une pierre et, une fraction de seconde plus tard, j'étais dans ses bras. Lorsque j'ai regardé son visage, j'ai cru que j'allais me mettre à hurler de terreur. Ça l'a fait rire. Je suis tombée amoureuse de lui sur-le-champ.

Ryan avala rapidement son champagne. Le regard rêveur dans les yeux de Bess était suffisamment évocateur.

— Vous… vous et Link, vous vous aimez ?

— Enfin, moi oui, en tout cas, rétorqua Bess d'un air contrit. Je suis folle de ce grand dadais depuis vingt ans. Mais il me voit toujours comme une petite fille. Même maintenant, alors que je mesure un mètre quatre-vingts ! conclut-elle en souriant avec un clin d'œil. Mais je suis en train de le travailler au corps.

— Et moi qui croyais que vous et Pierce…, commença Ryan sans finir sa phrase.

— Pierce et moi ? s'esclaffa Bess avec un rire énorme qui attira l'attention sur elles. Vous plaisantez ? Depuis le temps que vous côtoyez le show business, vous devriez savoir comment distribuer les rôles, mon chou. Est-ce que j'ai l'air d'être le type de Pierce ?

— Bon, je…, dit Ryan, embarrassée par la franchise de Bess… Je n'ai aucune idée de ce que peut être le type de Pierce, compléta-t-elle en haussant les épaules.

Bess éclata de rire, le regard plongé dans son deuxième cocktail.

— Je vous croyais plus maligne, commenta-t-elle. Bref, il a toujours été un garçon tranquille mais, comment dire…, dit-elle en s'interrompant, fronçant les sourcils pour réfléchir. Passionné, vous comprenez ? Il avait du caractère.

Elle sourit de nouveau et roula les yeux.

— A l'époque, il laissait un œil au beurre noir en souvenir à tous ceux qui lui cherchaient des noises. Mais, en grandissant, il a appris à se contrôler. Il a décidé à coup sûr de ne pas suivre l'exemple de son père. Et Pierce n'est pas du genre à revenir sur ses décisions.

Ryan se remémora la froideur de sa colère, cette violence rentrée, et elle commença à en comprendre l'origine. Bess but une gorgée et prit un air mauvais pour raconter :

— A l'époque où il avait environ neuf ans, si je me souviens bien, il a eu cet accident. Enfin, c'est le nom qu'il a donné à ce qui s'est passé. Il a dévalé une volée de marches, la tête la première. Tout le monde savait qu'on l'avait poussé, mais il n'a jamais voulu le reconnaître. Je pense qu'il avait peur que Link commette un acte irréparable qui aurait pu lui attirer des ennuis. Il s'est brisé le dos en tombant. Les médecins pensaient qu'il ne pourrait plus jamais marcher.

— Oh ! non.

Bess avala d'un trait une bonne partie de son champagne.

— Si. Mais Pierce a déclaré que non seulement il remarcherait, mais qu'en plus il courrait huit kilomètres tous les jours.

— Huit kilomètres, murmura Ryan.

— Il n'en a pas démordu. Il s'est investi dans la rééducation comme si sa vie en dépendait. Et c'était peut-être le cas, remarqua-t-elle pensivement. Oui, c'était absolument vital. Il a passé six mois à l'hôpital.

— Je vois.

Elle se souvenait de la performance de Pierce dans le service de pédiatrie. Il se consacrait aux enfants de tout son être, il leur parlait, les faisait rire. Il créait la magie dans leurs vies.

— Pendant qu'il était hospitalisé, une infirmière lui a offert un coffret de magicien. Et voilà, dit Bess en portant un toast. Une simple boîte de magie à trois sous. Ce fut comme s'il avait toujours attendu ce moment ou comme s'il y avait été destiné depuis toujours. Quand il est sorti, il réussissait des tours que même un magicien professionnel avait du mal à faire, conclut-elle, un mélange d'amour et de fierté dans la voix. Il avait un don.

Ryan se représentait la scène : un garçon sombre et passionné, étendu dans un lit d'hôpital, qui découvrait, pratiquait, perfectionnait sa future activité.

Bess éclata de rire de nouveau.

— Ecoutez ça ! Un jour où je lui avais rendu visite à l'hôpital, il a mis le feu au drap, annonça-t-elle tandis qu'une expression horrifiée se peignait sur le visage de Ryan. Je vous jure que c'est vrai, je l'ai vu brûler. Ensuite il a tapoté le lit avec la main, il en a lissé la surface, expliqua-t-elle en mimant le geste sur la table, et tout était exactement comme avant. Aucune brûlure, aucun trou, pas même une tache de roussi. Ce sale môme m'a fait une de ces peurs !

Malgré la peine que lui inspirait Pierce, Ryan ne put s'empêcher de rire. Il s'était battu et avait vaincu.

— A la santé de Pierce !, dit-elle en levant son verre.

— Il le mérite !

Bess trinqua avec Ryan et but le reste de son verre.

— Pierce et Link ont quitté l'orphelinat quand ils avaient seize ans. Ils m'ont horriblement manqué. J'étais persuadée que je ne les reverrais jamais. J'ai passé les deux années les plus solitaires de ma vie. Quelque temps après, alors que j'étais serveuse dans un restaurant à Denver, j'ai vu Pierce entrer dans la salle. Je ne sais pas comment il avait fait pour me retrouver, il ne me l'a jamais dit, mais il est apparu et il m'a dit de démissionner. Il voulait que je travaille avec lui.

— Comme ça, de but en blanc ?

— Parfaitement.

— Et qu'avez-vous répondu ?

— Je n'ai rien dit du tout. Vous connaissez Pierce, dit Bess en souriant. J'ai obéi. Et on a pris la route. Buvez, mon chou ! Vous êtes en retard d'un verre.

Ryan l'examina un instant et avala le reste de son cocktail. Seul un homme exceptionnel pouvait obtenir une loyauté aussi absolue de la part d'une femme aussi forte.

— En général, je m'arrête à deux verres, dit Ryan en indiquant la coupe vide.

— Ce soir, ce sera une exception. J'ai besoin de boire du champagne quand je tombe dans la sentimentalité. Les premières années, nous nous sommes produits dans tous les endroits possibles et imaginables : fêtes pour enfants, soirées entre hommes, enfin tout ce qui se présentait. Pierce n'a pas son égal pour manipuler une foule bruyante et chahuteuse. Il suffit qu'il pose son regard sur quelqu'un et qu'il fasse jaillir une boule de feu de la poche de la personne, pour que le gars se calme immédiatement.

Ryan rit, imaginant la scène.

— Je vous crois! Je suis certaine qu'il y serait parvenu sans même avoir recours au feu.

— Vous avez tout compris, déclara Bess, satisfaite de cette réponse. Bref, il a toujours su qu'il réussirait et il a voulu que Link et moi, on l'accompagne. Ce n'était pourtant pas une obligation, mais Pierce est ainsi. Il est plutôt inaccessible et n'a pas beaucoup d'amis, mais quand il en a, c'est pour la vie, raconta-t-elle, faisant une pause pour siroter son champagne. Ni Link ni moi ne faisons le poids à ce niveau-là, ajouta-t-elle en se tapotant la tempe avec un doigt. Mais, pour Pierce, ce n'est pas important. Nous sommes ses amis, un point c'est tout.

— Et il les choisit très bien, dit doucement Ryan.

Bess lui adressa un sourire éclatant.

— Vous êtes très sympathique, Ryan. Une vraie dame. Pierce est le genre d'homme qui a besoin de quelqu'un comme vous dans sa vie.

Ryan eut un intérêt soudain pour le liquide contenu dans son verre.

— Pourquoi dites-vous ça?

— Parce qu'il a de la classe. Il lui faut une femme qui lui ressemble et qui soit aussi chaleureuse que lui.

— Est-il chaleureux, Bess? voulut savoir Ryan en relevant les yeux, cherchant ses mots. Il semble parfois tellement… distant.

— Savez-vous où il a récupéré cette stupide chatte?

Ryan secoua la tête en signe d'ignorance.

— Elle avait été heurtée par une voiture et laissée sur le bord de la route. Pierce rentrait à la maison après une semaine de représentations à San Francisco. Il s'est arrêté et l'a emmenée chez le vétérinaire. Il a réveillé le pauvre homme à 2 heures du matin pour l'obliger à opérer un chat errant. Ça lui a coûté trois cents dollars, c'est Link qui me l'a dit, précisa-t-elle en prenant une autre cigarette. Vous connaissez beaucoup de gens qui feraient ça, vous?

Ryan la scruta.

— Pierce n'apprécierait certainement pas d'apprendre que vous m'avez raconté sa vie, n'est-ce pas ?

— Non.

— Alors, pourquoi l'avez-vous fait ?

— C'est un truc que j'ai appris à force de le fréquenter. Si vous plongez votre regard au plus profond des yeux de quelqu'un, vous saurez si vous pouvez lui faire confiance.

Ryan la regarda en face et dit avec sincérité :

— Merci.

— Et puis, ajouta Bess d'un ton désinvolte en s'interrompant pour avaler encore un peu de champagne, il me semble que vous êtes amoureuse de lui.

Les mots que Ryan était sur le point de prononcer s'étranglèrent dans sa gorge. Elle eut un accès de toux.

— Buvez, mon chou. Rien de tel que l'amour pour vous faire avaler de travers. A l'amour donc !, dit-elle en trinquant avec Ryan. Et bonne chance à toutes les deux.

— Bonne chance pourquoi ? demanda Ryan à voix basse.

— On en aura besoin, avec des hommes comme eux.

Cette fois, ce fut Ryan qui commanda une autre tournée.

8

Ryan riait au moment où elle fit son entrée dans le casino avec Bess. Le champagne avait contribué à lui remonter le moral, mais c'était surtout la compagnie de la jeune femme qui l'avait réconfortée. Depuis qu'elle était rentrée de Suisse, elle ne s'était pas accordé beaucoup de temps pour se lier d'amitié avec quelqu'un. La rapidité avec laquelle elle avait trouvé une amie lui avait tourné la tête aussi sûrement que l'alcool.

— Alors, on fait la fête ?

Elles relevèrent la tête en même temps pour découvrir Pierce qui se tenait devant elles. Leurs visages reflétèrent la même culpabilité déroutée que celle de deux petites filles surprises la main dans la boîte à bonbons. Pierce leva un sourcil interrogatif. En réponse, Bess se pencha vers lui en riant et l'embrassa fougueusement.

— Juste une petite conversation entre filles, mon chou. Ryan et moi, on a découvert qu'on avait un tas de points communs.

— Ah bon ?

Il regarda Ryan qui pressait la main sur sa bouche pour étouffer un rire. Apparemment, elles ne s'étaient pas contentées de parler.

— N'est-il pas terrifiant quand il prend cet air sérieux ? dit Bess en regardant Ryan. Il fait cela mieux que personne, dit-elle en donnant à Pierce un nouveau baiser. Mais ne t'inquiète pas, je n'ai pas soûlé ton amie. Elle est simplement un peu plus décontractée que d'habitude. En plus, c'est une grande fille, ajouta-t-elle en regardant autour d'elle, la main toujours posée sur l'épaule de Pierce. Où est Link?

— Il regarde le jeu de Keno.

— A tout à l'heure!

Elle fit un clin d'œil à l'intention de Ryan et s'éloigna.

— Elle est folle de lui, vous savez, dit Ryan sur un ton confidentiel.

— Oui, je sais.

Elle fit un pas vers lui.

— Il n'y a rien que vous ne sachiez déjà, monsieur Atkins, constata-t-elle, notant que sa bouche s'était arrondie lorsqu'elle avait mis l'accent sur son nom. Je voudrais savoir si un jour j'y aurai droit de nouveau.

— Droit à quoi?

— A un sourire. Vous ne m'en avez pas fait un seul depuis des jours.

— C'est vrai?

Il ne put réprimer un élan de tendresse intérieure, mais il se contenta d'un geste qui balaya les cheveux de son visage.

— Absolument aucun. J'espère que vous en êtes désolé.

— Oui.

Il avait laissé sa main sur l'épaule de Ryan et il l'observait avec attention. Il aurait préféré qu'elle ne le regarde pas ainsi. Malgré sa présence dans sa suite, il avait réussi à conserver la maîtrise de lui-même. Et voilà qu'entouré de monde, au milieu du bruit et des lumières, il sentait le désir qui naissait au creux de son ventre. Il retira sa main.

— Désirez-vous que nous montions?

— J'avais l'intention de jouer au black-jack, dit-elle gravement. J'en ai envie depuis des jours, mais je me retenais, sous prétexte qu'il paraît que le jeu est une activité stupide. Je viens juste d'oublier ce précepte.

Pierce la retint par le bras avant qu'elle se mette en route.

— Combien d'argent avez-vous sur vous?

— Oh, je ne sais pas, répondit Ryan en fouillant dans son sac. Environ soixante-dix dollars.

— C'est bon.

« Même si elle perd tout, se dit Pierce, ce montant ne laissera pas un gros trou dans son compte en banque. » Il décida donc de l'accompagner.

Elle prit place à une table où le pari minimum était de dix dollars et lui dit tout bas :

— Il y a déjà des jours que j'espionne. Je sais déjà exactement ce qu'il faut faire.

— N'est-ce pas ce que tout le monde croit ? objecta-t-il entre ses dents tout en restant debout à côté d'elle. Donnez vingt dollars de jetons à madame, ordonna-t-il au croupier.

— Non, cinquante, corrigea Ryan en comptant les billets.

Pierce fit un petit signe affirmatif, et l'homme échangea l'argent contre des jetons colorés.

— Allez-vous participer ? s'enquit Ryan.

— Je ne joue jamais.

— Même pas lorsqu'on vous enferme dans une caisse et qu'on en cloue le couvercle ? répliqua-t-elle en haussant les sourcils.

Il la gratifia d'un de ces sourires nonchalants dont il était spécialiste.

— Ça, c'est mon métier.

La réponse la fit rire et elle demanda d'une voix malicieuse :

— Désapprouvez-vous le jeu, ainsi que les autres vices, monsieur Atkins ?

— Non.

Il sentit une nouvelle poussée de désir l'envahir. Il la contrôla sur-le-champ.

— Mais je préfère évaluer mes probabilités de succès par moi-même, dit-il en montrant de la tête les cartes qu'on distribuait. Il est impossible de battre le casino.

— J'ai l'impression que ce soir la chance me sourit.

Ryan retourna soigneusement les deux cartes qu'elle avait

reçues. Un huit et un cinq. Elle prit une autre carte et bénéficia d'un autre cinq. Elle n'en demanda pas plus et attendit patiemment que les deux derniers joueurs soient servis.

Le croupier remporta la mise. Ryan compta de nouveau ses points, suivit le jeu et perdit de nouveau. Imperturbable, elle attendit que commence la troisième partie. Cette fois, elle tira un dix-sept. Mais avant qu'elle ait eu le temps de refuser la carte suivante, Pierce avait déjà hoché la tête en direction du croupier.

— Attendez…, commença Ryan.

— Prenez-la, dit-il simplement.

Elle haussa les épaules et obéit en soupirant. Vingt points. Les yeux écarquillés par la surprise, elle pivota sur sa chaise pour regarder Pierce, mais il avait le regard rivé sur le tapis. Le donneur termina avec dix-neuf et paya à Ryan ce qu'il lui devait.

— J'ai gagné ! s'exclama-t-elle ravie à la vue de la pile de jetons qu'on lui remettait. Comment avez-vous deviné ?

Il ne répondit pas, se contentant de lui sourire et d'observer le jeu avec attention.

Elle rit, comblée, puis se tourna de nouveau vers lui.

— Comment avez-vous fait ? Il y a trois jeux de cartes. Impossible que vous ayez mémorisé celles qui ont été distribuées et que vous en ayez déduit celles qui restaient dans le paquet.

Pierce garda le silence puis elle reprit en fronçant les sourcils :

— En êtes-vous capable ?

Pierce se borna à hocher tête. Puis il aida Ryan à gagner une autre partie.

— Vos lumières me seraient bien utiles, dit un homme en repoussant ses cartes avec dégoût.

— C'est un sorcier, vous savez, lui confia Ryan en se penchant vers lui. Je l'emmène partout avec moi.

— J'en aurais bien besoin d'un, moi aussi, déclara une jeune femme blonde tout près d'eux en glissant ses cheveux derrière ses oreilles.

Ses paroles étaient lourdes de sous-entendus. Ryan surprit le regard qu'elle lançait à Pierce tandis que de nouvelles cartes étaient distribuées.

— Propriété privée, annonça-t-elle froidement.

Elle ne vit pas Pierce derrière elle, qui levait les sourcils avec étonnement. La blonde replongea le nez dans son jeu.

Pendant l'heure qui suivit, la chance de Ryan — ou plutôt celle de Pierce — continua. Après quoi, considérant l'énorme pile de jetons qu'elle avait devant elle, il ouvrit son sac à main et fit tomber le tout à l'intérieur.

— Oh, attendez un peu! Je commence seulement à m'échauffer.

— Le secret pour gagner, c'est de savoir s'arrêter à temps, dit-il en lui offrant son bras pour l'accompagner à la caisse.

— Mais j'avais envie de continuer, protesta-t-elle en jetant un regard de regret derrière elle.

— Pas ce soir.

En poussant un gros soupir, elle déversa en vrac le contenu de son sac sur le comptoir. Eparpillés parmi les jetons, il y avait un peigne, un tube de rouge à lèvres et une pièce écrasée par la roue d'un train. Pierce saisit la monnaie et l'examina.

— Un porte-bonheur, expliqua-t-elle.

— Vous êtes superstitieuse, mademoiselle Swan, murmura-t-il. Vous m'étonnez.

— Ce n'est pas de la superstition, objecta-t-elle en fourrant les billets dans son sac au fur et à mesure que le caissier les comptait. Ça porte chance.

— D'accord, j'ai saisi la nuance.

— Je vous aime bien, Pierce, avoua-t-elle en prenant son bras. Il fallait que je vous le dise.

— C'est vrai?

— Oui, dit-elle avec franchise.

Elle pouvait lui avouer cela, songea-t-elle tandis qu'ils se dirigeaient vers les ascenseurs. Elle ne prenait aucun risque et c'était certainement vrai. Par contre, lui confesserait-elle ce que Bess avait affirmé avec une telle désinvolture ? Qu'elle était amoureuse de lui ? Non, c'était une déclaration trop audacieuse et qui ne reflétait pas forcément la réalité. Quoique… quoiqu'elle ait de plus en plus peur que ce soit la pure vérité.

— Est-ce que vous aussi vous m'aimez bien ? demanda Ryan, se tournant vers lui en souriant pendant que les portes de l'ascenseur se refermaient derrière eux.

Il lui caressa la joue du dos de la main.

— Oui, Ryan. Oui, je vous aime bien.

— Je n'en étais pas sûre.

Elle se rapprocha de lui, et il sentit un frisson lui parcourir l'échine.

— Parce que vous étiez fâché contre moi.

— Non, ce n'est pas vrai.

Elle le regardait sans ciller. Pierce eut la sensation que l'air qui l'enveloppait se raréfiait, comme quand le couvercle d'une malle ou d'un coffre se refermait sur lui. Il sentit les battements de son cœur s'accélérer, mais, grâce au contrôle absolu qu'il exerçait sur lui-même, il les ramena à leur rythme normal. Il était hors de question qu'il la touche de nouveau.

Ryan surprit dans ses yeux un éclair de désir et sentit le sien qui montait peu à peu. Un besoin intense de le toucher, de le caresser, de l'aimer l'envahit. Elle le connaissait mieux à présent, bien qu'il ne soit au courant de rien. Elle voulut faire le premier pas. Elle ébaucha un geste en direction de sa joue, mais Pierce attrapa sa main au vol au moment où les portes s'ouvraient.

— Vous devez être fatiguée, dit-il brusquement en la conduisant le long du corridor.

— Non.

Cette nouvelle sensation de pouvoir amusa Ryan. Il semblait avoir peur d'elle. Elle en avait l'intuition. Un sentiment étrange l'envahit soudain — un mélange d'ivresse, de victoire remportée et de certitude. Elle sut qu'elle le voulait à tout prix.

— Et vous, Pierce, êtes-vous fatigué ? demanda-t-elle lorsqu'il ouvrit la porte de la suite.

— Il est déjà tard.

Elle posa son sac et s'étira.

— Non, il n'est jamais trop tard à Las Vegas. N'avez-vous pas remarqué qu'ici le temps n'existe pas ? Il n'y a pas d'horloges, ajouta-t-elle en soulevant ses cheveux et en les laissant retomber doucement entre ses doigts. Comment savoir s'il est tôt ou tard, si on n'a pas idée de l'heure qu'il est ?

Elle repéra des papiers qui traînaient sur la table et se dirigea vers eux tout en se débarrassant de ses chaussures.

— Vous travaillez trop, monsieur Atkins, dit-elle en se retournant vers lui. Mlle Swan aussi, d'ailleurs.

Ses joues avaient rosi et ses cheveux tombaient sur ses épaules. Un air de séduction brillait dans ses yeux vifs et pétillants. Il constata qu'elle lisait en lui comme dans un livre ouvert. Il sentit son désir palpiter. Il ne dit rien.

— Venez vous asseoir à côté de moi, murmura-t-elle. Parlez-moi de vos inventions.

Ryan se laissa tomber sur le canapé et prit une feuille couverte de dessins et d'annotations qui ne signifiaient absolument rien pour elle.

Pierce se décida finalement à bouger. Il se dit que c'était uniquement pour l'empêcher de semer la pagaille dans son travail.

— C'est trop compliqué à expliquer, dit-il en lui prenant le papier des mains et en le remettant à sa place.

— J'ai l'esprit vif, vous savez, rétorqua Ryan.

Elle le tira par le bras jusqu'à ce qu'il s'assoie à côté d'elle, et l'étudia en souriant.

— Savez-vous que, la première fois que vous m'avez regardée dans les yeux, j'ai cru que mon cœur allait s'arrêter, avoua-t-elle en posant la main sur la joue de Pierce. Et la nuit où vous m'avez donné ce baiser, j'ai su que mes craintes étaient fondées.

Pierce s'empara de la main de Ryan, sachant qu'il courait au désastre. Mais celle qui était encore libre glissa sur sa chemise et se posa sur son cou.

— Ryan, vous feriez mieux d'aller vous coucher.

Elle devina le désir qui perçait dans sa voix. Elle sentit sous ses doigts la pulsation affolée de ses veines. Son propre cœur commença à s'emballer en suivant le même rythme.

— Personne ne m'avait jamais embrassée de cette façon, dit-elle d'une voix étouffée.

Ses doigts descendirent jusqu'au premier bouton de sa chemise. Elle l'ouvrit, les yeux rivés sur les siens.

— Aucun homme avant vous ne m'avait fait un tel effet. Etait-ce un tour de magie, Pierce?

Elle défit les deuxième et troisième boutons.

— Non.

Ses doigts qui couraient sur sa peau le rendaient fou et il leva le bras pour les retenir.

Elle se déplaça légèrement afin de lui mordiller le lobe de l'oreille.

— Si. J'en suis sûre. J'en suis même convaincue.

L'impact de ces mots chuchotés attisa au creux de son estomac le feu qui y couvait déjà. Le désir monta en lui et menaça d'exploser. Il la prit par les épaules et tenta de la repousser, mais elle avait déjà mis les mains sur son torse à présent dénudé. Sa bouche effleura son cou. Les doigts de Pierce se serrèrent tandis qu'il luttait désespérément contre ses pulsions.

— Ryan, articula-t-il enfin.

Malgré les efforts désespérés qu'il mobilisait pour retrouver sa concentration, il ne parvenait plus à stabiliser le rythme de son pouls.

— Qu'essayez-vous de faire?

— Je cherche à vous séduire, murmura-t-elle en suivant des lèvres les caresses prodiguées par ses doigts. Est-ce que ça marche?

Ses mains glissèrent de sa poitrine jusqu'à son abdomen

et le frôlèrent légèrement. Elle perçut que le ventre de Pierce réagissait à ce contact en frissonnant et se fit plus audacieuse.

— Oui, ça fonctionne bien, reconnut-il.

Ryan eut un rire de gorge, presque moqueur, qui fit battre le cœur de Pierce encore plus vite. Bien qu'il parvînt encore à garder ses propres mains immobiles, il était désormais incapable d'empêcher Ryan de se servir des siennes. Elles étaient douces, excitantes, et il pouvait entendre le petit bruit de succion produit par sa bouche.

Elle fit tomber la chemise de ses épaules.

— En êtes-vous sûr ? murmura-t-elle. Mais peut-être ai-je tort, ajouta-t-elle en revenant à son menton, puis en donnant sur ses lèvres un petit coup de langue. Peut-être n'avez-vous pas envie que je vous touche ainsi, suggéra-t-elle tout en glissant un doigt le long de son torse jusqu'à la ceinture de son jean. Ou de celle-ci, dit-elle enfin, lui mordant doucement la lèvre inférieure, le regard toujours plongé dans le sien.

Elle s'était trompée : ses yeux étaient bien noirs, non gris. Le désir augmenta tellement qu'elle crut qu'elle allait s'y noyer. Elle trouva incroyable de vouloir quelqu'un avec une telle violence, une ardeur si forte que son corps en vibrait de plaisir et que son cœur menaçait d'éclater.

— J'ai eu envie de vous au moment où vous êtes sorti de scène tout à l'heure, déclara-t-elle d'une voix rauque. A cet instant précis, alors que j'étais encore à moitié persuadée que vous n'étiez pas humain. Et maintenant que je sais que vous êtes un homme et pas un sorcier, dit-elle en passant les mains sur son torse pour venir les nouer derrière sa nuque, je vous désire encore plus.

Elle abaissa son regard sur sa bouche, puis le releva pour le replonger dans le sien.

— Mais ce n'est peut-être pas réciproque. Peut-être ne me trouvez-vous pas... excitante ?

— Ryan...

Il ne parvenait plus à se concentrer, à contrôler ni son pouls ni ses pensées. Il n'avait même plus envie de sortir de cet état.

— ... Il n'y aura bientôt plus moyen de faire marche arrière.

Elle éclata de rire, grisée par ses sens, emportée par son désir. Elle lui demanda, les lèvres tout près des siennes :

— C'est une promesse ?

Ryan se crut arrivée au paradis lorsque enfin il se décida à l'embrasser. Il pressa sa bouche contre la sienne, farouchement, intensément. En un clin d'œil, elle se retrouva couchée sous lui. Elle sentit son corps musclé se plaquer contre elle sans qu'il ait eu l'air de bouger. Il tirait sur son chemisier, s'énervait avec les boutons. Il en arracha deux qui volèrent et retombèrent quelque part sur la moquette avant que ses mains se posent sur ses seins. Ryan se cambra en gémissant ; elle désirait désespérément qu'il la caresse. La langue de Pierce s'insinua dans sa bouche et se mêla à la sienne.

Tous ses sens prenaient feu — des éclairs de chaleur la traversaient, des taches de couleur lui brouillaient la vue. Sa peau brûlait partout où il la touchait. Elle ne s'était même pas rendu compte qu'il l'avait déshabillée, qu'elle n'avait plus rien sur elle, et que leurs peaux nues se frottaient l'une à l'autre. Il lui mordit la poitrine, doucement, presque à la limite de la douleur. Il caressa un mamelon avec sa langue jusqu'à ce qu'elle se colle contre lui en gémissant.

Tandis qu'il cherchait l'autre sein de sa bouche, Pierce sentait le cœur de Ryan qui battait à tout rompre. Les petits cris qu'elle poussait, ses mains avides qu'il sentait courir sur sa peau le menèrent au bord de la folie. Il s'était laissé piéger dans un brasier et, cette fois, il ne s'en échapperait pas. Il savait que leurs chairs fusionneraient, au point que rien au monde ne puisse les séparer. Provoquées par l'excitation, par l'odeur et le goût de la peau de Ryan, des sensations prodigieuses tourbillonnaient dans son esprit, comme un ouragan. Ce n'était plus du désir. Non, c'était beaucoup plus. C'était devenu une obsession.

Il glissa les doigts dans son intimité. Elle était si douce, si chaude et si moite que le peu de volonté qui lui restait s'envola aussitôt.

Il la pénétra avec une sauvagerie qui les stupéfia l'un et l'autre. Alors, déchaînée, elle se mit à bouger au même rythme que lui. Une jouissance inouïe le submergea, et il sut que les rôles avaient été inversés : c'est elle qui l'avait ensorcelé. Elle le possédait corps et âme.

Ryan sentait le souffle irrégulier de Pierce contre son cou. Elle entendait son cœur qui battait avec force. « Pour moi », pensa-t-elle rêveusement tandis que son esprit flottait encore dans les nimbes de la passion. « Il est à moi », songea-t-elle encore et elle poussa un soupir. Comment Bess avait-elle réussi à deviner ses sentiments avant elle ? Ryan ferma les yeux et laissa ses pensées dériver.

Parce que cela se voyait comme le nez au milieu de la figure. Elle se demanda si le moment était venu de le dire à Pierce. Elle lui caressa les cheveux et décida d'attendre. Il fallait tout d'abord qu'elle s'habitue elle-même à cette idée avant de pouvoir lui révéler son amour. Pour l'instant, il lui semblait qu'elle avait l'éternité devant elle.

Elle poussa un murmure de protestation au moment où le poids de son corps la quitta. Elle ouvrit lentement les yeux. Pierce regardait ses mains. Il se maudissait intérieurement.

— Est-ce que je vous ai fait mal ? s'enquit-il brusquement d'une voix rude.

— Non, répondit-elle, d'abord étonnée, puis se souvenant de l'histoire que Bess lui avait racontée. Non, Pierce, pas du tout. Vous ne pouvez pas me blesser. Vous êtes trop doux pour cela.

Son regard sombre et angoissé revint se river au sien. Il n'y avait aucune forme de douceur en lui pendant qu'il lui avait fait l'amour. Seulement un besoin désespéré.

— Pas toujours, dit-il sèchement en attrapant son jean.

— Que faites-vous ?

— Je descends à la réception pour prendre une autre chambre, annonça-t-il en s'habillant rapidement tandis qu'elle le regardait sans comprendre. Je suis vraiment désolé de ce qui s'est produit. Je ne...

Il s'arrêta net lorsqu'il vit les yeux de Ryan se remplir de larmes. Il sentit son cœur se briser.

— Ryan, je suis désolé.

Il se rassit à côté d'elle et essuya ses pleurs avec son pouce.

— Je vous jure que j'avais fermement l'intention de ne pas vous toucher. Je n'aurais pas dû le faire. Vous aviez trop bu, je le savais et je n'aurais...

Elle repoussa sa main d'un coup sec.

— Je vous hais! cria-t-elle. J'avais tort, vous *pouvez* me faire du mal. Pas la peine de descendre pour la chambre, ajouta-t-elle en ramassant son chemisier. Je m'en occupe. Je ne resterai pas une seconde de plus dans la même suite que vous. Vous avez transformé un événement merveilleux en une erreur accidentelle.

Elle était déjà debout, tirant sur son corsage qu'elle avait mis à l'envers.

— Ryan, je...

— Oh, taisez-vous!

Quand elle se rendit compte que les deux boutons du milieu manquaient, elle arracha sa blouse et se planta devant lui, nue et arrogante, les yeux étincelants de fureur. Il dut se retenir pour ne pas la plaquer par terre et la prendre de nouveau.

— Je savais exactement ce que je faisais, vous entendez? Exactement! Si vous croyez que je suis capable de me jeter dans les bras d'un homme parce que j'ai bu quelques verres de trop, vous vous trompez lourdement. J'avais envie de vous et je croyais que c'était réciproque. Donc, si erreur il y a eu, elle vient de vous.

— Non, Ryan, vous avez mal compris.

Sa voix était redevenue douce, mais quand il s'approcha et voulut la toucher, elle se recula vivement. La main de Pierce

111

retomba lourdement sur sa cuisse. Il avoua, choisissant soigneusement ses mots :

— Je vous désirais vraiment ; mais mon envie était trop forte, et je ne vous ai pas traitée avec la douceur que vous méritiez. J'ai beaucoup de mal à accepter le fait que je n'ai pas pu résister à mon attirance pour vous.

Elle resta quelques instants à l'étudier, puis elle essuya ses larmes avec le dos de sa main.

— Auriez-vous préféré y résister ?

— Là est le problème. J'ai essayé, mais je n'ai pas réussi. Et je n'ai jamais fait l'amour à une femme avec aussi peu… d'attentions. Vous êtes si menue, si fragile, murmura-t-il.

« Moi, fragile ? », songea-t-elle en levant les sourcils. C'était la première fois qu'on lui disait cela. Dans d'autres circonstances, elle aurait pu en rire, mais en cet instant elle pressentit qu'il n'y avait qu'un seul moyen d'agir avec un homme comme Pierce.

— D'accord, dit-elle en remplissant ses poumons. Vous avez deux solutions.

— Lesquelles ? demanda Pierce d'un air étonné.

— Soit vous prenez une autre chambre, soit vous m'emmenez au lit et vous me faites encore l'amour, déclara-t-elle en faisant un pas vers lui. Tout de suite.

Il remarqua son air de défi et sourit.

— Et je n'ai pas d'alternative ?

— Si vous vous montrez récalcitrant, je peux toujours vous séduire de nouveau, dit-elle en haussant les épaules. C'est comme vous voulez.

Il plongea les doigts dans ses cheveux tout en l'attirant vers lui.

— Et si nous choisissions deux de ces trois options ?

— Lesquelles ? interrogea-t-elle en l'examinant.

Il se baissa pour atteindre sa bouche et lui donner un long et doux baiser.

— Je vous porte jusqu'au lit et vous me séduisez.

— Je suis une femme raisonnable, assura-t-elle tandis

qu'il la soulevait dans ses bras et se dirigeait vers la chambre à coucher. Je suis disposée à accepter un compromis, si j'y trouve mon compte.

— Mademoiselle Swan, murmura Pierce en la déposant sur le lit avec douceur, j'aime votre style.

9

Le corps de Ryan était tout endolori. Elle enfonça sa tête dans l'oreiller et se blottit entre les draps. Cette légère gêne était plutôt agréable. Elle lui rappelait la nuit dernière — une nuit qui avait duré jusqu'à l'aube.

Elle ne s'était jamais rendu compte qu'elle avait en elle autant de passion à donner ni de besoins à combler. Chaque fois qu'elle avait cru être épuisée, aussi bien physiquement que mentalement, il avait suffi qu'ils se touchent de nouveau pour que son énergie lui revienne et, avec elle, les irrépressibles exigences du désir.

Puis ils s'étaient endormis, serrés l'un contre l'autre, au moment où les lueurs rosées du soleil levant s'infiltraient dans la pièce. Balançant encore entre veille et sommeil, elle se glissa vers Pierce. Elle avait envie de le prendre dans ses bras.

Il n'y avait personne.

Confuse, elle ouvrit lentement les yeux. Lorsqu'elle passa la main sur les draps, elle découvrit qu'ils étaient froids. « Parti ? », pensa-t-elle, l'esprit encore ensommeillé. Pendant combien de temps avait-elle dormi sans lui ? Son bonheur s'évanouit. Elle toucha le lit une nouvelle fois. « Non, se dit-elle en s'étirant, il est sûrement dans l'autre pièce. Il n'a pas pu m'abandonner ainsi. »

Elle sursauta quand le téléphone sonna et la réveilla pour de bon.

— Oui, bonjour.

Elle avait décroché à la première sonnerie. De sa main

libre, elle repoussa les cheveux qui lui tombaient sur le visage. *Pourquoi la suite était-elle aussi silencieuse?*

— Mademoiselle Swan?

— Oui, elle-même.

— Un instant, s'il vous plaît, Bennett Swan désire vous parler.

Ryan s'assit et remonta machinalement le drap sur sa poitrine. Désorientée, elle se demanda quelle heure il pouvait être. Et où Pierce avait pu disparaître.

— Ryan, il faut qu'on fasse le point.

Faire le point? répéta-t-elle mentalement en entendant la voix de son père. Elle se força à rassembler ses idées.

— Ryan!

— Oui. Excuse-moi.

— Je n'ai pas que ça à faire.

Elle avait besoin d'une tasse de café et d'un peu de temps pour mettre de l'ordre dans ses idées.

— J'ai assisté à toutes les répétitions. Je pense qu'Atkins a une parfaite maîtrise à la fois de sa troupe et de sa technique, continua-t-elle en regardant autour d'elle en quête d'une trace de son amant. La première s'est déroulée hier soir et sa performance s'est révélée impeccable. Nous avons déjà discuté des modifications à apporter pour l'adaptation à la télévision, mais rien n'est encore fixé. Pour l'instant, quels que soient ses projets concernant de futurs numéros, il ne m'en a pas fait part.

— Je veux une idée précise du contenu des séquences d'ici à deux semaines. Il va peut-être y avoir des changements de programmation. Débrouille-toi pour mettre les choses au point avec Atkins. Il me faut une liste complète des numéros qu'il a l'intention de faire, ainsi qu'une évaluation du temps nécessaire pour les exécuter.

— Je sais. J'en ai déjà parlé avec lui, répondit froidement Ryan, contrariée que son père empiète ainsi sur son territoire. C'est moi la productrice, oui ou non?

— Oui, répliqua-t-il. Je veux te voir dans mon bureau dès ton retour.

Il coupa la communication et Ryan raccrocha à son tour en poussant un soupir exaspéré. « Typique de Bennett Swan », pensa-t-elle. Elle préféra chasser ce coup de fil de ses pensées et sauta du lit. Le peignoir de Pierce était posé sur le dossier d'une chaise. Elle s'en empara et le revêtit.

— Pierce ?

Ryan se précipita dans le salon. Pas un chat.

— Pierce ? appela-t-elle de nouveau.

Elle marcha sur un des boutons de son chemisier qu'elle avait perdus la veille. Elle le glissa distraitement dans la poche du peignoir avant de faire le tour des autres pièces.

Personne. Elle sentit une douleur sourde s'installer au creux de son estomac, puis se propager dans tout son corps. Il l'avait abandonnée. Incrédule, Ryan inspecta une nouvelle fois la suite. « Il a dû laisser un mot pour expliquer son absence. » Impossible qu'il se soit réveillé et soit parti en la laissant ainsi. Pas après la nuit dernière.

Mais elle ne trouva aucun indice de sa présence. Un grand froid l'envahit et elle frissonna.

« Ma vie se déroule toujours selon le même scénario », constata-t-elle. Elle se dirigea vers la fenêtre et son regard se fixa sur le paysage de néons éteints. Tous ceux pour qui elle avait eu de l'affection, tous les gens qu'elle avait aimés avaient fini par la quitter. Elle ne savait pas pourquoi elle espérait encore que cela change.

Tout avait commencé quand elle était enfant avec sa mère, une femme sophistiquée qui passait sa vie à suivre Bennett Swan à travers le monde. *Tu es une grande fille, Ryan, et tu sais très bien te débrouiller toute seule. Je reviendrai dans quelques jours.* Ou quelques semaines, se souvint Ryan. Certes, il y avait toujours eu une gouvernante, secondée par d'autres domestiques pour s'occuper d'elle. Non, elle n'avait jamais été ni négligée ni maltraitée. Seulement oubliée.

Cela avait continué avec son père, toujours en voyage, qui la prévenait à la dernière minute avant de s'envoler au loin. Puis il l'avait expédiée dans cette école suisse qui figurait parmi l'élite des internats. *Ma fille a la tête sur les épaules. Elle est parmi les meilleures de sa classe.*

Pour son anniversaire, il n'avait jamais manqué de lui faire parvenir un cadeau de prix, accompagné d'une petite carte venue du bout du monde où il lui conseillait de bien travailler. Elle avait répondu à ses attentes, cela allait de soi. Elle n'aurait surtout pas pris le risque de le décevoir.

« Rien ne changera jamais, songea-t-elle en se retournant pour se regarder dans la glace. Ryan est forte. Ryan a le sens pratique. Elle est différente des autres femmes. Elle n'a pas besoin qu'on lui fasse des câlins, qu'on lui témoigne de l'amour, de la tendresse. »

« C'est certainement la vérité, se dit-elle. Je suis vraiment idiote de souffrir pour si peu. Nous étions attirés l'un par l'autre. Nous avons passé la nuit ensemble. Pourquoi être si romantique ? Je n'ai aucun droit sur Pierce, ni lui sur moi. » Elle passa la main sur le revers du peignoir, puis la laissa très vite retomber. Elle se déshabilla rapidement pour prendre sa douche.

Elle régla la température presque au maximum et ouvrit le robinet à fond. Elle laissa l'eau bouillante lui fouetter la peau. Il fallait absolument qu'elle arrête de penser. Elle savait pertinemment que, si elle faisait le vide dans son esprit, elle saurait ensuite ce qu'elle devrait faire.

La salle de bains était remplie de vapeur et les murs ruisselaient d'humidité lorsqu'elle sortit de la cabine pour s'essuyer. Ses mouvements avaient retrouvé leur vivacité. Elle avait du travail à faire, des notes à rédiger, des idées et des projets à mettre au propre. Ryan Swan, directrice de production. Il fallait qu'elle se concentre sur sa nouvelle fonction. Et qu'elle cesse de se tracasser pour des gens qui ne pouvaient pas, ou ne voulaient pas, lui donner ce qu'elle désirait. Elle devait se faire un nom dans la profession, et c'était la seule chose qui comptait vraiment.

Tandis qu'elle s'habillait, Ryan était parfaitement calme. Elle avait mis ses rêves en sommeil et avait récupéré toute son énergie. Il y avait des milliers de détails à régler ; des réunions à organiser ; des responsables à consulter ; des décisions à prendre. Elle était à Las Vegas depuis déjà assez longtemps. Les méthodes de travail de Pierce n'avaient presque plus de secrets pour elle. Et, ce qui était essentiel à ses yeux actuellement, elle avait une vision précise de ce qu'elle voulait montrer aux téléspectateurs. Dès son retour à Los Angeles, elle pourrait enfin commencer à mettre ses idées en pratique.

C'était sa première production et ce ne serait pas la dernière. Elle n'avait pas l'intention de laisser passer sa chance.

Elle passait le peigne dans ses cheveux mouillés quand la porte s'ouvrit.

— Vous voilà finalement réveillée ! dit Pierce avec un sourire.

Il était sur le point de se diriger vers elle quand la colère blessée que reflétait son regard l'arrêta net. Il percevait les ondes rageuses qui émanaient d'elle.

— En effet, ça m'en a tout l'air, répondit-elle avec décontraction tout en continuant à se coiffer. Et depuis déjà un certain temps. J'ai reçu un coup de téléphone de mon père. Il voulait un rapport sur ce que nous avons fait.

— Ah bon ?

« Ce n'est pas à son père qu'elle semble en vouloir », décida Pierce en l'observant sans détourner les yeux.

— Avez-vous commandé quelque chose au service de chambre ? s'enquit-il.

— Non.

— Voulez-vous prendre un petit déjeuner ?

Il fit un autre pas vers elle, mais, sentant le mur auquel il se heurtait, n'alla pas plus loin.

— Non merci, sans façons, répondit-elle en prenant son

mascara et en l'appliquant soigneusement sur ses cils. Je prendrai un café à l'aéroport. Je rentre à Los Angeles ce matin même.

L'intonation froide de sa voix lui serra le cœur. S'était-il trompé ? La nuit qu'ils avaient passée ensemble représentait-elle si peu pour elle ?

— Ce matin même ? répéta-t-il en l'imitant. Pourquoi ?

— Je pense avoir un aperçu assez précis de la façon dont vous travaillez et de vos désirs concernant l'émission, répliqua-t-elle, les yeux fixés sur son reflet dans le miroir. Je vais commencer à travailler sur les étapes préliminaires, et nous fixerons un rendez-vous lorsque vous serez de retour en Californie. Je prendrai contact avec votre agent.

Pierce ravala les paroles qu'il allait prononcer. Il n'avait pas l'habitude de mettre des chaînes à quiconque, excepté à lui-même.

— Si c'est ce que vous voulez...

Les doigts de Ryan se serrèrent sur le tube de mascara, puis elle le remit à sa place.

— Nous avons chacun nos occupations. Les miennes sont à Los Angeles ; les vôtres ici, pour l'instant.

Au moment où elle se retourna pour se diriger vers la penderie, il posa la main sur son épaule. Il l'enleva aussitôt, car il sentit son corps se raidir.

— Ryan, vous ai-je blessée ?

— Me blesser ? répéta-t-elle tout en se dirigeant vers l'armoire. Je ne vois pas pourquoi.

Il y avait comme du dédain dans sa voix. Il ne réussit pas à saisir son regard pour en avoir confirmation.

— Je ne comprends pas, dit-il, debout derrière elle.

Ryan sortit une brassée de vêtements de la penderie.

— Mais le fait est là, continua-t-il en la faisant pivoter pour accrocher son regard. Je peux le deviner dans vos yeux.

— Il vaut mieux que vous oubliiez tout cela, dit-elle. Je vais d'ailleurs faire de même.

Elle voulut s'éloigner. Il la retint cette fois fermement.

— Comment pourrais-je oublier quelque chose avant de savoir de quoi il s'agit ?

Ses mains n'exerçaient qu'une légère pression sur elle. Pourtant, une certaine contrariété semblait s'être insinuée dans son ton.

— Ryan, dites-moi ce qui ne va pas.

— Laissez tomber, Pierce.

— Non, pas question.

Ryan tenta de s'échapper, mais il la retint.

Elle fit un effort désespéré pour rester calme.

— Vous m'avez *abandonnée* ! s'exclama-t-elle soudain en jetant ses vêtements par terre.

Sa colère avait explosé si soudainement que Pierce en resta sans voix et la regarda fixement tandis qu'elle poursuivait :

— Je me suis réveillée, et vous étiez parti sans rien dire. Je n'ai pas l'habitude des aventures d'un soir.

A ces mots, les yeux de Pierce étincelèrent.

— Ryan...

— Non, je ne veux rien savoir de vos excuses, dit-elle en secouant la tête avec véhémence. Je ne m'attendais pas à une telle attitude de votre part. Mais j'ai eu tort. Ce n'est pas grave. Pas besoin de prendre des gants avec une femme comme moi. Je suis accoutumée à me débrouiller toute seule.

Elle voulut se dérober, mais se retrouva pressée contre lui.

— Arrêtez ! Lâchez-moi ! Je dois faire ma valise.

Ignorant sa résistance, il la serra de plus près. La blessure l'avait touchée au plus profond d'elle-même, pensa-t-il. Elle ne datait pas d'hier, et il n'en était pas l'unique cause.

— Ryan, je suis désolé.

— Pierce, je veux que vous me laissiez partir.

— Si je ne vous retiens pas, vous ne m'écouterez pas, dit-il en caressant ses cheveux mouillés. Et je dois vous parler.

— Il n'y a rien à dire, rétorqua-t-elle sur un ton dur.

Il sentit un cuisant remords l'envahir. Comment avait-il pu

être aussi stupide ? Et comment n'avait-il pas deviné la nature de ses besoins ?

Il la repoussa un peu afin de pouvoir la regarder dans les yeux.

— Ryan, j'ai déjà eu beaucoup d'aventures sans lendemain. Et je peux vous assurer que la nuit dernière n'avait rien à voir avec ça.

Elle secoua farouchement la tête et s'efforça de retrouver son aplomb.

— Ce n'est pas la peine de vous justifier.

Il posa ses mains sur les épaules de Ryan.

— Je ne mens jamais, je vous l'ai déjà dit. Ce qui s'est passé hier soir est très important pour moi.

— J'ai ouvert les paupières, et vous n'étiez plus là, dit-elle en avalant sa salive, puis elle ferma les yeux. Les draps étaient froids.

— Je regrette vraiment. Je suis juste descendu régler un ou deux détails concernant le spectacle de ce soir.

— Si au moins vous m'aviez réveillée…

— Je n'ai pas voulu le faire, Ryan, dit-il doucement. Et je n'aurais jamais imaginé que vous réagiriez de la sorte. Le soleil se levait quand nous nous sommes endormis.

— Mais vous vous êtes couché à la même heure que moi, protesta-t-elle en faisant une nouvelle tentative pour s'échapper. Pierce, je vous en prie ! implora-t-elle, puis elle se mordit la lèvre au moment où elle perçut le désespoir qu'elle avait mis dans ces mots. Lâchez-moi !

Il baissa les bras et l'observa tandis qu'elle rassemblait ses affaires. Etait-ce un sentiment de panique qu'il ressentait en la voyant ranger son chemisier dans sa valise ?

— Je n'ai pas besoin de beaucoup de sommeil. Cinq ou six heures par nuit me suffisent largement. J'ai cru que vous dormiriez encore quand je reviendrais.

— Je vous ai cherché, et il n'y avait personne, dit-elle simplement.

— Ryan…

Elle appuya ses doigts sur ses tempes un instant, puis poussa un gros soupir.

— Non, cela n'a pas d'importance. Je suis désolée. Je me comporte comme une idiote. Ce n'est pas votre faute, Pierce. C'est moi qui suis coupable. J'en demande toujours trop. Et je suis ensuite étonnée quand je n'obtiens pas ce que je désire, ajouta-t-elle tout en se remettant à ranger rapidement ses affaires. Je n'avais pas l'intention de vous faire une scène, Pierce. N'y pensez plus, s'il vous plaît.

— C'est impossible, murmura-t-il.

— Je me sentirais moins bête si c'était le cas, dit-elle, tentant de garder un ton léger. Mettez mon attitude sur le compte de la mauvaise humeur due au manque de sommeil. Mais il faut vraiment que j'y aille. J'ai du pain sur la planche.

Il l'avait pourtant percée à jour dès le début — sa manière de réagir à des mots doux, son plaisir évident quand il lui avait offert la rose. C'était une femme romantique et émotive, mais qui faisait tout son possible pour le dissimuler. Pierce se maudit intérieurement. Il imagina ce qu'elle avait dû ressentir en trouvant le lit vide, après ce qui s'était passé entre eux la nuit précédente.

— Ryan, ne partez pas.

Les mots eurent du mal à franchir ses lèvres. Il n'avait jamais demandé cela à quiconque.

Les doigts de Ryan hésitèrent sur les fermetures de la valise. Elle la boucla néanmoins, la posa sur le sol et fit volte-face.

— Pierce, je ne suis pas fâchée, franchement. Peut-être juste un peu gênée, reconnut-elle en ébauchant un sourire. Mais il faut vraiment que je rentre afin de me mettre au travail. Il risque d'y avoir des changements de programmation et…

— Restez ! dit-il en l'interrompant soudain, incapable de se contenir. S'il vous plaît !

Ryan demeura un instant silencieuse. Son cœur se serra à la vue de la détresse que ses yeux semblaient refléter. Il avait dû lui en coûter de faire cette requête. Tout comme elle trouva difficile de demander :

— Pour quoi faire ?

— Parce que j'ai besoin de vous, avoua-t-il, reprenant son souffle après cet aveu qui le laissa pantois. Je ne veux pas vous perdre.

Ryan fit un pas vers lui.

— Est-ce si important ?

— Oui. Oui, ça l'est.

Elle s'immobilisa, indécise. Mais elle découvrit qu'elle était incapable de se convaincre de franchir le seuil.

— Prouvez-le !

Il s'approcha d'elle et l'enlaça. Elle ferma les yeux. C'était exactement ce dont elle avait besoin — juste qu'il la prenne dans ses bras. Elle sentit son torse ferme sous sa joue, ses bras musclés qui l'entouraient. Elle devina qu'il la tenait comme si elle était un objet précieux. Il avait déclaré qu'il lui trouvait un air fragile. Pour la première fois de sa vie, elle eut envie de l'être.

— Oh, Pierce, je suis une imbécile.

Il releva son menton avec un doigt et l'embrassa.

— Non. Non, vous êtes un ange, dit-il avec un sourire en posant son front sur le sien. Allez-vous vous plaindre la prochaine fois que je vous réveillerai après cinq heures de sommeil ?

Elle rit et lui passa les bras autour du cou.

— Jamais. Ou peut-être un tout petit peu.

Elle lui souriait, mais le regard de Pierce se fit soudain sérieux. Il posa sa main derrière la nuque de Ryan avant de venir à la rencontre de sa bouche.

Et tout recommença comme au premier jour : la douceur de ses lèvres, leur légère caresse qui l'excitait tant. Lorsqu'il l'embrassait ainsi, elle se retrouvait totalement impuissante. Impossible de bouger ou de protester. Elle n'avait d'autre choix que de le laisser agir à sa guise, à son rythme.

Pierce comprit que c'était à son tour de mener la danse. Ses mains se déplacèrent tendrement tandis qu'il la déshabillait. Il fit glisser son chemisier sur ses épaules, puis le long de son dos. La blouse tomba en ondoyant sur le sol. Chaque fois que ses mains l'effleuraient, elle sentait des frissons lui parcourir la peau.

Tout en lui mordillant les lèvres, il défit le bouton du pantalon de Ryan, le baissa sur ses hanches et joua avec la minuscule bande de soie et de dentelle qui lui remontait haut sur la taille. Elle retint son souffle, puis gémit quand il glissa un doigt dans sa culotte. Elle s'attendait à ce qu'il l'enlève, mais il ne le fit pas. A la place, sa main remonta sur ses seins, les caressant, jouant avec, jusqu'à ce que son corps soit saisi de tremblements.

— J'ai envie de toi, dit-elle, frémissante. Est-ce que tu sais à quel point ?

— Oui, répondit-il en couvrant son visage d'une myriade de petits baisers, légers comme des plumes. Oui.

— Fais-moi l'amour, Pierce, murmura Ryan dans un souffle. Prends-moi.

— C'est ce que je fais, dit-il à voix basse en pressant sa bouche sur son cou, sentant ses veines qui battaient au même rythme affolé que son cœur.

— Maintenant, implora-t-elle, trop faible pour l'attirer vers elle.

Il eut un rire de gorge qui venait du tréfonds de son être et la souleva pour la porter jusqu'au lit.

— La nuit dernière, vous m'avez rendu fou en me touchant de cette façon, mademoiselle Swan.

Son index descendit le long de son corps, s'attarda sur le doux renflement entre ses jambes. Lentement, paresseusement, sa bouche suivit le même chemin.

La veille, la folie s'était emparée de lui. Il avait ressenti de l'impatience, du désespoir. Il lui avait fait l'amour passionnément, encore et encore. Il n'avait pas pris le temps de l'apprécier vraiment, comme s'il avait été affamé, possédé par une avidité insatiable. Maintenant, et quoiqu'il la désirât tout autant, il parvenait à se contenir. Il voulait la goûter, la savourer, s'imprégner de son odeur.

Les membres de Ryan pesaient des tonnes. Impossible de les bouger. Elle ne pouvait que se soumettre, le laisser la toucher, la caresser et l'embrasser partout où il le décidait. La force qui l'avait envahie hier soir avait été remplacée par une douce faiblesse dans laquelle elle se laissait engloutir.

La bouche de son amant s'attarda sur ses hanches, puis sa langue s'aventura un peu plus bas. Ses mains frôlaient sa peau, suivaient les contours de ses seins, effleuraient son cou et ses épaules. Au lieu de la posséder, il allumait son désir. A la place de satisfaire ses besoins, il la laissait sur sa faim.

Il prit la ceinture de sa culotte de soie entre ses dents et la baissa de quelques centimètres. Ryan gémit et se cambra. Mais ce fut la chair de ses hanches qu'il baisa et savoura, lui donnant la sensation d'avoir presque perdu la raison. Elle s'entendit soupirer son nom, d'une voix basse et désespérée, mais il ne répondit pas. Sa bouche était occupée à lui faire des choses merveilleuses dans le pli du genou.

Ryan sentit la peau brûlante du torse nu de son amant, qui passait sur ses jambes. Depuis combien de temps avait-il ôté sa chemise? Elle n'aurait su le dire. Jamais elle n'avait eu une conscience aussi aiguë de son corps. Elle n'aurait pas imaginé que le contact d'un simple doigt sur sa peau pourrait lui procurer un plaisir aussi divin qu'enivrant.

Malgré la conscience qu'elle avait de son dos plaqué contre le lit, Ryan, l'esprit embrumé, eut l'impression que son corps flottait. Il la faisait léviter, il la soulevait au-dessus du sol. Sa magie l'emmenait au septième ciel, mais la transe dans laquelle elle était plongée n'avait rien d'une illusion.

Ils étaient maintenant complètement nus, leurs deux corps intimement mêlés. Sa bouche se posa de nouveau sur la sienne. Il l'embrassa lentement, intensément, et ce baiser la laissa sans forces. Ses mains aux doigts agiles l'excitaient profondément. Elle n'aurait jamais cru que la passion pourrait provoquer en elle deux effets si différents : l'impression d'avoir à la fois l'esprit dans les nuages et le corps dévoré par un feu brûlant.

La poitrine de Ryan se soulevait et s'abaissait au rythme de ses halètements, mais il la fit encore languir. Il voulait lui faire ressentir d'abord toutes les sombres délices dont il avait le secret, tirer d'elle jusqu'à la dernière once de plaisir. Sa chair ressemblait à de l'eau sous ses mains : elle coulait, ondulait, ruisselait. Il mordit doucement ses lèvres tuméfiées. Il attendit qu'elle pousse un ultime gémissement, et que son abandon soit total.

— Maintenant, mon amour ? demanda-t-il, sa bouche parcourant son visage de légers, presque imperceptibles baisers. Maintenant ?

Elle ne réussit pas à répondre. Elle semblait déjà dans un état second, au-delà des mots et de la raison. C'était ainsi qu'il la voulait. Enivré, excité, il rit et pressa ses lèvres sur sa gorge.

— Tu m'appartiens, Ryan. Dis-moi que tu es à moi.

— Oui, dit-elle d'une voix rauque et presque imperceptible. A toi, confirma-t-elle, mais les mots s'étranglèrent dans sa gorge au moment où elle les prononçait. Prends-moi.

Elle ne s'entendit pas parler. Elle crut avoir prononcé ces paroles mentalement. Quand soudain il la pénétra. Ryan haleta et se cambra pour venir à sa rencontre. Les mouvements de Pierce restaient toujours aussi désespérément lents.

Elle sentait son sang qui rugissait dans ses veines tandis qu'il amenait ses sens à l'apogée de la volupté. Ses lèvres frôlèrent les siennes, capturèrent chaque souffle frémissant qui s'en échappait.

Subitement, il écrasa sa bouche contre celle de Ryan — envolée la douceur, finis les préliminaires. Elle poussa un cri lorsqu'il commença à bouger en elle avec une fureur aussi soudaine que sauvage. Le feu de l'amour les consuma, leurs corps et leurs lèvres fusionnèrent jusqu'à ce qu'elle pense qu'ils étaient déjà passés dans l'au-delà.

Pierce était allongé sur elle, la tête reposant entre ses seins. Il pouvait entendre son cœur qui battait à tout rompre. Elle tremblait encore de tout son corps. Les bras de Ryan l'enserraient, et une de ses mains était enfouie dans ses cheveux. Il n'avait pas envie de bouger. Il voulait que cet instant magique se prolonge, qu'elle soit à lui, son corps nu contre le sien. Ce désir violent et possessif l'ébranla. Il n'était pas dans ses habitudes de réagir ainsi. Du moins pas avant de la rencontrer. Mais le sentiment était trop fort pour qu'il y résiste.

— Dis-le-moi encore une fois, implora-t-il en soulevant la tête pour la regarder.

Ryan ouvrit lentement les yeux. Elle était enivrée d'amour, rassasiée de plaisir.

— Te dire quoi?

Il chercha sa bouche de nouveau, s'attarda sur ses lèvres pour en savourer le goût une dernière fois. Quand il se redressa, son regard était sombre et exigeant.

— Dis-moi que tu es à moi, Ryan.

— Oui, Pierce, murmura-t-elle tandis que ses paupières retombaient. Pour aussi longtemps que tu me voudras, soupira-t-elle avant de s'endormir.

Pierce fronça les sourcils à cette réponse et ouvrit la bouche pour parler, mais la respiration de Ryan était devenue lente et régulière. Il se déplaça pour s'allonger à son côté et se serra contre elle.

Cette fois, il attendrait qu'elle se réveille.

10

Jamais le temps n'était passé aussi rapidement. Ryan aurait dû s'en réjouir. Une fois l'engagement de Pierce à Las Vegas terminé, ils pourraient s'atteler à leur projet pour la télévision. Un programme qui lui tenait à cœur, et qu'elle était impatiente d'entreprendre, aussi bien pour elle que pour lui. Elle avait pleinement conscience que ce travail représentait un tournant décisif dans sa carrière.

Elle se rendait compte qu'elle aurait pourtant préféré que les heures ne filent pas si vite. La ville de Las Vegas avait quelque chose de fantasque, avec ses rues tapageuses, ses casinos flamboyants et son atmosphère hors du temps. Là, baignant dans cette ambiance magique, il lui semblait normal de l'aimer et de partager la même vie que lui. Ryan n'était pas sûre que les choses seraient aussi simples après leur retour dans le monde réel.

Ils vivaient tous les deux au jour le jour. Ni l'un ni l'autre n'abordaient l'avenir. L'accès de possessivité que Pierce avait eu l'autre matin ne s'était pas reproduit, et Ryan en arrivait même à douter qu'il ait jamais eu lieu. Elle croyait presque avoir rêvé les mots profonds et insistants qu'il avait proférés — « Dis-moi que tu es à moi. »

Il n'avait pas exigé qu'elle les redise et n'avait pas non plus prononcé d'autres déclarations d'amour. Il faisait preuve d'une douceur, parfois extrême, dans ses propos, ses regards ou ses gestes. Mais il y avait toujours une certaine retenue dans son attitude. Tout comme dans celle de Ryan à son égard. Accorder leur confiance n'était facile ni pour l'un ni pour l'autre.

Le soir de la dernière représentation, Ryan s'habilla avec soin. Elle voulait que cette soirée soit spéciale. Champagne, décida-t-elle en se glissant dans une robe vaporeuse et bariolée, colorée de toutes les nuances de l'arc-en-ciel. Elle en ferait livrer dans la chambre après le spectacle. Avant que leur idylle se termine, il fallait que la dernière nuit qu'ils passeraient ensemble soit la plus longue possible.

Ryan s'étudia dans le miroir d'un œil critique. La robe était transparente et d'un style nettement plus audacieux que celui qu'elle portait d'habitude. Elle songea en riant que Pierce aurait dit que ce genre était plus approprié à Ryan qu'à Mlle Swan. Et il aurait eu raison, comme toujours. En cet instant, elle n'avait aucune envie d'avoir l'air sérieux. Demain, il serait bien assez tôt pour porter des vêtements stricts.

Elle appliqua des petites touches de parfum sur ses poignets, puis dans le creux de ses seins.

— Ryan, si tu veux qu'on dîne avant le spectacle, tu devrais te dépêcher. Il est déjà…

Pierce s'interrompit en entrant dans la pièce. Surpris, il s'arrêta net pour la regarder. La robe flottait par endroits, s'accrochait à d'autres. Le tissu, qui retombait en volutes seyantes sur sa poitrine, avait des couleurs qui se mélangeaient comme une peinture oubliée sous la pluie.

— Tu es si belle, murmura-t-il, sentant l'habituel frisson de plaisir lui parcourir la peau. Comme un rêve merveilleux !

Lorsqu'il lui parlait ainsi, elle sentait son cœur qui fondait et battait plus vite en même temps. Elle se dirigea vers lui et lui passa les bras autour du cou.

— Un rêve ? Quel genre de songe voudrais-tu que je sois ? dit-elle en embrassant ses deux joues tour à tour. Serais-tu capable d'en invoquer un pour moi, Pierce ?

Il enfouit son visage dans son cou et se dit qu'il n'avait

jamais désiré quelque chose, ou plutôt quelqu'un, avec autant d'intensité.

— Tu sens le jasmin. Tu me rends fou.

— C'est un envoûtement féminin, dit Ryan. Destiné à ensorceler l'enchanteur.

— Ça marche comme sur des roulettes !

Elle eut un rire de gorge et se serra plus fort contre lui.

— N'était-ce pas un sort jeté par une femme qui causa la ruine finale de Merlin ?

— As-tu fait des recherches sur le sujet ? lui demanda-t-il à l'oreille. Attention, je suis dans le métier depuis plus longtemps que toi, continua-t-il en lui soulevant le menton et en posant ses lèvres sur les siennes. Tu sais qu'il est dangereux de se frotter à un magicien.

Elle remonta le long de sa nuque pour aller plonger ses doigts dans son épaisse chevelure.

— Sauf que je ne suis vraiment pas prudente. Mais alors pas du tout.

Pierce ressentit le même mélange d'énergie et de faiblesse qui l'envahissait toujours lorsqu'il la tenait dans ses bras. Il l'enlaça de plus près, juste pour le plaisir de sentir son corps contre le sien. Ryan devina qu'il luttait contre ses pulsions et demeura passive. Il y avait en lui tellement d'émotions, pensat-elle. Il pouvait à tout moment décider soit de les extérioriser, soit de les contenir. Elle ne parvenait jamais à être certaine du choix qu'il ferait. Mais sa propre attitude n'était-elle pas en tout point similaire ? s'interrogea-t-elle. Elle l'aimait, pourtant elle avait été incapable de le lui dire. Même quand ils faisaient l'amour, et que le plaisir montait, les mots n'avaient pu franchir ses lèvres.

— Seras-tu dans les coulisses ce soir ? lui demanda-t-il. J'aime sentir ta présence derrière moi.

— Oui.

Ryan releva la tête et sourit. Il était si rare qu'il sollicite une faveur de sa part.

— Un de ces jours, poursuivit-elle, je réussirai à percer un de tes secrets. Même *ta* main ne peut pas être constamment aussi rapide que la vue.

— Ah bon ? dit-il avec un sourire, amusé de sa perpétuelle détermination à le prendre en défaut. A propos du dîner...

Il s'interrompit pour jouer avec la fermeture Eclair de sa robe. Il aurait aimé savoir ce qu'elle portait dessous. S'il le décidait, il pourrait la descendre, et le vêtement tomberait à ses pieds avant qu'elle puisse s'en rendre compte.

— Quel dîner ? demanda-t-elle, un éclair de malice dans les yeux.

Quelqu'un frappa à la porte, et il poussa un juron.

— Pourquoi ne transformes-tu pas cette personne, quelle qu'elle soit, en crapaud ? suggéra Ryan.

Puis, soupirant, elle posa sa tête sur son épaule.

— Non, ce serait mal élevé, je suppose.

— Je trouve l'idée plutôt séduisante.

Elle éclata de rire et s'écarta de lui.

— Je vais voir qui c'est, dit-elle en jouant avec le premier bouton de sa chemise. Attention à ne pas oublier ce que tu as derrière la tête pendant que je me débarrasse de cet importun.

— Ne t'inquiète pas, j'ai une mémoire infaillible, rétorqua-t-il en souriant.

Il la lâcha et l'observa tandis qu'elle s'éloignait. « Ce n'est pas Mlle Swan qui a choisi cette robe », décida-t-il.

— Un paquet pour vous, mademoiselle Swan.

Ryan prit des mains du coursier le petit paquet bien enveloppé ainsi que la lettre qui l'accompagnait.

— Merci.

Après avoir refermé la porte derrière elle, elle posa le colis et ouvrit l'enveloppe. Le mot était court et tapé à la machine.

« Ryan,
» Je veux ton rapport en bonne et due forme. J'attends un exposé complet sur le projet avec Atkins dès ton retour. La

131

première réunion aura lieu dans une semaine. Joyeux anniversaire.

Ton père. »

Ryan relut la note deux fois, puis elle jeta un rapide coup d'œil au paquet. Pour rien au monde, il n'aurait oublié son anniversaire, songea-t-elle en parcourant les caractères dactylographiés pour la troisième fois. Bennett Swan ne manquait jamais à son devoir. Elle se sentit gagnée par une vague de sentiments où la déception et la colère côtoyaient la futilité. Des émotions qui étaient familières à la fille unique de Bennett Swan.

Pourquoi ? se demanda-t-elle. Pourquoi n'avait-il pas attendu qu'elle rentre pour lui donner son cadeau en mains propres ? Pourquoi ce billet impersonnel, qui ressemblait à un télégramme et qui était visiblement une formule toute faite rédigée par sa secrétaire ? Pourquoi, enfin, n'étaient-ce pas des mots d'amour qu'il lui avait envoyés ?

— Ryan ?

Pierce l'observait. Il l'avait vue lire la lettre. Et avait surpris le vide dans son regard.

— De mauvaises nouvelles ?

Elle secoua la tête, glissa la note dans son sac à main et répondit vivement :

— Non, ce n'est rien. Allons dîner. Je meurs de faim.

Elle souriait en lui tendant le bras, mais le chagrin qu'il lisait dans ses yeux ne faisait aucun doute. Pierce garda le silence et prit sa main. En quittant la suite, il jeta un coup d'œil au paquet qu'elle n'avait pas pris la peine d'ouvrir.

Comme Pierce le lui avait demandé, Ryan assista au spectacle depuis les coulisses. Elle avait neutralisé dans son esprit toutes les pensées qui concernaient son père. C'était sa dernière nuit de liberté, et elle était bien décidée à ce que rien ni personne ne la lui gâche.

« C'est mon anniversaire, se dit-elle, et je le fêterai intérieurement et sans le dire à personne. » Elle n'avait pas mentionné l'événement à Pierce parce qu'elle l'avait elle-même oublié avant de recevoir le courrier de son père. Elle décida qu'il serait ridicule de le lui dire. Après tout, elle avait vingt-sept ans aujourd'hui et elle était bien trop vieille pour tomber dans la sentimentalité pour si peu de chose.

— Tu as été merveilleux, comme toujours, déclara-t-elle à Pierce au moment où il sortait de scène sous des tonnerres d'applaudissements. Quand vas-tu te décider à me dévoiler l'énigme de ta dernière illusion ?

— La magie, mademoiselle Swan, ne s'explique pas.

— Je sais que Bess est dans sa loge en ce moment, affirma-t-elle en plissant les yeux, et la panthère…

Il l'interrompit et lui prit la main pour la conduire jusqu'à sa propre loge.

— Les explications sont décevantes. L'esprit humain est un paradoxe.

— Dis-le-moi ! implora-t-elle, sachant pertinemment qu'il n'avait pas l'intention d'élucider quoi que ce soit.

Il s'efforçait de garder son sérieux tandis qu'il enlevait sa chemise.

— Tout le monde veut croire à l'impossible, poursuivit-il en se dirigeant vers la salle de bains pour se doucher. Mais personne n'y réussit. Là réside toute la fascination. Si l'impossible n'est *pas* concevable, comment a-t-il pu se dérouler au nez et à la barbe de tous les spectateurs ?

— C'est exactement ce que j'aimerais savoir, cria Ryan pour couvrir le bruit de la douche.

Lorsqu'il en sortit, une serviette nouée autour des hanches, elle le regarda droit dans les yeux et dit sur un ton catégorique :

— En tant que productrice, j'ai le droit de…

— Produire, affirma-t-il, et il enfila une chemise propre. Moi je m'occupe de l'impossible.

133

— Ça me rend dingue de ne pas comprendre, avoua-t-elle sombrement tout en boutonnant la chemise de Pierce.

— Oui, dit-il, se contentant de sourire quand elle riva ses yeux aux siens.

Elle eut un haussement d'épaules et dit pour le contrarier :

— Ce ne sont que des trucs.

— Ah bon ? répliqua-t-il, un sourire toujours aussi aimable et énervant sur les lèvres.

Ryan savait avouer sa défaite quand elle y était confrontée. Elle soupira.

— Je suppose que je n'arriverai pas à t'arracher des aveux, même sous la torture.

— Quel genre de supplices as-tu derrière la tête ?

Elle éclata de rire et pressa sa bouche contre la sienne.

— Ceci, et ce n'est que le début, promit-elle d'un air menaçant. Je vais te conduire à côté et te torturer jusqu'à te rendre fou. Ensuite tu m'avoueras tout ce que je veux savoir.

— Intéressant, dit Pierce en entourant ses épaules de son bras pour l'entraîner dans le couloir. Mais ça risque de prendre pas mal de temps.

— Je ne suis pas pressée, répondit-elle gaiement.

Ils passèrent dans la pièce voisine et, au moment où Pierce s'apprêtait à pousser la porte, Ryan posa sa main sur la sienne.

— C'est ta dernière chance avant que je ne me fâche, prévint-elle. Je vais te faire parler.

Il se contenta de lui sourire et ouvrit la porte.

— Joyeux anniversaire !

Les yeux de Ryan s'écarquillèrent de surprise. Bess, toujours en costume de scène, tenait une bouteille de champagne dans la main tandis que Link faisait son possible pour que le jet qui en sortait tombe dans son verre. Ryan, abasourdie, fixa son regard sur le couple.

— Joyeux anniversaire, Ryan, déclara Pierce en déposant un léger baiser sur ses lèvres.

— Mais, comment…? dit-elle en s'interrompant soudain pour le regarder. Comment as-tu deviné?

Bess fourra un verre de champagne dans les mains de Ryan, puis la serra rapidement dans ses bras.

— C'est reparti pour un tour! Buvez, mon chou! Ce n'est pas tous les jours votre anniversaire, juste une fois par an. Les bouteilles sont de ma part : une qu'on va boire maintenant et l'autre pour plus tard, ajouta-t-elle en faisant un clin d'œil à Pierce.

— Merci, dit Ryan, plongeant un regard désarmé dans son verre. Je ne sais plus quoi dire.

— Link a quelque chose à vous donner, déclara Bess.

Le grand homme remua, mal à l'aise quand tous les yeux se tournèrent vers lui.

— Je vous ai acheté un gâteau, grommela-t-il.

Puis il s'éclaircit la voix.

— Il en fallait un pour un jour aussi spécial.

Ryan traversa la pièce pour admirer un mille-feuille décoré d'un glaçage rose et jaune aux couleurs délicates.

— Oh, Link! Il est magnifique!

— Vous devez couper le premier morceau, précisa-t-il.

— Oui. Dans un instant.

Elle se mit sur la pointe des pieds, passa ses bras autour de la nuque du géant et l'attira vers elle pour poser sur ses lèvres un gros baiser.

— Merci, Link.

Il devint tout rouge, sourit, puis, jetant à Bess un regard désespéré, il répondit :

— De rien.

— Moi aussi, j'ai pensé à vous.

Ryan, le sourire toujours aux lèvres, se tourna vers Pierce.

— Aurai-je aussi droit à un baiser? implora-t-il.

— Pas avant que j'aie reçu mon cadeau.

— Quelle femme vénale! s'indigna-t-il en lui tendant une petite boîte de bois.

Le coffret était ancien et sculpté. Ryan passa les doigts sur sa surface et en sentit les reliefs, usés par le temps et les manipulations. Elle l'ouvrit et découvrit un petit pendentif en argent suspendu à une chaîne du même métal.

— Oh! comme c'est beau !, murmura-t-elle.

— Une croix *ansée*, expliqua-t-il, sortant le bijou de sa boîte pour le passer autour du cou de Ryan. Un symbole égyptien, qui représente la vie. Ce n'est pas une superstition, ajouta-t-il gravement. C'est un porte-bonheur.

Elle se souvint de sa pièce de monnaie écrasée et l'enlaça.

— Pierce! Tu n'oublies donc jamais rien?

— Non. Maintenant, tu me dois un baiser.

Ryan s'exécuta et oublia soudain complètement qu'ils n'étaient pas seuls.

— Hé! Ecoutez, on aimerait bien goûter à ce gâteau, n'est-ce pas, Link? dit Bess.

Elle passa le bras autour de la large taille de son ami et sourit à Ryan quand celle-ci refit surface.

— Sera-t-il aussi bon qu'il est beau? se demanda Ryan à voix haute tout en prenant le couteau. Je ne me rappelle pas depuis combien de temps je n'ai pas eu droit à un gâteau d'anniversaire. Pour vous, Link, le premier morceau, annonça-t-elle en se léchant les doigts. Délicieux, constata-t-elle avant de couper une nouvelle part. Je me demande comment vous avez pu deviner. J'avais moi-même oublié avant…

Elle s'interrompit, posa le couteau et se raidit.

— Tu as lu le mot de mon père, s'indigna-t-elle en regardant Pierce d'un air accusateur.

— Quel mot? s'enquit-il visiblement déconcerté.

Elle poussa un profond soupir, sans remarquer que Bess s'était emparée du couteau et avait pris la relève.

— Tu as fouillé dans mon sac et tu as lu ma lettre.

— Moi, fouiller dans ton sac? répéta Pierce en levant un sourcil. Ryan, crois-tu vraiment que je sois capable d'un geste aussi déplacé ?

Elle réfléchit un court instant avant de répondre :

— Oui, je le crois.

Bess eut un ricanement, mais il la regarda à peine. Il accepta un morceau de gâteau.

— Un magicien n'a pas besoin de s'abaisser à faire les poches pour glaner des renseignements.

Link éclata d'un rire profond, qui sonna comme un grondement et qui fit sursauter Ryan.

— Comme la fois où tu as pris les clés de ce type dans sa poche, à Détroit ? rappela-t-il à Pierce.

— Ou les boucles d'oreilles de cette femme à Flatbush ? renchérit Bess. Personne n'est aussi doué que toi dans ce domaine, Pierce.

— Vraiment ? lança Ryan en portant de nouveau le regard sur Pierce qui mangeait tranquillement son mille-feuille et se taisait.

— Il rend toujours les objets à leur propriétaire à la fin du show, continua Bess. Heureusement qu'il n'a pas choisi la voie de la délinquance. Imaginez ce qui aurait pu se passer s'il avait fracturé les coffres de l'extérieur au lieu de le faire de l'intérieur !

— Fascinant, commenta Ryan en plissant les yeux en direction de Pierce. J'adorerais en savoir plus.

— Et le coup où tu t'es échappé de cette prison à Wichita, Pierce ? continua Bess complaisamment. Tu sais, quand on t'avait enfermé pour...

— Encore un peu de champagne, Bess, suggéra Pierce en soulevant la bouteille pour verser le liquide pétillant dans le verre de son assistante.

Link eut un autre rire tonitruant.

— J'aurais voulu voir la tête du shérif quand il a déverrouillé la cellule et l'a trouvée vide et bien rangée.

— Ah ! Il s'est aussi évadé de prison, remarqua Ryan, captivée.

— Houdini aussi faisait cela couramment, dit Pierce en lui tendant un verre.

— Ouais, sauf que lui s'arrangeait avec les flics avant, objecta Bess en gloussant à la vue du regard de Pierce.

— Alors comme ça, il est pickpocket et il s'est échappé d'une prison! s'exclama Ryan.

Elle savoura la gêne feinte qu'elle remarqua dans les yeux du magicien. Elle n'avait pas eu beaucoup d'occasions de le prendre en défaut.

— Y a-t-il d'autres détails que je devrais connaître? continua-t-elle.

— Il me semble que tu en sais déjà bien assez, commenta Pierce.

— Oui, acquiesça-t-elle en lui donnant un baiser sonore. Et voilà le plus beau cadeau d'anniversaire que j'aie jamais reçu.

Bess s'empara de la bouteille de champagne à moitié vide.

— Viens, Link, on y va. On va boire ce qui reste et finir ta part de gâteau ailleurs. Laissons Pierce se dépatouiller de cette situation tout seul. Au fait, tu devrais lui raconter l'histoire du représentant de commerce de Salt Lake City.

— Bonne nuit, Bess, déclara Pierce avec affabilité.

Et il eut droit à un autre gloussement.

Bess entraîna Link vers la sortie.

— Encore bon anniversaire, Ryan.

— Merci beaucoup, Bess. Et merci à vous aussi, Link.

Ryan attendit que la porte se soit refermée avant de se tourner vers Pierce.

— Avant que nous abordions le sujet du représentant de commerce, tu vas me dire pourquoi tu as été enfermé dans cette cellule à Wichita, dit-elle en souriant des yeux par-dessus le bord de son verre.

— Oh, juste un malentendu.

Elle leva un sourcil.

— C'est ce qu'on dit toujours. Un mari jaloux, peut-être?

— Non, un shérif énervé, qui s'est retrouvé attaché au bar avec ses propres menottes, répondit Pierce en haussant les épaules. Mais il n'a pas été reconnaissant quand je l'ai délivré.

Ryan étouffa un rire.

— Oui, j'imagine très bien.

— Un petit pari que nous avions fait, ajouta Pierce. Et qu'il a perdu.

— Alors, au lieu de payer son dû, il t'a jeté en prison, conclut Ryan.

— Quelque chose dans ce goût-là.

— Tu es capable de tout, dit Ryan en poussant un soupir. Je suppose que je suis à ta merci, ajouta-t-elle, posant son verre et se dirigeant vers lui. C'était vraiment gentil de ta part d'avoir organisé cette petite fête. Merci.

Il repoussa de sa main les cheveux qui tombaient sur le visage de Ryan. Il embrassa ses paupières en songeant au chagrin qu'il avait lu dans ses yeux à la lecture de la lettre de son père.

— Quel air sérieux ! murmura-t-il. Ne vas-tu pas ouvrir le cadeau de ton papa, Ryan ?

Elle secoua la tête et se laissa aller contre lui. Elle posa la joue sur son épaule.

— Non, pas ce soir. Demain. J'ai déjà reçu les présents qui comptaient pour moi.

— Mais il ne t'a pas oubliée.

— Non, impossible qu'il omette cette date ! Elle était sûrement marquée sur son planning. Oh, je suis désolée, dit-elle en hochant la tête de nouveau et en se détournant. C'était une réflexion mesquine. J'en demande toujours trop. Il m'aime vraiment, mais à sa manière.

Pierce serra ses mains dans les siennes.

— Il n'en connaît pas d'autres.

Le regard de Ryan revint sur Pierce. La contrariété qui était peinte sur son visage se mua en compréhension.

— Oui, tu as raison. Je n'avais jamais vu les choses de cette façon. Je fais constamment des efforts pour lui plaire dans l'espoir qu'un jour il me dise : « Ryan, je t'aime. Je suis fier d'être ton père. » C'est idiot, constata-t-elle avec un soupir. Je suis une femme adulte, mais je continue à espérer.

— Nous ne cesserons jamais d'attendre cela de la part de nos parents, dit-il en la serrant contre lui.

Elle pensait à l'enfance de Pierce pendant qu'il se posait des questions sur celle qu'elle avait pu avoir.

— Nous ne serions pas les mêmes si nos parents avaient agi différemment avec nous, n'est-ce pas ?

— Non, certainement.

Ryan rejeta la tête en arrière.

— Je ne voudrais pas que tu sois différent, Pierce. Tu es exactement ce dont je rêve, déclara-t-elle en pressant sa bouche contre la sienne avec avidité. Emmène-moi au lit, murmura-t-elle. Dis-moi ce à quoi tu pensais quand nous avons été interrompus, il y a de cela si longtemps.

Pierce la souleva, et elle se laissa aller avec délices dans ses bras puissants.

— En fait, commença-t-il en se dirigeant vers la chambre, je me demandais ce que tu portais sous ta robe.

Ryan rit et appuya ses lèvres contre son cou.

— En réalité, quasiment rien qui mérite d'être mentionné.

Le silence et l'obscurité régnaient dans la chambre. Ryan était étendue, lovée contre Pierce. Il jouait distraitement avec ses cheveux blonds. Comme elle était absolument immobile, il croyait qu'elle dormait. Peu lui importait d'être lui-même réveillé. Il pouvait ainsi jouir de sa peau contre la sienne, de la texture de sa chevelure soyeuse. Pendant son sommeil, il avait tout loisir de la toucher, sans pour autant provoquer son désir, juste dans le but de sentir sa présence à son côté. Il détestait imaginer qu'elle ne serait pas dans son lit la nuit prochaine.

— A quoi penses-tu ? demanda-t-elle à voix basse, le faisant sursauter.

— A toi, répondit-il en se serrant contre elle. Je croyais que tu étais endormie.

Il sentit ses cils qui frôlaient son épaule alors qu'elle ouvrait les yeux.

— Non, je pensais aussi à toi, dit-elle en suivant sa mâchoire avec le doigt. Comment t'es-tu fait cette cicatrice ?

Il ne répondit pas tout de suite. Ryan songeait au passé de son amant, qu'elle avait exploré involontairement.

— Je suppose que c'est en livrant une bataille avec une sorcière, dit-elle d'un ton léger, regrettant déjà d'avoir posé cette question.

— Rien d'aussi romantique. J'ai fait une chute du haut d'un escalier quand j'étais enfant.

Elle retint son souffle pendant un instant. Elle ne s'attendait pas à ce qu'il dévoile spontanément des détails sur sa vie, même de manière aussi évasive. Elle changea de position et posa la tête sur sa poitrine.

— Un jour, je suis tombée d'un escabeau et je me suis retrouvée avec une dent qui branlait. Quand mon père s'en est aperçu, il a piqué une colère terrible. Je me souviens que j'étais terrorisée à l'idée qu'elle tombe, et qu'il me répudie.

— Te terrifiait-il autant que cela ?

— J'avais peur de sa désapprobation. Je suppose que c'est ridicule.

— Non.

Pierce continua à lui caresser les cheveux, le regard fixé sur le plafond sombre.

— On a tous peur de quelque chose.

Elle eut un petit rire.

— Même toi ? Je ne savais pas que tu craignais quoi que ce soit.

— Si. Ne pas réussir à m'échapper quand je suis enfermé, murmura-t-il.

Surprise, Ryan leva les yeux et surprit l'éclat de son regard dans la pénombre.

— Tu veux dire, au cours d'une de tes évasions ?

— Pardon ?

Il ramena ses pensées vers elle. Il ne s'était pas rendu compte qu'il avait parlé tout haut.

— Pourquoi fais-tu ce genre de numéro, si ça te fait cet effet ?

— Crois-tu qu'en ignorant une phobie on puisse s'en guérir ? Lorsque j'étais petit, on me bouclait dans un placard, et je ne parvenais pas à m'en échapper, dit-il calmement. Maintenant, on m'enferme dans une malle ou un coffre-fort, et je réussis à m'évader.

— Oh, Pierce, dit Ryan en retournant se blottir contre son torse. Ne te sens surtout pas obligé de m'en parler.

Mais il ne pouvait plus retenir ses paroles. Depuis son enfance, c'était la première fois qu'il se livrait ainsi.

— Tu sais, je crois que les odeurs restent toujours gravées dans notre esprit. Celle de mon père ne s'est jamais effacée de ma mémoire. Ce n'est que dix ans après l'avoir vu pour la dernière fois que je l'ai identifiée. Il sentait le gin. J'aurais été incapable de le décrire physiquement, mais je me souvenais encore de son odeur.

Il continuait à fixer le plafond tout en parlant. Ryan eut la certitude qu'il avait oublié sa présence et qu'il s'était replongé dans son passé.

— Une nuit, quand j'avais environ quinze ans, j'étais descendu à la cave. J'aimais bien explorer cet endroit pendant que tout le monde dormait. Je suis tombé sur le concierge écroulé dans un coin, ivre mort, une bouteille de gin à côté de lui. Je me rappelle encore la terreur que cet effluve a éveillée en moi. Je suis resté planté là pendant un moment, sans parvenir à savoir ce qui avait pu provoquer cette réaction. Puis je me suis avancé et j'ai ramassé la bouteille. Alors j'ai compris ce qui s'était passé. Et ma peur a cessé immédiatement.

Pierce resta silencieux pendant un long moment, et Ryan l'imita. Elle attendit, désirant qu'il continue à se confier, tout en sachant pertinemment qu'elle ne pouvait pas formuler cette demande. Hormis le bruit des battements de son cœur contre son oreille, le silence les entourait.

— C'était un homme très cruel et très malade, murmura Pierce, et elle sut qu'il parlait encore de son père. Durant des années, j'ai cru que j'avais hérité de la même maladie.

Elle le serra plus fort et fit un signe négatif.

— Il n'y a aucune cruauté en toi, dit-elle à voix basse.

— Penserais-tu la même chose si tu savais d'où je viens? Me laisserais-tu encore te toucher?

Ryan releva la tête et ravala ses larmes. Mais elle ne détourna pas son regard.

— Bess m'a tout raconté. Et pourtant je suis ici.

Il ne dit rien, mais elle sentit que sa main était brusquement retombée de ses cheveux.

— Tu n'as pas le droit de lui en vouloir. C'est la femme la plus loyale que j'aie jamais rencontrée. Elle m'a conté ton histoire car elle semblait avoir deviné ce que j'éprouvais pour toi et le besoin que j'avais de te comprendre.

— Quand? demanda-t-il sans faire un geste.

— La nuit de la première, dit Ryan lentement, cherchant à discerner l'expression de Pierce malgré les ténèbres qui la masquaient. Tu avais prédit que nous serions amants quand je te connaîtrais mieux. Tu avais raison, conclut-elle d'une voix tremblante en avalant sa salive. Le regrettes-tu?

Il lui sembla qu'il mettait une éternité avant de répondre.

Pierce l'attira vers lui et lui embrassa la tempe.

— Non. Comment pourrais-je avoir des regrets d'être ton amant?

— Alors, tu ne dois pas être fâché qu'elle m'ait fait ces confidences. Tu es l'homme le plus merveilleux que j'aie jamais rencontré.

Il rit, mi-amusé, mi-ému. Comme délesté d'un poids, comme s'il ressentait un immense soulagement.

— Ryan, je ne parviens pas à croire ce que tu viens de me dire.

Elle leva le menton. Non, elle n'allait pas se mettre à pleurer.

— C'est la vérité, mais c'est la dernière fois que je te le

dis. Sinon, tu vas devenir vaniteux comme un paon, déclara-t-elle en posant la main sur sa joue. Mais je vais te laisser en profiter, juste pour ce soir. Et cela mis à part, ajouta-t-elle en lui tirant l'oreille, j'aime la façon dont tes sourcils se relèvent, dit-elle en l'embrassant sur la bouche, puis elle couvrit son visage d'une myriade de baisers. Ainsi que la manière que tu as d'écrire ton nom.

— La manière que j'ai de quoi ?

— De signer les contrats, précisa-t-elle en continuant son manège. Ta signature est superbe. Et toi ? Qu'aimes-tu chez moi ?

— Ton goût, répondit-il aussitôt. Il est délicieux.

Ryan lui mordit la lèvre inférieure, mais il se contenta de rouler sur elle et de lui infliger pour toute punition un délicieux baiser.

— Je savais que ces compliments te rendraient prétentieux, dit-elle d'un air dégoûté. Je vais dormir.

— Je ne crois pas, rectifia Pierce en revenant à sa bouche.

Il avait raison, comme toujours.

11

Le moment de se séparer de Pierce se révéla être une des épreuves les plus difficiles que Ryan ait affrontées jusque-là. Elle fut tentée de se soustraire à ses obligations, d'oublier ses ambitions, pour l'implorer de l'emmener avec lui. Sa réussite professionnelle ne semblait-elle pas dérisoire, si elle devait se retrouver sans lui ? Elle eut envie de lui dire qu'elle l'aimait, et que rien d'autre n'avait d'importance.

Mais quand ils se quittèrent, à l'aéroport, elle s'efforça de garder le sourire. Elle l'embrassa pour lui dire au revoir et lâcha prise. Elle allait monter dans sa voiture et conduire jusqu'à Los Angeles. Quant à lui, il remonterait la côte jusque chez lui. Le travail qui les avait réunis les séparait pour l'instant.

Ils n'avaient pas encore parlé de l'avenir. Ryan savait déjà que Pierce éviterait le sujet. Elle s'était sentie rassurée lorsqu'il lui avait confié, brièvement, quelques secrets concernant son passé. C'était déjà un premier pas, peut-être le plus grand que l'un ou l'autre ait déjà fait.

Ryan songea que seul le temps révélerait si ce qui s'était construit à Las Vegas perdurerait ou s'estomperait. La période d'attente venait de commencer. Elle savait que, s'il devait ressentir de la nostalgie, celle-ci se manifesterait maintenant, pendant qu'ils étaient séparés. L'éloignement n'avait pas toujours pour effet de renforcer les sentiments. Il permettait également au cœur et à l'esprit de refroidir leur ardeur. Les doutes s'insinuaient habituellement lorsqu'on avait le loisir de réfléchir. Elle aurait sa réponse quand il reviendrait à Los Angeles pour leur première réunion.

Au moment où elle entra dans son bureau, Ryan regarda sa montre et se rendit compte avec regret que le temps et les horaires faisaient de nouveau partie de sa vie. Il y avait à peine une heure qu'elle avait quitté Pierce, et son absence lui pesait déjà. Pensait-il à elle en cet instant précis ? Et si elle se concentrait de toutes ses forces, devinerait-il qu'il occupait son esprit ? Ryan prit place derrière son bureau en soupirant. Depuis qu'elle avait fait sa connaissance, son imagination s'était débridée. Elle fut obligée d'admettre qu'il y avait même des fois où elle en arrivait à croire à la magie.

« Que vous arrive-t-il, mademoiselle Swan ? N'avez-vous plus les pieds sur terre ? se demanda-t-elle. C'est l'amour, pensa-t-elle en mettant le menton dans ses mains. Lorsqu'on est amoureux, plus rien n'est impossible. »

Qui pourrait dire pourquoi son père était tombé malade et l'avait envoyée à ce rendez-vous avec Pierce à sa place ? Quelle force occulte avait guidé sa main quand elle avait choisi cette carte fatidique dans le jeu de tarots ? Pourquoi la chatte avait-elle décidé d'apparaître justement à sa fenêtre, cette nuit-là, pendant l'orage ? Bien sûr, il existait certainement des explications logiques à toutes les étapes qui l'avaient conduite à la situation actuelle. Mais une femme amoureuse n'a rien à faire de la raison.

C'*était* de la magie, décida Ryan avec un sourire. Elle l'avait senti dès le premier instant où leurs regards s'étaient croisés. Elle avait juste eu besoin d'un peu de temps pour accepter la réalité. Et maintenant qu'elle y était parvenue, elle n'avait d'autre choix que d'attendre pour voir si leur relation durerait. Non, corrigea-t-elle, sa décision était déjà prise. Elle allait faire en sorte que cela soit le cas. S'il fallait de la patience, elle en aurait. S'il fallait de l'action, alors elle agirait. Elle avait bien l'intention de mettre tout en œuvre pour que leur histoire se prolonge, même si elle devait pour cela apprendre les techniques du sortilège.

Elle s'appuya contre le dossier de sa chaise et secoua la tête. De toute façon, rien ne pouvait être entrepris avant qu'il réapparaisse dans sa vie, ce qui prendrait une bonne semaine. En attendant, elle devait se mettre au travail. Impossible qu'elle se contente d'effacer d'un geste les journées qui restaient jusqu'à son retour. Il valait mieux qu'elle s'occupe de son travail. Elle sortit donc les notes qu'elle avait prises à Las Vegas et se mit à les mettre au propre. Moins de trente minutes plus tard, la sonnerie de son téléphone retentissait.

— Oui, Barbara.

— Le patron veut vous voir.

Ryan eut un froncement de sourcils à la vue du désordre qui régnait sur son bureau.

— Maintenant ?

— Oui.

— Bien, merci.

Elle jura tout bas et rangea ses papiers en séparant ceux qu'elle emmènerait avec elle. Elle se dit qu'il aurait pu lui laisser au moins le temps de s'organiser. Mais elle dut se faire une raison : il n'allait pas manquer de la chapeauter au cours de ce projet. Elle était encore loin d'avoir fait ses preuves aux yeux de Bennett Swan. Consciente de ce fait, elle glissa les feuilles dans une chemise et s'en fut à la rencontre de son père.

— Bonjour, mademoiselle Swan, dit la secrétaire du patron en levant les yeux quand Ryan fit son entrée. Avez-vous fait bon voyage ?

— Oui, merci.

Ryan surprit le bref regard que la femme lança sur les discrètes et coûteuses grappes de perles qui étaient suspendues à ses oreilles. Elle avait décidé de porter le cadeau d'anniversaire de son père, sachant qu'il voudrait constater par lui-même que le présent était à la fois approprié et apprécié.

— M. Swan a dû s'absenter un instant, mais il revient tout

de suite. Il demande que vous l'attendiez dans son bureau. M. Ross y est déjà.

— Bienvenue, Ryan.

Ned se leva tandis qu'elle fermait la porte derrière elle. Il tenait à la main une tasse de café fumante.

— Bonjour, Ned. Tu participes aussi à la réunion?

— M. Swan veut que je travaille avec toi sur l'émission, dit-il avec un sourire charmeur, sur un ton d'excuse. J'espère que cela ne te dérange pas.

Impassible, elle posa la chemise sur le bureau et accepta le café que Ned lui tendait.

— Bien sûr que non. Quel sera ton rôle?

— Je serai coordinateur de production. Ne t'inquiète pas, ce projet reste ton bébé, Ryan.

— Oui.

« Avec toi pour me chapeauter », pensa-t-elle avec amertume. Swan serait donc toujours celui qui mène la barque.

— Alors, Las Vegas, c'était bien?

— Fantastique! dit-elle en se dirigeant vers la fenêtre.

— J'espère que tu as quand même trouvé du temps pour tenter ta chance. Tu travailles trop, Ryan.

Elle toucha la croix *ansée* autour de son cou.

— J'ai joué au black-jack et j'ai gagné.

— C'est vrai? Bravo! Je suis content pour toi.

Elle but son café et reposa sa tasse.

— Je pense avoir une bonne notion de ce qui conviendra à la fois à Pierce, à Swan Productions et à la chaîne de télévision. On n'a pas besoin de vedettes de renom pour faire monter l'audimat. Je ne crois pas qu'il soit utile d'inviter plus d'une star à participer au spectacle. Concernant les décors, j'aurai besoin de discuter avec les designers, mais j'ai déjà une idée assez bien définie de ce que je désire. Au sujet des commanditaires…

— On parlera affaires plus tard, dit Ned en l'interrompant.

Il se dirigea vers elle et enroula une mèche de ses cheveux

autour de son doigt. Ryan ne bougea pas et continua à regarder par la fenêtre.

— Tu m'as beaucoup manqué, Ryan, reprit-il doucement. Il m'a semblé que ton absence avait duré des mois.

— Bizarre, murmura-t-elle en regardant un avion qui traversait le ciel. Quant à moi, je n'ai jamais vu une semaine passer aussi vite.

— Chérie, vas-tu me punir encore longtemps?

Il embrassa son front. Ryan ne ressentait pas de rancœur à son égard. En fait, elle n'éprouvait plus aucun sentiment pour lui. Etrangement, l'attirance que Ned sentait pour elle avait augmenté depuis qu'elle l'avait rejeté. Elle n'était plus la même désormais, mais il ne parvenait pas à mettre le doigt sur ce qui avait changé. Il poursuivit.

— Si tu voulais m'en donner l'opportunité, je pourrais me faire pardonner.

— Je n'essaye pas de te punir, Ned, dit Ryan en se tournant vers lui. Je suis désolée que tu aies cette impression.

— Tu es toujours fâchée contre moi.

Elle soupira et décida qu'il valait mieux éclaircir la situation.

— Non, je t'ai déjà dit que ce n'était pas le cas. J'étais en colère, et aussi blessée, mais cela n'a pas duré. Je n'ai jamais été amoureuse de toi, Ned.

Il n'apprécia pas les plates excuses que ses paroles sous-entendaient. Il objecta, sur la défensive :

— Nous commencions seulement à nous connaître.

Elle secoua la tête quand il lui prit les mains.

— Non, je crois que tu ne sais rien de moi. Et, ajouta-t-elle sans ressentiment, soyons honnêtes, ce n'est pas du tout ce que tu recherchais.

— Ryan, combien de fois devrais-je encore te demander pardon pour cette suggestion idiote, dit-il, un mélange de chagrin et de regret dans la voix.

— Ce n'est pas ce que je désire, Ned. J'essaye juste d'être

claire. Tu as eu tort de croire que j'avais une quelconque influence sur mon père. Tu en as certainement plus que moi.

— Ryan…

— Non, écoute-moi, insista-t-elle. Tu as pensé qu'il m'écouterait parce que je suis sa fille. Ce n'est pas vrai, et cela ne l'a jamais été. Les gens avec qui il travaille ont beaucoup plus de poids sur lui. Tu as perdu ton temps en cultivant notre relation dans ce but. Et, cela mis à part, je n'ai aucun intérêt pour un homme qui veut m'utiliser comme tremplin. Je suis certaine que notre collaboration professionnelle se passera très bien, mais je ne désire pas avoir de relations avec toi en dehors du travail.

Tous deux sursautèrent en entendant la porte de la pièce se refermer.

— Ryan… Ross, dit Bennett Swan en se dirigeant vers son bureau pour y prendre place.

— Bonjour, dit Ryan.

Elle hésita un peu avant de prendre une chaise. Elle cherchait ses mots. Elle se demandait ce qu'il avait pu saisir de leur conversation. Comme son visage ne reflétait rien, elle prit la chemise avant de reprendre :

— Je n'ai qu'un bref compte rendu de mes idées au sujet du spectacle d'Atkins. Je n'ai pas eu le temps de rédiger un rapport complet.

Il fit un geste de la main pour indiquer à Ned qu'il pouvait s'asseoir et alluma un cigare.

— Donne-moi ce que tu as déjà fait.

— Son show est très bien ficelé, expliqua Ryan en croisant les doigts pour se donner une contenance. Tu as toi-même visionné les bandes et tu as sans doute remarqué que sa performance va de la simple dextérité manuelle à des illusions complexes et élaborées. C'est un homme extrêmement créatif.

Swan émit un grognement qui aurait pu passer pour une approbation et tendit la main pour prendre le rapport de Ryan. Elle se leva, le lui remit et se rassit. Elle remarqua qu'il ne semblait pas être dans un de ses bons jours. Quelqu'un l'avait certainement contrarié. Elle fut reconnaissante que ce ne soit pas elle.

— Ce n'est pas très consistant, dit-il d'un air renfrogné.

— Je ferai en sorte qu'il le soit dès ce soir.

— Je prendrai contact avec Atkins moi-même, la semaine prochaine, déclara-t-il en feuilletant les papiers. J'ai choisi Coogar comme réalisateur.

— Parfait. J'aime bien travailler avec lui. Je voudrais Bloomfield comme décorateur de plateau, dit-elle avec désinvolture tout en retenant son souffle.

Swan releva les yeux et l'observa. Il avait fait le même choix qu'elle. Il avait pris cette décision moins de une heure auparavant. Ryan soutint son regard dur sans ciller. Swan se demanda s'il devait être content ou ennuyé que sa fille ait pris de l'avance sur lui.

— Je vais y réfléchir, dit-il en se penchant de nouveau sur le compte rendu.

Ryan expira silencieusement.

— Il a déjà son propre compositeur, fit remarquer Ryan en pensant à Link. Ainsi que sa troupe et son organisation. Si des difficultés devaient se présenter, je dirais qu'elles consisteraient à le faire collaborer avec notre équipe sur le plateau. Il fait toujours les choses à sa façon.

— On pourra toujours s'arranger, grogna-t-il. Ross sera chargé de la coordination, ajouta-t-il en relevant les yeux pour rencontrer ceux de sa fille.

Ryan soutint son regard.

— C'est ce que j'ai cru comprendre. Je sais que je ne peux pas contester ton option, mais je pense que, si c'est moi qui produis ce projet, je devrais pouvoir choisir mon équipe moi-même.

— Tu n'as pas envie de travailler avec Ross ? s'enquit Swan, comme si Ned n'était pas là.

— Si. Lui et moi allons très bien nous entendre, rétorqua-t-elle doucement. Je suis sûre que Coogar connaît déjà les cameramen avec qui il veut travailler. Ce serait ridicule de s'en mêler, ajouta-t-elle d'une voix légèrement dure. Je sais aussi qui *je* veux avec moi pour ce projet.

Swan s'appuya contre le dossier et tira un moment sur son cigare. Ses joues avaient rougi, ce qui était un signe de colère imminente.

— Que diable connais-tu à la production?

— Suffisamment pour mener à bien cette émission, et pour qu'elle soit un succès. Ce sont exactement les conseils que tu m'as donnés, il y a quelques semaines.

Swan avait déjà eu le temps de regretter l'impulsion qui lui avait fait céder à la requête de Pierce Atkins.

— Tu es la productrice officielle, dit-il sèchement. Ton nom sera au générique. Contente-toi de faire ce qu'on te dit.

Ryan sentit son estomac se contracter, mais elle continua pourtant à le fixer durement.

— Si c'est comme cela que tu envisages les choses, retire-moi de l'affaire, dit-elle en se levant lentement. Mais si je reste, je ne veux pas me contenter de voir mon nom défiler au générique. Je connais les méthodes de travail de cet homme et aussi la télévision. Si cela ne te suffit pas, trouve quelqu'un d'autre.

— Assieds-toi! cria-t-il.

Ned s'enfonça un peu plus dans sa chaise, mais Ryan ne bougea pas.

— Je t'interdis de me poser des ultimatums. Il y a quarante ans que je suis dans ce métier, dit Swan en frappant sur le bureau avec sa main. *Quarante ans!* Tu connais la télévision, ajouta-t-il avec mépris. La mise en place d'un spectacle en direct n'a rien à voir avec les modifications à apporter à un satané contrat. Je n'ai pas l'intention de laisser une petite fille hystérique faire appel à moi pour m'annoncer un problème technique, cinq minutes avant la diffusion.

Ryan ravala sa fureur puis répondit froidement :

152

— D'abord, je ne suis pas hystérique et, ensuite, je n'ai jamais fait appel à toi pour quoi que ce soit.

Complètement sidéré, il la fixa. Le petit remords qui lui serra le cœur rendit sa colère encore plus explosive.

— C'est ta première production, répliqua-t-il sèchement. Et c'est grâce à moi que tu as eu cette opportunité. Tu vas écouter les conseils que je te donne.

— Tes conseils ? objecta Ryan, les yeux brillants mais la voix ferme. Je les ai toujours respectés, mais aujourd'hui tu ne m'en as donné aucun. Seulement des ordres ! Je n'ai rien à faire de tes faveurs, conclut-elle en se retournant pour se diriger vers la porte.

— Ryan ! hurla-t-il.

Son ton révélait une fureur absolue. Personne au monde ne l'avait jamais traité ainsi. Elle ignora l'injonction.

— Reviens ici et assieds-toi. *Jeune dame !* rugit-il.

— Je ne suis pas ta jeune dame, répondit-elle en tournant vivement les talons. Je suis ton employée.

Interloqué, il la fixa. Que pouvait-il répondre à cela ? Il montra impatiemment une chaise de la main.

— Assieds-toi, dit-il de nouveau, mais elle n'en fit rien. Allez, allez, assise, répéta-t-il avec dans la voix plus d'exaspération que de colère.

Ryan revint et reprit calmement sa place.

— Emportez les notes de Ryan et commencez à travailler sur le budget, ordonna-t-il à Ned.

— Oui, monsieur.

Reconnaissant d'avoir été renvoyé, Ned prit le dossier et s'en alla. Swan attendit que la porte se soit refermée avant de reporter son regard sur sa fille.

Pour la première fois de sa vie, il demanda :

— Que veux-tu ?

Tous deux se rendirent compte ensemble de ce que cette question avait de nouveau. Ryan prit son temps pour faire le tri entre ses sentiments personnels et ses ambitions professionnelles.

— Le même respect que tu aurais envers n'importe quel autre producteur.

— Sauf que toi, tu n'as aucune référence, fit-il remarquer.

— C'est vrai, concéda-t-elle. Mais je ne risque pas d'en avoir, si tu continues à me mettre des bâtons dans les roues.

Swan poussa un soupir, vit que son cigare était éteint et le laissa tomber dans un cendrier.

— La chaîne a un créneau horaire provisoire pour le troisième dimanche de mai, à 22 h 51, horaire de la côte Est.

— Ce qui ne nous laisse que deux mois.

Il approuva de la tête.

— Ils veulent l'émission avant l'été. A quelle vitesse es-tu capable de travailler?

Ryan leva un sourcil et sourit.

— Suffisamment vite. Je veux que ce soit Elaine Fisher la vedette invitée.

Swan plissa les yeux en l'observant.

— Ce sera tout? demanda-t-il sèchement.

— Non, mais c'est un début. Elle a du talent, elle est belle et elle a le même succès avec les femmes qu'avec les hommes. En plus, elle a l'habitude des représentations en public, que ce soit en clubs ou sur une scène de théâtre, fit-elle remarquer en regardant Swan qui fronçait les sourcils sans rien dire. Son apparence franche et candide sera un parfait contraste avec celle de Pierce.

— Elle est en train de tourner à Chicago.

— Le tournage se termine la semaine prochaine, dit Ryan en souriant calmement. Et elle a un contrat avec nous. Si le film se termine avec une ou deux semaines de retard, cela n'aura pas d'importance, ajouta-t-elle tandis qu'il gardait le silence. Nous n'aurons pas besoin d'elle en Californie pour plus de quelques jours. C'est Pierce la vedette.

— Elle a peut-être d'autres engagements, fit-il remarquer.

— Elle s'arrangera.

— Appelle son agent.

Ryan se leva de nouveau.

— C'est ce que j'ai l'intention de faire. Je vais organiser une rencontre avec Coogar et je reviendrai te voir ensuite.

Elle s'interrompit un instant, puis impulsivement fit le tour de son bureau pour venir à son côté.

— Il y a des années que je te vois à l'œuvre. Je ne m'attends pas à ce que tu aies confiance en moi comme en toi-même ou en quelqu'un qui a de l'expérience. Et si je commets des erreurs, je n'aimerais pas que tu les laisses passer. Mais si cette émission est réussie, et je ferai tout pour qu'elle le soit, je veux être sûre que c'est grâce à *moi*, et pas seulement parce que j'ai le titre officiel.

— Ce sera ton émission, dit-il simplement.

— Exactement. Pour beaucoup de raisons, ce projet me tient à cœur. Je ne peux pas te promettre que je ne ferai pas de bêtises, mais je peux te jurer que je suis la personne qui y travaillera avec le plus d'acharnement.

— Ne laisse pas Coogar te bousculer, marmonna-t-il après un moment. Il aime rendre les producteurs fous.

— J'en ai entendu parler, ne t'inquiète pas, dit Ryan avec un sourire.

Elle allait partir quand elle se souvint. Elle hésita un peu, puis elle se pencha vers lui pour l'embrasser sur la joue.

— Merci pour les boucles d'oreilles. Elles sont ravissantes.

Swan lui jeta un coup d'œil. Le bijoutier avait assuré à sa secrétaire qu'elles feraient un cadeau approprié et un bon investissement. Il s'interrogea sur ce qu'il avait écrit sur le mot qui les accompagnait. Embarrassé à l'idée qu'il était incapable de s'en souvenir, il décida d'en solliciter une copie à Barbara.

— Ryan.

Swan lui prit la main. Lorsqu'il la vit plisser les paupières d'étonnement, il baissa les yeux. Il avait surpris toute la conversation avec Ned avant d'entrer. Les propos qu'ils avaient échangés l'avaient autant irrité que dérangé. Maintenant, voyant la stupéfaction que son geste avait provoquée chez sa fille, il se sentit frustré.

— Tu t'es bien amusée à Las Vegas ? demanda-t-il, ne sachant pas quoi dire d'autre.

— Oui.

Elle hésita sur le thème à aborder, puis elle décida de se cantonner au travail.

— Je pense que j'ai bien fait d'y aller. Le fait de voir la performance de Pierce d'aussi près m'a permis de me faire une opinion. J'ai eu une vue d'ensemble bien plus précise que sur une vidéo. Et j'ai pu faire la connaissance de son équipe. Il y aura moins de soucis quand ils devront travailler avec moi.

Elle reporta le regard sur leurs mains jointes et sentit la confusion l'envahir. Se pourrait-il qu'il soit malade ? s'interrogea-t-elle en lui jetant un bref coup d'œil.

— J'aurai un résumé plus complet à te montrer dès demain.

Swan attendit qu'elle ait terminé.

— Ryan, tu as eu quel âge hier ?

Il l'observait attentivement.

— Vingt-sept ans.

Une expression déconcertée se peignit sur son visage.

« Vingt-sept ans ! », pensa-t-il. Il inspira longuement, puis lâcha sa main.

— J'ai dû perdre quelques années en route, grommela-t-il. Va donc téléphoner à Coogar, dit-il en fouillant dans les papiers qui se trouvaient sur son bureau. Et envoie-moi un mémo après avoir pris contact avec l'agent de Fisher.

— D'accord.

Swan la regarda se diriger vers la porte. Lorsqu'elle fut partie, il s'appuya contre le dossier de son fauteuil, en songeant avec perplexité qu'il commençait à se faire vieux.

12

Ryan trouvait que la production lui donnait autant de tracas administratifs que les contrats. Elle passait son temps assise dans son bureau, pendue au téléphone, ou dans d'autres salles à assister à des réunions. La tâche se révéla difficile, épuisante et loin d'être aussi prestigieuse qu'elle l'aurait cru. Les heures semblaient longues, les problèmes se succédaient. Elle découvrit pourtant qu'elle aimait ce travail. Après tout, elle était la fille de son père.

Swan ne lui avait pas donné carte blanche, mais l'affrontement qui les avait opposés, le matin de son retour, avait porté ses fruits. Il prêtait désormais une oreille attentive à ses remarques. Elle constatait avec surprise que la plupart de ses propositions étaient bien accueillies. Il ne les refusait pas de façon arbitraire, comme elle l'avait craint, mais se contentait parfois d'y apporter certaines modifications. Bennett Swan connaissait son affaire sur le bout des doigts. Ryan écoutait ses conseils et en tirait des leçons.

Ses journées étaient bien remplies et mouvementées. Ses nuits étaient vides. Ryan avait conscience que Pierce ne lui téléphonerait pas. Ce n'était pas son genre. Il devait être dans son atelier, absorbé dans ses préparatifs, en train de s'entraîner et de perfectionner ses numéros. Elle doutait même qu'il se rende compte du temps qui passait.

Elle pouvait bien sûr lui téléphoner, pensa-t-elle tout en déambulant dans son appartement désert. Elle pourrait inventer n'importe quelle excuse pour motiver son appel. Comme, par exemple, la modification prévue au planning des enregistrements. C'était un motif valable, mais elle savait pertinemment qu'il en avait déjà été informé par son agent. Il y avait encore au moins une douzaine de détails qu'ils pourraient mettre au point avant le rendez-vous de la semaine suivante.

Ryan jeta un coup d'œil pensif vers le téléphone, puis secoua la tête. Ce n'était pas de travail qu'elle voulait s'entretenir avec lui. Et elle n'avait pas l'intention de se servir des affaires comme prétexte. Elle décida de se préparer un dîner léger et se dirigea vers la cuisine.

Pierce répétait son numéro d'illusion aquatique pour la troisième fois. Sa performance était presque parfaite, mais il n'était toujours pas satisfait. Il songea de nouveau que la vision de la caméra serait infiniment plus précise que l'œil des spectateurs. Toutes les fois où il s'était observé sur des vidéos, il avait repéré des imperfections dans son jeu. Peu lui importait d'être le seul à remarquer ces défauts, l'unique fait qu'ils existent le préoccupait. Il recommença tout.

Le calme régnait dans sa salle de travail. Il savait que Link jouait du piano à l'étage, mais aucun son n'en filtrait. D'ailleurs, même s'ils s'étaient trouvés dans la même pièce, il ne l'aurait pas entendu. Il observa d'un œil critique son image dans un grand miroir. Entre ses bras tendus l'un au-dessus de l'autre flottait un tube rempli d'eau. Le liquide semblait scintiller tandis que le cylindre montait et descendait entre ses mains. L'eau. Un des quatre éléments qu'il prétendait dominer pour le programme de Ryan.

Il évoquait cette émission comme étant celle de Ryan, pas la sienne. Et il pensait à elle au lieu de se concentrer sur son travail. D'un geste gracieux, Pierce renversa l'eau dans une cruche de verre.

Il avait failli lui téléphoner au moins une douzaine de fois. Une nuit, à 3 heures du matin, ses doigts avaient ébauché les premiers chiffres de son numéro. Sa voix… Il aurait juste voulu entendre sa voix. Mais il avait interrompu son geste, fidèle à son serment de ne jamais imposer de contraintes à personne. Ce coup de fil aurait sous-entendu qu'il s'attendait à ce qu'elle soit chez elle pour décrocher. Or, Ryan était libre de son emploi du temps ; il n'avait aucun droit sur elle. Ni d'ailleurs sur quiconque. Même la cage de son oiseau restait ouverte en permanence.

De toute sa vie, il n'avait jamais appartenu à personne. Les assistantes sociales lui avaient inculqué des règles et témoigné de la compassion, mais, en fin de compte, il n'avait jamais été qu'un nom de plus sur leur liste. La justice avait fait en sorte qu'il soit convenablement placé, et qu'on s'occupe bien de lui. Le tribunal l'avait enchaîné à deux êtres qui ne voulaient pas de lui, mais ne lui avaient pas rendu pour autant sa liberté.

Même lorsqu'il aimait les gens — comme c'était le cas avec Link et Bess —, il acceptait les attaches qui les liaient, mais ne demandait rien en échange. C'était peut-être la raison pour laquelle il imaginait continuellement des évasions toujours plus compliquées. Chaque défi lui prouvait qu'il était impossible de retenir quelqu'un pour toujours.

Malgré tout, il pensait à elle au lieu de travailler.

Pierce se saisit des menottes et les étudia. Elles s'étaient parfaitement ajustées aux poignets de Ryan. Il l'avait retenue prisonnière à ce moment-là. Sans y penser, il referma un des bracelets sur son poignet droit et joua avec l'autre. Il imagina la main de Ryan attachée à la sienne.

Il se demanda si tel était vraiment son désir. Voulait-il vraiment l'enchaîner à lui ? Il se souvint qu'il suffisait qu'il la touche pour que l'ivresse le submerge. Qui des deux avait ligoté l'autre ? Contrarié, Pierce se libéra en ouvrant la menotte aussi vite qu'il l'avait fermée.

« *Redoublons, redoublons de travail et de soins* », croassa Merlin du haut de son perchoir.

Pierce lui jeta un regard amusé.

— Je pense que tu as parfaitement raison, murmura-t-il, jouant un instant avec les bracelets. Mais toi non plus, tu ne pourrais pas lui résister.

— *Abracadabra!*

— Abracadabra, c'est sûr, approuva distraitement Pierce. Mais lequel des deux est l'ensorceleur, dans l'histoire?

Ryan était sur le point d'entrer dans son bain lorsqu'elle entendit frapper à la porte.

— Bon sang!

Agacée d'avoir été interrompue, elle remit son peignoir et alla répondre. Tout en ouvrant la porte, elle échafaudait un moyen de se débarrasser de l'intrus avant que l'eau de son bain refroidisse.

— Pierce!

Il vit ses yeux s'écarquiller de surprise, puis il y lut du bonheur. Un mélange de soulagement et de plaisir l'envahit. Elle se jeta dans ses bras.

— Je ne rêve pas. C'est vraiment toi? demanda-t-elle.

Elle pressa ses lèvres sur les siennes. Le désir qu'elle ressentait le traversa et se mêla au sien.

— Cinq jours, murmura-t-elle en l'enlaçant. Sais-tu combien d'heures il y a dans cinq jours?

— Cent vingt, dit Pierce en s'écartant pour lui sourire. Nous ferions mieux de rentrer. Tes voisins sont en train de se rincer l'œil.

Ryan le tira à l'intérieur et le poussa contre la porte qui se referma d'un coup sec.

— Embrasse-moi. Serre-moi fort. Suffisamment pour compenser ces cent vingt heures perdues.

Il posa sa bouche sur la sienne. Elle sentit le contact de ses dents contre ses lèvres tandis qu'il poussait un gémissement et l'écrasait contre lui. Pierce lutta pour se rappeler qu'elle était fragile et pour contenir sa force. Mais les mains de Ryan le parcouraient, sa langue cherchait la sienne. Puis elle éclata de ce rire rauque et sensuel, qui avait le don de le rendre fou.

— Oh, c'est bien toi, dit Ryan avec un soupir, posant sa tête sur son épaule. Tu es vraiment là.

« Et toi? Es-tu réelle? », songea-t-il, étourdi par ce baiser.

Au bout d'un moment, elle se dégagea de son étreinte.

— Que fais-tu là, Pierce? Je ne t'attendais pas avant lundi ou mardi.

— Je voulais te voir, répondit-il simplement en lui caressant la joue. Te toucher.

Ryan prit sa main et y pressa ses lèvres. Un feu s'éveilla au creux de l'estomac du magicien.

— Tu m'as manqué, murmura-t-elle en plongeant ses yeux dans les siens. Tu ne peux pas imaginer à quel point. Si j'avais su que souhaiter ta présence te ferait apparaître, je l'aurais désirée plus fort.

— Je n'étais pas sûr que tu serais disponible.

Elle posa ses mains sur sa poitrine.

— Pierce, dit-elle d'une voix douce, crois-tu vraiment que j'aie envie d'être avec quelqu'un d'autre?

Il la regarda dans les yeux en silence, mais elle sentit les battements de son cœur s'accélérer sous ses doigts.

— Tu m'empêches de travailler, avoua-t-il enfin.

Ryan pencha la tête, perplexe.

— Vraiment? Pourquoi?

— Tu occupes mes pensées quand tu ne devrais pas.

— Je suis désolée, s'excusa-t-elle avec un sourire qui montrait clairement qu'elle ne l'était pas. Je te fais perdre ta concentration?

— Oui.

Elle glissa ses bras autour de son cou.

— C'est vraiment dommage, reconnut-elle d'une voix où perçait un mélange de malice et de séduction. Que vas-tu faire pour y remédier?

Pour toute réponse, Pierce la fit tomber par terre. Son

geste fut si rapide et inattendu que Ryan poussa un petit cri qu'il étouffa d'un baiser. En un clin d'œil, il lui avait retiré son peignoir. Il l'entraîna si vite vers l'apogée du désir que sa volonté s'envola. Elle n'eut d'autre choix que se soumettre au besoin désespéré qu'ils avaient l'un de l'autre.

Pierce retira ses propres vêtements à la vitesse de l'éclair. Il ne lui laissa pas le loisir de l'explorer. D'un mouvement continu, il la propulsa au-dessus de lui, la souleva comme une plume et la fit redescendre pour s'enfoncer profondément en elle.

Stupéfaite, Ryan poussa un cri joyeux. La rapidité de l'attaque l'avait étourdie. Le feu du désir l'avait mise en nage. Ses yeux s'agrandirent sous l'effet d'un plaisir intense. Elle pouvait entrevoir le visage trempé de Pierce. Il avait les yeux fermés, ses traits semblaient transfigurés par la passion. Elle percevait chacun de ses halètements alors qu'il lui enserrait les hanches de ses longs doigts pour les faire bouger à l'unisson des siennes. Puis elle sentit sa vue qui se brouillait. Un voile blanc se matérialisa devant ses yeux. Elle s'appuya sur la poitrine de Pierce pour ne pas tomber. Mais elle s'enfonçait dans le brouillard, lentement, inexorablement, vidée de toute substance.

Lorsque les brumes se dissipèrent, il la tenait dans ses bras. Il avait la tête enfouie dans ses cheveux. Encastrés l'un dans l'autre, leurs corps en sueur ne faisaient qu'un.

— Maintenant, je sais que tu es réelle, murmura Pierce en déposant un baiser sur sa bouche. Comment te sens-tu ?

— Chavirée, avoua-t-elle dans un souffle. Et aussi merveilleusement bien.

Pierce eut un rire. Il se leva et la souleva dans ses bras.

— Je vais t'emmener au lit et te faire l'amour encore une fois avant que tu aies eu le temps de récupérer.

— Mmm… oui, acquiesça-t-elle en enfouissant son visage dans le creux de son cou. Mais je ferais mieux de vider la baignoire, d'abord.

Pierce leva un sourcil et ébaucha un sourire. Tout en portant

Ryan à demi somnolente dans ses bras, il fit le tour de l'appartement jusqu'à ce qu'il trouve la salle de bains.

— Etais-tu dans ta baignoire lorsque j'ai frappé ?

Ryan poussa un soupir et se pelotonna contre lui.

— Quasiment. J'avais la ferme intention de me débarrasser dare-dare de celui qui venait me déranger.

D'un petit mouvement du poignet, Pierce ouvrit à fond le robinet d'eau chaude.

— Je n'avais pas remarqué.

— Tu n'avais donc pas deviné ma résistance à te céder ?

— Je suis vraiment obtus par moment, reconnut-il. L'eau doit être bonne à présent.

— Certainement.

— Tu n'y vas pas de main morte avec le bain moussant.

— Hum-hum. Oh !

Ryan écarquilla brusquement les yeux quand il la plongea dans le bain.

— Froide ? s'enquit-il en souriant.

— Non.

Elle s'assit et coupa l'eau bouillante qui jaillissait du robinet dans l'air saturé de vapeur. Elle le contempla quelques instants avec plaisir — son corps élancé, aux formes sveltes et aux hanches étroites, ses muscles fuselés. Elle pencha la tête sur le côté et, l'index recourbé dans les bulles, proposa poliment :

— Veux-tu en profiter ?

— L'idée m'avait traversé l'esprit.

Elle lui fit signe de s'approcher.

— Je t'en prie. Je t'invite. J'ai été très impolie tout à l'heure. Je ne t'ai même pas proposé un verre, dit-elle en souriant avec insolence.

Le niveau d'eau monta lorsque Pierce entra dans le bain. Il prit place en face d'elle, assis à l'autre bout de la baignoire.

— Je ne bois pas souvent, lui rappela-t-il.

Elle approuva d'un air grave.

— Oui, je sais. Vous ne fumez pas, vous buvez rarement et

vous ne jurez presque jamais. Vous êtes un modèle de vertu, monsieur Atkins.

Il lui jeta une poignée de mousse.

— Quoi qu'il en soit, continua-t-elle en s'essuyant la joue, je voulais vous voir au sujet du projet pour les décors. Je vous passe le savon ?

Il le lui prit des mains.

— Merci, mademoiselle Swan. Vous vouliez me parler des décors ?

— Ah ! oui. Je suis sûre que tu vas adorer, même si tu risques d'y apporter quelques petites modifications.

Elle changea de position et poussa un léger soupir lorsque ses jambes frôlèrent les siennes.

— J'ai dit à Bloomfield, reprit-elle, que je voulais une ambiance médiévale, d'un style plutôt sophistiqué, tout en restant sobre.

— Pas d'armures ?

— Non, juste une atmosphère. Un peu sombre et mystérieuse, comme...

Elle laissa sa phrase en suspens lorsqu'il saisit son pied et commença à le savonner.

— Comme ? voulut-il savoir.

— Une harmonie de couleurs douces, dit-elle, sentant des ondes de plaisir lui parcourir la jambe. Des tons chauds. Comme dans ton salon.

Pierce passa à un massage de son mollet.

— Tu n'as prévu qu'un seul projet pour les décors ?

Quand les doigts savonneux de Pierce remontèrent le long de sa jambe, un frisson parcourut son corps pourtant immergé dans l'eau bouillante.

— Oui. J'ai pensé — mmm... — j'ai voulu donner une impression... une sensation...

Il l'observait tout en continuant son manège.

— Quel genre de sensation ?

Il leva une main et lui savonna les seins avec de petits

mouvements circulaires tout en lui caressant l'intérieur de la cuisse avec l'autre.

— Du sex-appeal, murmura Ryan dans un souffle. Tu es très sexy quand tu es sur scène.

— Vraiment?

Bien que prise dans le tourbillon du désir, elle perçut de l'amusement dans sa voix.

— Oui, spectaculaire et d'une sensualité plutôt décontractée. Lorsque je te regarde faire ta performance...

Les mots s'étranglèrent dans sa gorge. Elle chercha à reprendre sa respiration. Le parfum enivrant des sels de bain lui montait à la tête. Elle sentait le clapotis de l'eau sous sa poitrine, la main habile de Pierce juste au-dessus.

— Tes mains..., réussit à dire Ryan tandis qu'un désir brûlant l'enflammait.

— Quoi, mes mains? demanda-t-il tout en glissant un doigt dans son intimité.

— Elles sont magiques, dit-elle d'une voix qui tremblait. Pierce, je ne peux pas parler quand tu me fais ce genre de choses.

— Tu veux que j'arrête?

Mais elle ne le voyait plus. Ses yeux s'étaient fermés. Il continua à la fixer, se contentant de la toucher du bout des doigts pour l'exciter.

— Non!

Elle chercha sa main sous l'eau et la pressa contre elle.

L'eau fit des vagues lorsqu'il s'avança pour lui mordiller les seins, puis la bouche.

— Ryan, tu es si belle, si douce. Quand j'étais seul, au milieu de la nuit, je pouvais te voir. Je m'imaginais te caressant de cette façon. Je ne parvenais pas à me contenir.

Elle mit la main dans ses cheveux et attira son visage pour que sa bouche se colle à la sienne.

— Continue. Il y a déjà trop longtemps que j'attends.

— Cinq jours, murmura-t-il en lui écartant les jambes.

— Toute ma vie.

A ces mots, il fut traversé par des sentiments que l'urgence de sa passion ne lui permit pas d'analyser. Il fallait qu'il lui fasse l'amour, tout simplement.

— Pierce, murmura doucement Ryan, nous allons couler.

— Retiens ta respiration, lui conseilla-t-il.

Et il la posséda.

Le lendemain matin, Pierce se garait sur la place réservée à Ryan dans l'immense parking de Swan Productions.

— Je suis certaine que mon père voudra te rencontrer, dit-elle. Et je suppose que tu aimerais aussi faire la connaissance de Coogar.

— Puisque je suis ici, autant en profiter, acquiesça Pierce en coupant le contact. Mais c'est toi que je suis venu voir.

Ryan se pencha vers lui en souriant et l'embrassa.

— Je suis si contente que tu l'aies fait. Vas-tu rester tout le week-end ou es-tu obligé de rentrer?

Il releva une mèche blonde et la lui mit derrière l'oreille.

— Nous verrons.

Elle se glissa hors de la voiture. Elle savait qu'elle ne pouvait pas s'attendre à une réponse plus précise.

— La première réunion importante n'est pas prévue avant la semaine prochaine, mais je pense que tout le monde s'adaptera.

Ils entrèrent dans l'immeuble.

— Je vais leur téléphoner de mon bureau.

Elle le conduisit d'un bon pas le long des couloirs, adressant un signe de tête, ou parfois une parole, à ceux qui la saluaient. Dès l'instant où elle avait franchi le seuil, remarqua Pierce, elle était rentrée dans la peau de son personnage de femme d'affaires.

— Je ne sais pas où est Bloomfield aujourd'hui, poursuivit-elle quand ils furent dans l'ascenseur. Mais au cas où il ne serait pas disponible, je pourrais me procurer le projet, et nous l'étudierons ensemble.

Pendant qu'ils montaient, elle passa mentalement en revue le programme de sa journée et le modifia en fonction de la présence de Pierce.

— Il faudrait aussi revoir le timing, précisa-t-elle. Nous disposons de cinquante-deux minutes. Et…

— Voulez-vous dîner avec moi ce soir, mademoiselle Swan ?

Ryan leva les yeux, vit qu'il lui souriait et perdit le fil de ses pensées. Son regard la troublait. Il l'empêchait de se souvenir de son planning. Seules les réminiscences de la nuit dernière lui revenaient à la mémoire.

— Je pense que je pourrai vous trouver un créneau, monsieur Atkins, murmura-t-elle lorsque les portes de l'ascenseur s'ouvrirent.

Ryan appuya sur un bouton pour qu'elles ne se referment pas.

— Et puis, arrête de me regarder de cette façon, implora-t-elle dans un souffle. Tu me perturbes.

— Vraiment ? dit Pierce en se laissant entraîner dans le couloir. On pourrait considérer que ce sont des représailles pour compenser toutes les fois où tu m'as empêché de me concentrer.

Troublée, elle le fit entrer dans son bureau.

— Si nous parvenons à monter ce spectacle…, commença-t-elle.

— Oh, mais j'ai une confiance totale en Mlle Swan. C'est une femme très organisée et tout à fait fiable, déclara Pierce avec décontraction.

Il prit une chaise et attendit qu'elle soit installée derrière sa table de travail.

— Tu as décidé de me compliquer la vie, n'est-ce pas ?

— Il y a des chances.

Fronçant le nez dans sa direction, elle décrocha le téléphone et composa un numéro.

— Ryan Swan à l'appareil, annonça-t-elle en se détournant

délibérément de Pierce. Pourrais-je parler à mon père, s'il vous plaît ?

— Veuillez patienter un instant, mademoiselle Swan.

Un moment plus tard, son père lui répondait d'un ton impatient :

— Fais vite, je suis occupé.

— Je suis désolée de te déranger, dit-elle machinalement. Pierce Atkins est dans mon bureau. J'ai pensé que tu avais peut-être envie de le rencontrer.

— Que fait-il ici ? interrogea Swan.

Puis il ordonna avant qu'elle puisse ouvrir la bouche :

— Fais-le monter.

Il raccrocha sans attendre son accord.

— Il voudrait te voir maintenant, annonça Ryan en reposant le combiné.

Pierce hocha la tête, et ils se levèrent en même temps. La brièveté de leur échange lui avait donné un aperçu de la nature de leurs relations. Il en apprit bien davantage, quelques minutes plus tard, après avoir pénétré dans la salle de Swan.

Celui-ci se leva et fit le tour de son imposant bureau, la main tendue.

— Monsieur Atkins, quelle agréable surprise ! Je ne pensais pas vous rencontrer avant la semaine prochaine.

— Monsieur Swan.

Pierce lui serra la main et remarqua qu'il ne prenait pas la peine de saluer sa fille.

— Asseyez-vous, je vous en prie, suggéra-t-il d'un geste large. Que puis-je vous offrir ? Un café ?

— Non, rien, merci.

— Nous sommes très heureux de travailler avec vous, monsieur Atkins, déclara Swan en s'installant de nouveau à sa table. Swan Productions met tout en œuvre pour que cette émission soit un succès. La campagne promotionnelle a déjà démarré, et nous avons également contacté la presse.

— Je sais. Ryan me tient régulièrement informé.

— Bien sûr, acquiesça Swan en faisant un signe de tête à sa fille. Les prises de vues auront lieu dans le studio 25. Ryan pourra sûrement s'arranger pour vous le faire visiter aujourd'hui. Et pour vous accompagner partout où vous le désirez pendant votre séjour.

Il jeta un coup d'œil à Ryan.

— Oui, bien entendu. Je pensais que M. Atkins aimerait voir Coogar et Bloomfield, si toutefois ils sont disponibles.

— Occupe-toi de tout cela, ordonna-t-il en la congédiant. Monsieur Atkins, j'ai reçu une lettre de votre agent. Il y a quelques points que j'aimerais éclaircir avec vous avant votre rencontre avec les membres de l'équipe artistique.

Pierce attendit que Ryan ait refermé la porte derrière elle.

— C'est avec Ryan que je travaille, monsieur Swan. Je me suis engagé envers vous à cette condition.

Cette déclaration ébranla Swan. Mais il avait pour règle d'être toujours aux petits soins avec ses vedettes.

— Naturellement, répondit-il enfin. Je peux vous assurer qu'elle s'est investie à fond dans votre projet.

— Je n'en doute pas.

Swan affronta posément les yeux gris et le regard inquisiteur du magicien.

— Je l'ai nommée productrice comme vous l'avez exigé.

— Votre fille est une femme très intéressante, monsieur Swan.

Pierce fit une pause et observa les yeux de Swan qui se rétrécissaient.

— Sur le plan professionnel, j'entends, compléta-t-il habilement. J'ai entièrement confiance en ses capacités. Elle a l'esprit vif et observateur et elle est très consciencieuse.

— Je suis ravi de constater que vous en êtes satisfait.

Swan n'était pas certain de saisir les sous-entendus que les paroles de Pierce semblaient contenir.

— Il faudrait être incroyablement stupide pour ne pas l'être, répliqua Pierce en poursuivant, sans laisser à Swan le temps de réagir. Sous-estimez-vous le talent et le professionnalisme, monsieur Swan ?

Swan étudia Pierce un instant puis il s'appuya contre son dossier.

— Je ne serais pas à la tête de Swan Productions, si c'était le cas, fit-il remarquer avec ironie.

— Donc, nous nous comprenons, conclut doucement Pierce. Maintenant, dites-moi, quels sont les points que vous vouliez éclaircir ?

Il était déjà 5 h 15 lorsque la rencontre que Ryan avait organisée entre Bloomfield et Pierce se termina. Elle avait couru toute la journée pour programmer des réunions de dernière minute, tout en effectuant les tâches prévues dans son emploi du temps. Elle n'avait pas trouvé un seul instant pour un tête-à-tête avec Pierce. Aussi poussa-t-elle un soupir de soulagement, tandis qu'ils traversaient le corridor en sortant du bureau de Bloomfield.

— Bon, je crois qu'on a fini. Rien de tel que l'apparition inopinée d'un magicien pour chambouler tout le monde. Tout professionnel chevronné qu'il soit, Bloomfield attendait avec impatience que tu sortes un lapin de ton chapeau.

— Je n'avais pas de chapeau, fit remarquer Pierce.

— Ce petit détail t'arrêterait-il ? dit-elle en regardant sa montre. Il va falloir que je passe à mon bureau. J'ai deux ou trois détails à régler, entre autres faire le point avec mon père et l'informer que la vedette a été bien traitée, puis…

— Il n'en est pas question.

— Pourquoi pas ?

Ryan leva les yeux, surprise.

— Il y a un problème ?

— Non, répéta Pierce. Tu ne retourneras pas là-bas. Ni pour régler quoi que ce soit ni pour discuter avec ton père.

Ryan se mit à rire de nouveau et continua à marcher en direction de son bureau.

— Ça ne sera pas long, vingt minutes environ.

— Vous avez accepté de dîner avec moi, mademoiselle Swan, lui rappela-t-il.

— Dès que j'aurai mis de l'ordre dans mes affaires.

— Tu pourras le faire lundi matin. Il n'y a rien d'urgent, n'est-ce pas ?

— Eh bien, non, mais...

Elle s'interrompit en sentant quelque chose lui entraver le poignet. Son regard se fixa sur les menottes.

— Pierce, que fais-tu ?

Elle tira sur son bras, mais découvrit qu'il était fermement attaché au sien.

— Je t'emmène dîner.

— Pierce, enlève-moi ce truc, ordonna-t-elle d'une voix autant exaspérée qu'amusée. C'est ridicule.

— Plus tard, promit-il.

Il l'entraîna vers l'ascenseur et attendit sagement que celui-ci arrive à leur étage tandis que deux secrétaires observaient avec curiosité le couple ainsi enchaîné.

— Pierce, chuchota-t-elle, ôte-moi ça tout de suite. Tu ne vois pas qu'on nous dévisage.

— Qui ?

— Pierce, je ne plaisante pas !

Elle poussa un gémissement frustré lorsque les portes en s'ouvrant révélèrent d'autres membres du personnel de Swan Productions à l'intérieur. Pierce entra, et elle n'eut d'autre choix que le suivre.

— Tu vas me le payer, marmonna-t-elle en évitant de croiser les regards scrutateurs.

— Dites-moi, mademoiselle Swan, dit Pierce d'une voix affectueuse, est-ce toujours aussi difficile de vous convaincre d'honorer un rendez-vous à dîner ?

Elle répondit d'un marmonnement inintelligible et se força à regarder droit devant elle.

Elle traversa le parking, toujours menottée à Pierce.

— Bon, la plaisanterie a assez duré. Retire-les. Je ne me suis jamais sentie aussi mal à l'aise de ma vie! As-tu la moindre idée de…

Il interrompit ses protestations en posant sa bouche sur la sienne.

— J'ai eu envie de ce baiser toute la journée, avoua-t-il.

Puis il l'embrassa de nouveau avant qu'elle puisse répliquer.

Ryan fit de son mieux pour garder son air contrarié. La bouche de son amant était si douce, tout comme sa main qui s'attardait dans le creux de ses reins. Elle se rapprocha de lui, mais lorsqu'elle commença à lever les bras avec l'intention de les nouer autour de son cou, les menottes l'en empêchèrent.

— Non, arrête! déclara-t-elle d'une voix ferme, se souvenant de la première fois où il l'avait piégée. Tu ne t'en tireras pas si facilement.

Elle se dégagea de son étreinte, sur le point de se mettre en colère. Mais il lui sourit.

— Va au diable, Pierce, dit-elle dans un soupir. Embrasse-moi.

Il lui donna un baiser léger sur la bouche.

— Vous êtes très excitante quand vous êtes en colère, mademoiselle Swan, murmura-t-il.

— J'*étais* en colère, marmonna-t-elle, ses lèvres sur les siennes. Non, je *suis* toujours en colère.

— Et vous m'excitez.

Il l'emmena vers la voiture.

Levant leurs deux poignets attachés en l'air, elle l'interrogea du regard.

— Et maintenant, comment fait-on?

Pierce ouvrit la portière de la voiture et lui fit signe de monter.

— Pierce! implora-t-elle d'une voix exaspérée en secouant son bras. Enlève-moi ça. Tu ne peux pas conduire dans ces conditions.

— Bien sûr que si. Il faut juste que tu fasses un peu d'escalade, lui expliqua-t-il en la poussant du coude dans la voiture.

Ryan resta assise un instant sur le siège du conducteur et lui lança un regard furieux.

— C'est absurde.

— Oui, admit-il, mais je m'amuse beaucoup. Pousse-toi.

Elle songea, tout d'abord, à refuser, mais elle se rendit compte qu'il pourrait simplement la prendre à bras-le-corps et la déposer à la place du passager. Elle réussit à enjamber l'obstacle sans difficulté, mais néanmoins sans grâce. Pierce lui adressa un autre sourire tout en tournant la clé de contact.

— Mets ta main sur le levier de changement de vitesse, et tout ira bien.

Ryan obéit. Il garda sa paume posée sur le dessus de sa main tandis qu'il enclenchait la marche arrière.

— Combien de temps exactement vas-tu nous laisser ces menottes?

— Voilà une question intéressante. Je n'ai pas encore décidé.

Il sortit du parking et prit la direction du nord.

Ryan secoua la tête et se mit à rire malgré elle.

— Tu sais, si tu m'avais dit que tu étais aussi affamé, je t'aurais accompagné sans résister.

— Je n'ai pas faim, dit-il d'un ton décontracté. Je pensais que nous pourrions nous arrêter pour manger en route.

— Quelle route? Pour aller où?

— Chez moi.

— Chez toi?

Elle jeta un coup d'œil par la vitre et s'aperçut qu'ils se dirigeaient vers la sortie de Los Angeles, mais dans la direction opposée à celle de son appartement.

— On va chez *toi*? demanda-t-elle d'un ton incrédule. Pierce, c'est à deux cent quarante kilomètres d'ici.

— Plus ou moins, reconnut-il. Ta présence n'est pas indispensable à Los Angeles avant lundi.

— Lundi! Tu veux dire que nous allons rester là-bas

pendant deux jours ? Mais c'est impossible, annonça-t-elle, au paroxysme de l'exaspération. Tu ne peux pas simplement me faire monter dans ta voiture et m'emmener en week-end.

— Pourquoi pas ?

— Eh bien, je…, commença-t-elle en cherchant un défaut dans le raisonnement sans faille de Pierce. Parce que ce n'est pas possible. Tout d'abord, je n'ai pas de vêtements et…

— Tu n'en auras pas besoin.

Elle interrompit brusquement ses explications et le fixa. Elle sentit un étrange mélange d'excitation et de panique l'envahir.

— J'ai l'impression que tu es en train de me kidnapper.

— Exactement.

— Oh.

— Y vois-tu une objection ? demanda-t-il en la regardant furtivement.

— Je t'en ferai part lundi, répondit-elle en s'installant confortablement sur le siège, décidée soudain à profiter de son enlèvement.

13

Ryan se réveilla dans le lit de Pierce. Lorsqu'elle ouvrit les yeux, elle découvrit que la chambre était déjà inondée de soleil. Il faisait pourtant à peine jour quand il lui avait murmuré à l'oreille qu'il descendait travailler. Elle saisit l'oreiller de son amant, le serra contre elle et s'attarda encore quelques minutes entre les draps.

« Quel homme surprenant ! », songea-t-elle. Elle n'aurait jamais imaginé qu'il ait le culot d'utiliser des menottes pour l'emmener en week-end avec, pour seul bagage, les vêtements qu'elle avait sur le dos. Elle aurait dû être furieuse, indignée.

Ryan enfouit son visage dans l'oreiller de Pierce. Comment aurait-elle pu lui en vouloir ? Etait-il possible d'être en colère contre un homme parce qu'il vous révélait — d'un regard, d'une caresse — qu'il avait besoin de votre présence et qu'il vous désirait ? Avait-on le droit d'être fâchée parce qu'un homme avait tellement envie de vous qu'il allait jusqu'à vous enlever et vous faire l'amour comme si vous étiez l'être le plus cher au monde ?

Elle s'étira avec volupté, puis prit sa montre sur la table de nuit. Elle fut stupéfaite de voir qu'il était déjà 9 h 30. Se pouvait-il qu'il soit si tard ? Il lui semblait qu'il n'y avait qu'un instant que Pierce l'avait quittée. Elle sauta du lit et se dépêcha d'aller prendre une douche. Ils avaient à peine deux jours à passer ensemble ; elle n'avait pas l'intention de gâcher ce temps précieux en dormant.

Lorsqu'elle revint dans la chambre, drapée dans une

serviette, Ryan étudia ses vêtements d'un air dubitatif. Elle admit qu'il était certainement agréable de se faire kidnapper par un superbe magicien, mais elle regretta néanmoins qu'il ne lui ait pas laissé le temps de faire sa valise. Avec philosophie, elle se résolut à vêtir le tailleur qu'elle avait porté la veille. Il faudrait bien qu'il lui trouve des vêtements propres, songea-t-elle, mais pour l'instant, elle devrait se contenter de ceux-ci.

Consternée, elle se rendit compte qu'elle n'avait même pas pris son sac à main. Il était resté dans le dernier tiroir de son bureau. Elle se regarda dans le miroir et fit la grimace. Ses cheveux étaient ébouriffés, et son maquillage avait disparu. Elle soupira en songeant qu'elle ne disposait pas même d'un peigne ou d'un tube de rouge à lèvres. Elle compta sur les talents de magicien de Pierce pour les faire apparaître. C'est avec cette idée en tête qu'elle descendit, résolue à le trouver.

A peine parvenue au bas de l'escalier, elle rencontra Link qui s'apprêtait à sortir.

— Bonjour, dit-elle.

Elle hésitait, ne sachant pas trop comment expliquer sa présence. Il ne s'était pas montré, la nuit dernière, quand ils étaient arrivés.

— Salut, lui répondit-il en souriant. Pierce m'a dit que vous étiez ici.

— Oui, je… Il m'a invitée à passer le week-end.

Il lui sembla que c'était la meilleure façon de résumer la situation.

— Je suis content que vous soyez venue. Vous lui manquiez beaucoup.

A ces mots, le regard de Ryan s'éclaira.

— Lui aussi, il m'a manqué. Où est-il?

— Dans la bibliothèque. Il téléphone.

Il marqua un temps d'arrêt tandis qu'une légère rougeur envahissait ses joues.

Elle descendit la dernière marche en esquissant un sourire.

— Qu'est-ce qu'il y a, Link?

— Je… euh… J'ai fini de composer cette musique que vous aviez aimée.

— Oh, c'est merveilleux. J'adorerais l'écouter.

— La partition est posée sur le piano, précisa-t-il en regardant ses pieds, l'air affreusement gêné. Si vous voulez, vous pourrez la jouer plus tard.

Elle voulut lui prendre la main, comme s'il avait été un petit garçon, mais elle sentit qu'un tel geste accentuerait son embarras.

— Vous ne serez pas là? Je ne vous ai jamais entendu interpréter vos morceaux au piano.

— Non, je…

Il rougit jusqu'aux oreilles et la regarda furtivement.

— Bess et moi… eh bien, elle avait envie d'aller à San Francisco, expliqua-t-il en s'éclaircissant la voix. Elle adore les balades en tramway.

— Quelle bonne idée, Link !

Elle décida impulsivement d'essayer de donner un coup de pouce à son amie.

— C'est une femme formidable, n'est-ce pas?

— Oh oui, c'est vrai. Bess est unique, admit-il volontiers.

Puis il regarda de nouveau par terre.

— Elle a exactement la même opinion de vous.

Il lui jeta un bref regard, puis ses yeux se fixèrent au loin.

— Vous croyez?

— J'en suis certaine, répondit Ryan d'un ton sérieux, malgré son envie de sourire. Elle m'a raconté l'histoire de votre rencontre. J'ai trouvé ça terriblement romantique.

Link eut un petit rire nerveux.

— Elle était très jolie, à l'époque. Elle l'est toujours d'ailleurs, et il y a beaucoup d'hommes qui lui tournent autour, pendant les tournées.

— Je m'en doute, acquiesça-t-elle pour l'inciter à se déclarer. Mais je crois qu'elle a un faible pour les musiciens. Les pianistes plus particulièrement, ajouta-t-elle alors qu'il

177

tournait le regard vers elle. Surtout ceux qui ont un don pour composer de belles musiques romantiques. Vous perdez du temps, vous ne croyez pas?

Link la fixait comme s'il essayait de comprendre le sens de ses paroles.

— Hein? Oh, oui, dit-il en fronçant les sourcils, puis il hocha la tête. Oui, certainement. Je ferais mieux d'aller la chercher, maintenant.

Elle se décida à prendre sa main et la serra rapidement.

— Amusez-vous bien.

— D'accord.

Il sourit et se dirigea vers la porte. Il s'arrêta, la main sur la poignée, et la regarda par-dessus son épaule.

— Ryan, est-ce vrai qu'elle aime les pianistes?

— Oui, Link, elle les adore.

Il eut un large sourire et ouvrit la porte.

— Au revoir.

— Au revoir, Link. Embrassez Bess de ma part.

Lorsque la porte se referma, Ryan demeura un moment dans l'entrée. « Quel homme adorable ! », pensa-t-elle, et elle croisa les doigts pour que Bess arrive à ses fins. « Ils seront heureux ensemble, pourvu que Link parvienne enfin à surmonter sa timidité. » Ryan eut un sourire satisfait et se dit qu'elle avait joué de son mieux son premier rôle d'entremetteuse. La suite dépendrait d'eux.

Elle traversa le hall et se dirigea vers la bibliothèque. La porte était ouverte, et la voix grave de Pierce parvenait jusqu'à elle. Ce son suffit à la remuer au plus profond de son être. Il était là, avec elle, et ils étaient seuls. Debout dans l'encadrement de la porte, elle s'immobilisa. Leurs regards se croisèrent.

Pierce lui sourit et, poursuivant sa conversation, il lui fit signe d'entrer.

— Je vous enverrai les précisions exactes par écrit.

Il contempla Ryan tandis qu'elle entrait dans la pièce. Il

s'étonna de constater que, même vêtue d'un de ses tailleurs classiques, elle ne manquait jamais de l'exciter.

— Non, il faut que tout soit prêt dans trois semaines. Impossible de vous accorder plus de temps, continua-t-il tout en gardant les yeux fixés sur le dos de Ryan. J'ai besoin de temps pour m'entraîner avant d'être sûr de pouvoir utiliser le matériel.

Ryan se retourna, s'assit sur l'accoudoir d'un fauteuil et l'observa. Il était vêtu d'un jean et d'un sweat-shirt à manches courtes. Ses cheveux étaient en bataille, comme s'il venait d'y passer la main. Elle songea qu'elle ne l'avait jamais trouvé aussi beau. Ainsi installé dans son fauteuil confortable, il paraissait plus détendu qu'à l'accoutumée. Elle pouvait pourtant percevoir l'énergie à l'état pur qui semblait émaner de lui, que ce soit sur scène ou en dehors. Mais, là, il l'avait mise en veille, songea-t-elle. Il se sentait plus à l'aise dans sa maison que n'importe où ailleurs.

Une idée coquine s'insinua dans son esprit : elle pourrait peut-être lui faire perdre un peu de son sang-froid.

Elle se leva négligemment et recommença à flâner dans la pièce tout en retirant ses chaussures. Elle choisit un livre sur l'étagère, le feuilleta, puis le remit à sa place.

— Je voudrais que vous m'envoyiez la liste des éléments dans son intégralité, précisa Pierce.

Il examina Ryan qui enlevait sa veste et la posait sur le dossier d'une chaise.

— Oui, c'est exactement ce que je veux. Si vous…

Il s'interrompit au moment où elle se mit à déboutonner son chemisier. Elle leva les yeux et lui sourit.

— Si vous pouviez me contacter lorsque vous aurez…

Le chemisier glissa sur le sol. Elle baissa avec désinvolture la fermeture Eclair de sa jupe.

— Quand vous aurez en main…, reprit Pierce, s'efforçant de suivre le cours de ses pensées, les… euh… tous les éléments, j'organiserai leur transport.

Après avoir ôté sa jupe, elle se pencha en avant et entreprit de détacher ses bas.

— Non, ça ne sera pas... ce n'est pas nécessaire.

Elle rejeta ses cheveux en arrière et lui adressa un autre sourire. Ils se regardèrent intensément pendant quelques secondes.

— Oui, marmonna Pierce dans le combiné. Oui, c'est parfait.

Elle laissa tomber sa paire de bas sur le petit tas déjà formé sur le sol par le reste de ses vêtements et se redressa. Son caraco était lacé sur sa poitrine. D'une main, Ryan tira sur le ruban du petit nœud logé entre ses seins. Elle regarda Pierce dans les yeux et sourit en voyant son regard descendre jusqu'à ses doigts qui desserraient lentement le ruban.

— Pardon ?

Pierce secoua la tête. Les paroles de son correspondant, à l'autre bout du fil, ressemblaient à un bourdonnement confus.

— Pardon ? répéta-t-il tandis que la lingerie s'ouvrait.

Ryan la retira d'un mouvement lent.

— Je vous rappellerai plus tard, finit-il par dire en reposant le combiné.

— As-tu terminé ? demanda Ryan en s'avançant vers lui. Je voudrais te parler de ma garde-robe.

— J'adore celle que tu portes en ce moment.

Il l'attira sur ses genoux et pressa sa bouche sur la sienne. Elle s'abandonna au désir sauvage et irrésistible qui émanait de ce baiser.

— Etait-ce un appel important ? s'enquit-elle alors que les lèvres de Pierce descendaient jusqu'à son cou. Je ne voulais pas te déranger.

— Tu ne me déranges jamais.

Ses mains cherchèrent ses seins. Il poussa un grognement quand il en prit possession.

— Bon Dieu, tu me rends fou ! dit-il d'une voix rauque et insistante en la faisant glisser sur le sol. Maintenant ?

— Oui, eut-elle juste le temps de répondre.

Couché sur elle, il tremblait de tout son corps. La pensée le traversa que personne avant elle n'avait réussi à lui faire perdre ainsi son contrôle. Cette constatation le terrifia. Il était submergé par l'envie de se lever et de partir — pour se prouver qu'il en avait encore le pouvoir. Mais il ne bougea pas.

— Tu es dangereuse, murmura-t-il à son oreille.

— Mmm, c'est-à-dire ?

— Tu connais mes faiblesses, Ryan Swan. Peut-être es-tu justement mon seul point faible.

— Et cela ne te plaît pas ?

— Je ne sais pas, avoua-t-il en soulevant la tête pour la regarder.

Ryan leva le bras et balaya tendrement de la main les cheveux qui lui tombaient sur le visage.

— Cela n'a aucune importance. Aujourd'hui, il n'y a que toi et moi qui comptons.

Il la contempla longuement. Son regard était aussi intense que celui qu'il avait eu le premier jour où leurs yeux s'étaient rencontrés.

— Plus je suis avec toi et plus j'ai l'impression que c'est le cas.

Le visage de Ryan s'éclaira et elle le serra tendrement dans ses bras.

— La première fois que tu m'as embrassée, j'ai oublié le reste du monde. J'ai essayé de me convaincre que tu m'avais hypnotisée.

Pierce rit, se redressa et lui caressa la poitrine. Ses mamelons étaient durcis, et elle frissonna à ce contact.

— As-tu la moindre idée de l'envie désespérée que j'avais de te faire l'amour, cette nuit-là ?

Son pouce allait et venait légèrement sur les pointes de ses seins. Il sentit le souffle de Ryan s'accélérer. Il continua.

— Je ne parvenais plus à travailler, je n'arrivais pas à dormir. J'étais allongé sur mon lit et je t'imaginais, vêtue seulement de ce petit bout de soie et de dentelle.

— Moi aussi, j'avais envie de toi, dit Ryan d'une voix

rauque, sentant la passion l'enflammer. J'étais choquée de constater que je te voulais alors que je te connaissais depuis à peine quelques heures.

— Je t'aurais fait l'amour comme maintenant, tu sais.

Il posa sa bouche sur ses lèvres. Il s'en servit jusqu'à ce que les siennes soient chaudes, abandonnées, avides. Repoussant ses cheveux, il y plongea les mains, puis sa langue entra en action.

Elle eut l'impression que ce baiser durerait toujours. Leurs bouches se séparaient, se retrouvaient, encore et encore, et de petits sons étouffés, murmurés, s'en échappaient. La sensation était douce, presque insupportablement agréable. Elle l'enivrait, l'électrisait. Il lui caressait les épaules, s'attardait sur leurs rondeurs tout en continuant à l'embrasser. Pour Ryan, plus rien n'existait en dehors de ses lèvres.

Quel que soit l'endroit de son corps qu'il touchait, elles ne s'éloignèrent pas des siennes. Quelles que soient les caresses que ses mains lui prodiguaient, son baiser la retenait prisonnière. Il semblait que le goût de la bouche de Ryan lui était devenu aussi indispensable que sa propre respiration. Elle s'agrippa à ses épaules et, sans s'en rendre compte, y enfonça ses ongles. Elle ne pensait qu'à une chose : qu'il l'embrasse éternellement.

Il savait que son corps lui appartenait totalement, et ses caresses se portaient sur les points qui leur procuraient, à tous deux, le plaisir le plus intense. Quand le désir devint trop pressant, elle ouvrit les jambes. Il sillonna l'intérieur de sa cuisse avec un doigt, se délectant de sa texture soyeuse et de ses tremblements. Sur le chemin de l'autre jambe, il s'arrêta brièvement sur son intimité, sans jamais lâcher sa bouche.

Il se servit de ses dents et de sa langue, puis seulement de ses lèvres. Il sentit des frissons délicieux lui parcourir la peau tandis que, dans son ivresse, elle murmurait son nom. Il aimait caresser les subtiles rondeurs de ses hanches, la courbe pure de sa taille. Ses bras étaient doux et lisses comme du satin. Le simple fait de les toucher lui procurait un plaisir intarissable. Elle était sienne — cette pensée le traversa, et il dut contrôler un besoin urgent de la prendre sur-le-champ. Mais il laissa son baiser parler à sa place. Il exprimait des désirs secrets, impérieux, et une tendresse infinie.

Même quand il la pénétra, Pierce ne cessa de jouir de la saveur de sa bouche. Il la prit lentement, attendit que monte son plaisir, refrénant sa passion jusqu'à ce qu'il ne lui fût plus possible de la contenir plus longtemps.

Leurs lèvres étaient encore scellées lorsqu'elle poussa un cri en atteignant le point culminant.

« Seulement elle, pensa-t-il, pris de vertige en reprenant son souffle, le nez dans ses cheveux parfumés. Juste elle. » Ryan noua ses bras autour de son cou pour le garder serré. Il sut alors qu'il s'était fait piéger.

Quelques heures plus tard, Ryan posait deux biftecks sur le gril. Elle portait un jean appartenant à Pierce, retenu à la taille par une ceinture. Elle en avait retroussé plusieurs fois les jambes pour l'adapter aux siennes. Le sweat-shirt était beaucoup trop large pour ses hanches. Elle avait roulé les manches jusqu'au coude tandis qu'elle l'aidait à préparer le dîner.

— Fais-tu aussi bien la cuisine que Link ? demanda-t-elle en se retournant pour regarder Pierce qui ajoutait des croûtons à la salade qu'il était en train de préparer.

— Non. Lorsque l'on se fait kidnapper, mademoiselle Swan, on ne peut pas s'attendre à des repas gastronomiques.

Ryan vint se placer derrière lui et passa les bras autour de sa taille.

— Allez-vous exiger une rançon ?

Elle posa la joue sur son dos et poussa un soupir d'aise. Elle n'avait jamais été aussi heureuse de sa vie.

— Peut-être. Quand j'en aurai terminé avec vous.

Elle le pinça très fort, mais il ne broncha pas.

— Salaud, dit-elle avec tendresse.

Elle glissa ses mains sous sa chemise pour caresser son torse. Cette fois, elle le sentit réagir.

— Ryan, tu me déconcentres.

— C'était bien mon intention. Ce n'est pas chose facile avec toi, tu sais.

— Tu y arrives à merveille, affirma-t-il, sentant ses mains qui remontaient.

— Parviens-tu réellement à te disloquer les épaules pour t'échapper d'une camisole de force? demanda-t-elle alors que, de ses doigts, elle constatait la solidité de leurs articulations.

Il continua à couper des petits dés de fromage pour la salade et lui demanda d'un air amusé :

— Où as-tu entendu dire cela?

— Oh, quelque part, répondit-elle évasivement, pour ne pas lui avouer qu'elle avait dévoré absolument tout ce qui avait été écrit à son sujet. J'ai également entendu dire que tu possédais un contrôle total de tes muscles.

Elle les sentait rouler sous ses doigts agiles. Elle se serra contre lui et s'imprégna avec délices du léger parfum de forêt qui émanait de sa peau.

— As-tu aussi entendu des rumeurs au sujet de mon alimentation qui est basée uniquement sur certaines plantes et racines que je récolte à la pleine lune?

Il lança un petit morceau de fromage dans sa bouche avant de se retourner pour la prendre dans ses bras.

— Ou sur le fait que j'ai étudié l'art de la magie au Tibet quand j'avais treize ans?

— Non, mais j'ai lu que le fantôme de Houdini t'avait donné des cours particuliers.

— Vraiment? J'ai dû louper celle-là. C'est très flatteur.

— Toutes ces informations ridicules publiées à ton sujet t'amusent beaucoup, n'est-ce pas?

— C'est sûr, confirma-t-il en posant un baiser sur son nez. J'aurais un piètre sens de l'humour si ce n'était pas le cas.

— Et bien entendu, avec toi, la réalité et l'imaginaire sont tellement difficiles à différencier que personne ne sait jamais où est la vérité, et qui tu es réellement.

Il enroula une mèche de ses cheveux autour de son doigt.

— C'est vrai. Mais il y a aussi le fait que plus on publie d'articles sur mon compte, plus ma vie privée est protégée.

— Ce qui est très important pour toi.

— Quand on a vécu à l'endroit où j'ai grandi, on apprend à préserver son intimité.

Elle s'accrocha à lui et pressa son visage contre son torse. Pierce mit la main sous son menton et lui releva la tête. Elle avait les yeux brillants de larmes.

— Ryan, dit-il avec circonspection, il ne faut pas que cela te rende triste.

Elle secoua la tête, devinant sa répugnance à recevoir des témoignages de compassion. Bess avait réagi de la même façon.

— Oui. Je sais, mais c'est difficile de ne pas avoir ce genre de sentiments envers un petit garçon.

Il esquissa un sourire et passa un doigt sur ses lèvres.

— Il ne se laissait pas abattre, affirma-t-il en se dégageant de son étreinte. Tu ferais mieux de retourner les biftecks.

Ryan obéit, sachant pertinemment qu'il voulait changer de sujet. Comment pouvait-elle lui faire comprendre qu'elle était avide de connaître le moindre détail le concernant qui pourrait le rapprocher d'elle ? Et puis, pensa-t-elle, elle avait peut-être tort de vouloir évoquer le passé alors qu'elle avait si peur d'aborder l'avenir.

— Comment aimes-tu ta viande ? lui demanda-t-elle en se penchant sur le gril.

— Mmm, à point, répondit Pierce qui semblait visiblement davantage intéressé par sa chute de reins que par le degré de cuisson de la viande. C'est Link qui a préparé la sauce de salade. Elle est délicieuse.

— Où a-t-il appris à cuisiner ? s'enquit-elle en retournant le deuxième bifteck.

— Il n'avait pas le choix. Il adore manger. Et on a traversé une période de vaches maigres pendant les tournées, les premiers temps. Il s'est avéré qu'il se débrouillait bien mieux que Bess ou moi pour ouvrir les boîtes de conserve.

Ryan pivota et lui sourit.

— Tu savais qu'ils allaient à San Francisco aujourd'hui?

— Oui, dit-il en levant un sourcil. Et alors?

— Depuis le temps que ça dure entre eux, tu aurais pu essayer de faire avancer les choses, constata-t-elle en agitant la fourchette à long manche. Après tout, ce sont tes amis.

— C'est justement la raison pour laquelle je ne m'en mêle pas, répondit-il doucement. Et toi, qu'as-tu manigancé?

— Bon, je ne me suis pas immiscée dans leurs affaires, rétorqua-t-elle en reniflant. Je leur ai juste donné un petit coup de pouce. J'ai mentionné que Bess avait un faible pour les pianistes.

— Je vois.

— Il est trop timide. Il aura atteint l'âge de la retraite avant d'avoir trouvé le courage de... de...

— De quoi? voulut savoir Pierce avec un sourire.

— ... De faire n'importe quoi, conclut-elle. Et arrête de me regarder de cet air concupiscent.

— Moi?

— Oui, toi. Et tu le sais parfaitement. En tout cas...

Elle poussa un cri quand elle sentit quelque chose lui frôler les chevilles. La fourchette tomba par terre avec fracas.

— Ce n'est que Circé. Elle est attirée par l'odeur de la viande, fit remarquer Pierce.

Ryan soupira, ce qui le fit sourire. Il ramassa l'ustensile et le rinça tandis que la chatte se frottait contre les jambes de Ryan en ronronnant amoureusement.

— Elle va faire le maximum pour te convaincre qu'elle mérite aussi un petit cadeau.

— Tes animaux ont le chic pour me prendre par surprise.

— Désolé, dit-il avec un rire qui montrait bien qu'il ne l'était pas.

Ryan mit les mains sur ses hanches.

— Tu adores me voir paniquer, n'est-ce pas?

— J'aime te voir, tout simplement, déclara-t-il en riant et en la soulevant dans ses bras. Même si je dois admettre que je trouve quelque peu attirant de te regarder t'affairer dans la cuisine, nu-pieds et avec mes vêtements sur le dos.

— Oh, dit-elle d'un air entendu. Le syndrome de l'homme des cavernes qui ressort.

Il fourra son nez dans son cou.

— Oh, non, mademoiselle Swan. C'est moi qui suis votre esclave.

Ryan considéra les avantages qu'elle pourrait tirer de cette déclaration.

— Vraiment? Alors, mets la table. Je meurs de faim.

Ils dînèrent à la lumière des bougies. Ryan ne fit pas attention à ce qu'elle mangeait. Elle ne pensait qu'à Pierce. Il y avait du vin — doux et moelleux —, qui aurait aussi bien pu être de l'eau, pour l'importance que cela avait. Dans son sweat-shirt et son jean trop larges, elle ne s'était jamais sentie si féminine. Son regard lui révélait en permanence à quel point il la trouvait belle, désirable et captivante. Il la courtisait comme s'ils n'avaient jamais été amants.

Il la faisait rayonner d'un regard, d'un mot doux ou par le simple contact de ses mains sur sa peau. Elle se sentait comblée et presque confuse de constater combien il était romantique. Il aurait dû savoir que, de toute manière, elle l'aimerait toujours. Pourtant, il la courtisait. Ses mots et ses compliments, prononcés à la lumière des chandelles, semblaient ceux d'un homme passionné. Ryan tomba une nouvelle fois amoureuse.

Ils s'attardèrent à table, longtemps après que tous les deux eurent perdu tout intérêt pour le repas. Le vin se réchauffa, les bougies se consumèrent. Il se satisfaisait du plaisir de la contempler dans la lumière vacillante, d'apprécier le son de sa voix tranquille. Quels que soient les désirs qu'il sentait monter en lui, il parvenait à les apaiser juste en parcourant le dos de sa main. Il ne désirait rien d'autre qu'être avec elle.

La passion arriverait plus tard, il le savait. La nuit, dans la pénombre, lorsqu'elle serait allongée à son côté. Mais, pour l'instant, son sourire lui suffisait.

— Tu vas m'attendre dans le salon ?

Il lui embrassa les doigts, un par un. Un frisson délicieux remonta le long du bras de Ryan.

— Je vais t'aider à débarrasser, dit-elle.

Mais ses pensées étaient loin, très loin, des contingences domestiques.

— Non, je vais m'en occuper, assura-t-il, retournant la main de Ryan et pressant ses lèvres sur sa paume. Attends-moi là-bas.

Ses genoux tremblaient, mais elle se leva quand il l'attira. Elle ne parvenait pas à détacher ses yeux de lui.

— Tu ne seras pas long ?

— Non, promit-il en faisant glisser ses mains le long de ses bras. Je ferai vite, mon amour, ajouta-t-il en l'embrassant tendrement.

Ryan était sur un petit nuage tandis qu'elle traversait le hall. Ce n'était pas à cause du baiser, non, mais des derniers mots tendres qu'il avait prononcés. C'étaient eux qui avaient fait battre son cœur. Il lui semblait presque inconcevable que de simples paroles, en apparence anodines, puissent provoquer chez elle un tel effet, surtout après ce qui s'était passé entre eux. Mais Pierce réfléchissait toujours soigneusement avant de parler.

« La nuit qui va suivre promet d'être enchanteresse, songea-t-elle en pénétrant dans le salon. Faite pour l'amour romantique. » Elle traversa la pièce et regarda par la fenêtre. Comme un fait exprès, la pleine lune brillait dans le ciel. Dans le silence qui régnait, elle pouvait entendre les vagues qui se brisaient sur les rochers.

Ils se trouvaient sur une île, imagina Ryan. Petite et balayée par les vents, située au milieu d'un océan sombre. Les nuits y étaient longues. Il n'y avait ni téléphone ni électricité. Impulsivement, elle s'éloigna de la fenêtre et se décida à allumer les bougies dispersées dans la pièce. Dans la cheminée, un feu était préparé. Elle mit son allumette sous le petit bois sec, qui s'alluma en crépitant.

Elle se redressa et regarda autour d'elle. L'éclairage correspondait exactement à ses désirs : tamisé, avec des ombres mouvantes. Il apportait une touche de mystère à l'ambiance et semblait refléter ses propres sentiments.

Elle baissa les yeux et brossa son sweat-shirt. Si seulement elle avait eu autre chose à se mettre. Une jolie robe, par exemple, blanche et légèrement transparente. Mais peut-être l'imagination de Pierce se révélerait-elle tout aussi fertile que la sienne.

« Il manque la musique », pensa-t-elle soudain. Il devait y avoir une chaîne stéréo, mais elle n'avait aucune idée de l'endroit où elle se trouvait. Elle eut une inspiration soudaine et se dirigea vers le piano.

La partition de Link l'attendait. Entre les lueurs du feu, derrière elle, et la lumière des bougies posées sur le piano, elle avait juste assez de clarté pour lire les notes. Elle s'assit et commença à jouer. Il ne lui fallut que quelques instants pour se laisser envoûter par la mélodie.

Pierce, debout dans l'encadrement, l'observait. Elle avait les yeux fixés sur le papier posé devant elle, mais il remarqua qu'ils semblaient rêveurs. Il ne l'avait encore jamais vue ainsi, complètement absorbée dans ses pensées. Comme il ne voulait pas rompre le charme, il ne bougea pas. Il aurait pu rester là éternellement à la regarder.

A la lueur des bougies, ses cheveux blonds en retombant sur ses épaules en volutes vaporeuses dessinaient une auréole autour de son visage pâle. Seuls ses yeux semblaient sombres et reflétaient l'émotion qu'elle éprouvait. Il sentit la légère odeur qui flottait dans l'air : un mélange de fumée et de cire fondue. Il savait qu'il n'oublierait jamais cette scène. Les années pourraient passer, il lui suffirait de fermer les yeux pour la revoir en cet instant, pour entendre la musique et sentir le parfum des bougies qui se consumaient.

— Ryan.

Il avait prononcé son nom dans un murmure, mais elle posa ses yeux dans les siens.

Elle souriait, mais la lumière oscillante fit miroiter les larmes qu'elle avait dans les yeux.

— C'est tellement beau.

— Oui.

Pierce avait peur de ne pas dire ce qu'il fallait. Un mot, un geste inappropriés risquaient de briser l'enchantement. Après tout, ce qu'il avait devant les yeux, l'émoi qu'il ressentait, pouvaient n'être qu'une illusion, un rêve.

— S'il te plaît, rejoue-moi ce morceau.

Même quand les premières notes se firent entendre, il ne se rapprocha pas. Il voulait que tout reste exactement identique. Ses lèvres entrouvertes dont il pouvait sentir le goût dans sa bouche. La texture de sa joue, s'il avait décidé d'y poser sa main. Elle aurait alors relevé les yeux, l'aurait contemplé en souriant, avec cette chaleur particulière dans le regard. Mais il n'en fit rien, se contenta de s'imprégner de sa présence en cet instant spécial, comme hors du temps.

Les flammes des bougies se dressaient de toute leur hauteur. Une bûche se consumait dans l'âtre. Puis le morceau se termina.

Elle le regarda. Pierce se dirigea vers elle.

— Je ne t'ai jamais autant désirée, dit-il à voix basse. Et je n'ai jamais eu aussi peur de te toucher.

Elle garda les doigts légèrement posés sur les touches.

— Peur? Pourquoi?

— Si j'avais fait un geste, ma main aurait pu te traverser. Et j'aurais pu m'apercevoir que tu n'étais qu'un rêve.

Ryan lui prit la main et la pressa contre sa joue.

— Non, nous ne rêvons pas. Ni l'un ni l'autre.

La peau de Ryan était chaude sous ses doigts et bien réelle. Il fut envahi par une vague de tendresse irrépressible. Il souleva son autre main et la tint dans la sienne, comme si elle était en cristal.

— Si tu devais faire un vœu, Ryan, juste un, ce serait quoi ?

— Que ce soir, seulement cette nuit, tu ne penses à rien ni à personne d'autre que moi.

Ses yeux brillaient dans la lumière douce des flammes dansantes. Pierce l'aida à se lever et prit son visage entre ses mains.

— Tu gâches tes vœux, Ryan, en demandant quelque chose qui existe déjà.

Il lui embrassa les tempes puis les joues. Sa bouche frémissait d'envie de goûter la sienne.

— Je veux imprégner ton esprit, le remplir, murmura-t-elle d'une voix tremblante. Afin qu'il n'y ait plus de place pour quoi que ce soit d'autre. Ce soir, je veux qu'il n'y ait que moi. Et demain…

— Chut !

Pour la faire taire, il l'embrassa. Un baiser tellement doux qu'elle s'abandonna à la promesse de ce qui allait suivre. Elle ferma les yeux, et il lui parcourut délicatement les paupières de ses lèvres.

— Il n'existe que toi au monde, Ryan. Viens, allons nous coucher. Je vais t'en donner la preuve.

Prenant sa main, il l'entraîna. Il fit le tour de la pièce en éteignant toutes les bougies sauf une, qu'il emporta. Sa flamme vacillante leur montra le chemin.

14

Ils durent se séparer une nouvelle fois. Ryan savait que c'était indispensable au bon déroulement des préparatifs de l'émission spéciale. Lorsqu'il lui manquait trop, il lui suffisait de se rappeler la magie de la dernière nuit qu'ils avaient passée ensemble. Ce souvenir lui permettait de tenir le coup jusqu'à ce qu'elle soit de nouveau dans ses bras.

Au cours des semaines qui suivirent, ils se croisèrent néanmoins de temps à autre, mais leurs rapports se cantonnèrent à des relations strictement professionnelles. Si elle le voyait à l'occasion des réunions ou pour régler certains points concernant son spectacle, il gardait encore secret le contenu de celui-ci. Ryan n'avait aucune idée de la composition de ses différents numéros. Il lui avait donné une liste détaillée des illusions qu'il avait l'intention d'exécuter et de leur ordre chronologique, mais s'était contenté du strict nécessaire au sujet de leurs mécanismes.

Ryan trouvait cette attitude frustrante, mais elle n'avait que peu d'autres motifs de se plaindre. La performance et ses décors se construisaient selon le plan que Pierce, Bloomfield et elle-même avaient établi en dernier lieu. Elaine Fisher avait signé le contrat pour son apparition en tant que vedette invitée. Ryan s'en était sortie honorablement pendant des séries de réunions, souvent aussi ardues que sensibles, auxquelles elle participait. Pierce aussi, d'ailleurs, se remémora-t-elle avec un sourire amusé.

Avec ses silences prolongés et quelques mots prononcés

calmement, il avait plus de poids qu'une douzaine de directeurs affolés et querelleurs. Il supportait leurs revendications, leurs réclamations, sans jamais se départir de son amabilité et s'en tirait toujours à son avantage.

Il n'avait pas accepté qu'on fasse appel à un scénariste professionnel. Il avait dit non, tout simplement. Et il s'y était tenu, car il savait qu'il avait raison. Il avait son propre compositeur, son directeur attitré et son équipe personnelle qui s'occupait des accessoires. Personne ne parvint à influer sur sa décision de placer ses propres employés aux postes clés.

Pierce faisait les choses à sa façon et ne se soumettait que lorsque cela l'arrangeait. Il avait l'art de garder le contrôle sans faire de vagues.

Ryan avait cependant du mal à travailler, perturbée par les restrictions qu'il leur imposait, à son équipe et à elle-même.

— Pierce, déclara-t-elle après l'avoir coincé sur la scène pendant une pause entre les répétitions, il faut que je te parle.

— Mmm ? répondit-il tout en observant sa troupe qui installait les torches destinées à la prochaine séquence.

— Pierce, c'est important.

— Oui, je t'écoute.

Elle tira sur son bras afin d'attirer son attention.

— Tu ne peux pas refuser à Ned l'accès de la scène durant les répétitions.

— Si, je peux. Et je l'ai fait. Ne t'en a-t-il pas fait part ?

— Si, il me l'a dit, confirma-t-elle avec un soupir exaspéré. Pierce, il est le coordinateur de production. En tant que tel, il a parfaitement le droit d'être ici.

— Il est toujours dans mes jambes.

— Pierce !

— Quoi ? demanda-t-il gentiment en se tournant vers elle. Vous ai-je déjà dit que vous étiez très jolie aujourd'hui, mademoiselle Swan ? Votre tailleur est ravissant.

Elle essaya d'ignorer son regard amusé.

— Ecoute, Pierce, tu dois laisser un peu plus de place à

mon équipe. Ta troupe est tout à fait compétente mais tes employés ne connaissent rien à la télévision.

Il feignit l'étonnement de façon convaincante.

— Que veux-tu que je fasse ?

— J'aimerais que tu permettes à Ned de faire son job et à mon personnel d'entrer dans le studio.

— Certainement, admit-il. Mais pas quand je répète.

— Pierce, dit-elle d'un air menaçant, il faut que tu fasses un certain nombre de concessions pour la télévision.

— J'en suis bien conscient, Ryan, et je les ferai, concéda-t-il en lui embrassant un sourcil. Mais quand je serai prêt.

— Et combien de temps cela prendra-t-il ?

— Encore quelques jours, assura-t-il en saisissant sa main.

— Très bien, dit-elle en soupirant. Mais, d'ici à la fin de la semaine, les éclairagistes devront participer aux répétitions.

Il lui secoua la main avec solennité.

— C'est promis. Rien d'autre ?

— Si, rétorqua-t-elle en redressant les épaules et en le regardant fermement. La première séquence dépasse le temps prévu de dix secondes. Il va falloir que tu la raccourcisses afin de l'adapter à la page de publicité qui est prévue ensuite.

— Non, c'est toi qui vas modifier ton programme, objecta-t-il.

Et il s'en alla après lui avoir donné un baiser.

Avant d'avoir eu le temps de protester, elle découvrit un bouton de rose accroché sur le revers de sa veste. Un mélange de contentement et de fureur l'envahit, mais il était déjà trop tard pour agir.

— C'est quelqu'un, n'est-ce pas ?

Ryan tourna la tête. Elaine Fisher se tenait à côté d'elle.

— Oui, sans aucun doute, reconnut-elle. J'espère que vous êtes satisfaite, mademoiselle Fisher. Votre loge vous convient-elle ?

Elaine lui adressa un grand sourire plein de charme.

— Oui, elle est parfaite.

Puis elle jeta un coup d'œil à Pierce et lâcha un de ces rires vifs et pétillants dont elle avait le secret.

— Il faut que je vous l'avoue, j'aimerais assez l'avoir à ma disposition.

— Je ne pense pas pouvoir vous contenter sur ce plan, mademoiselle Fisher, répliqua Ryan avec raideur.

— Oh, ma chère, je pourrais me débrouiller toute seule, s'il ne vous regardait pas de cette manière, répondit-elle avec un clin d'œil amical. Mais, bien sûr, si vous n'êtes pas intéressée, je peux toujours essayer de le consoler.

L'actrice avait un charme auquel il était difficile de résister.

— Cela ne sera pas nécessaire, rétorqua Ryan en souriant. C'est au producteur de contenter les vedettes, vous savez.

— Pourquoi n'essayez-vous pas de me dégotter un clone ? demanda-t-elle en quittant Ryan pour se diriger vers Pierce.

Quand elle les vit travailler ensemble, Ryan constata que son intuition ne l'avait pas trompée : ils s'accordaient parfaitement. Le charme ingénu de l'actrice et sa beauté cachaient un talent fou et un véritable don pour la comédie. Un savant dosage qui correspondait exactement à ce que Ryan avait souhaité.

Ryan attendit en retenant son souffle tandis qu'on allumait les torches. Elle voyait cette illusion du début à la fin pour la première fois. De longues flammes dansèrent, projetant une lumière presque aveuglante, jusqu'à ce que Pierce étende ses mains pour l'atténuer. Il se tourna ensuite vers Elaine.

— Attention de ne pas brûler ma robe, dit celle-ci en plaisantant. Elle n'est pas à moi. Elle est louée.

Au moment où il commençait à la faire léviter, Ryan griffonna une note sur son cahier afin de garder l'improvisation à la mémoire. Puis Elaine se mit à flotter juste au-dessus des flammes.

— Tout se passe bien, on dirait.

Ryan leva les yeux et sourit à Bess.

— Oui, Pierce est tellement perfectionniste que le contraire serait impossible. Il est vraiment infatigable.

— J'en sais quelque chose.

Elles l'observèrent en silence quelques instants, puis Bess déclara en serrant le bras de Ryan :

— Je ne peux pas m'en empêcher, dit-elle à mi-voix pour ne pas perturber la répétition. Il faut que je vous le dise.

— Quoi ?

Bess sourit et se pencha pour lui murmurer à l'oreille :

— J'aurais voulu annoncer la nouvelle à Pierce avant, mais… Link et moi…

Ryan lui coupa la parole et la serra dans ses bras.

— Oh, toutes mes félicitations !

— Vous ne m'avez pas laissée finir, dit Bess en riant.

— Vous étiez sur le point de me dire que vous alliez vous marier.

— Bon, oui, c'est vrai, mais…

— Félicitations, répéta Ryan. Quand cela s'est-il décidé ?

Bess eut un air légèrement hébété et se gratta la tête.

— Pratiquement à l'instant. J'étais dans ma loge en train de me préparer lorsqu'il a frappé à la porte. Il n'a pas osé entrer. Il est resté debout dans l'encadrement en frottant ses semelles sur le sol, vous savez, comme il fait d'habitude. Et, tout à coup, il m'a demandé si je voulais bien me marier, continua Bess en secouant la tête avec un autre rire. J'étais tellement étonnée que je lui ai demandé avec qui.

— Oh, Bess, vous n'avez pas fait ça !

— Si. Qui peut s'attendre à ce genre de proposition au bout de vingt ans ?

— Pauvre Link, murmura Ryan en souriant. Et qu'a-t-il répondu ?

— Il est resté cloué sur place pendant une minute, à me regarder en rougissant, puis il a dit : « Ben, avec moi, je suppose. » C'était vraiment romantique, conclut-elle en gloussant doucement.

— Je suis tellement heureuse pour vous.

— Merci, déclara Bess en poussant un gros soupir. Mais

196

ne dites rien à Pierce, d'accord? Je préfère que ce soit Link qui le fasse.

— Je serai muette comme une tombe, promit Ryan. Allez-vous vous marier bientôt?

Bess lui adressa un sourire de travers.

— Ça c'est sûr, mon chou. Je suppose que nous attendrons la diffusion de l'émission, puis nous sauterons le pas.

— Allez-vous continuer à travailler avec Pierce?

Bess lui lança un regard étonné.

— Bien sûr. Nous formons une équipe. Link et moi allons certainement vivre chez moi, mais il est hors de question que nous arrêtions la scène.

— Bess, dit doucement Ryan, il y a quelque chose que je voulais vous demander. Concernant le numéro final, Pierce m'a juste dit qu'il s'agissait d'une évasion, et qu'elle durerait quatre minutes et dix secondes. Savez-vous quelque chose de plus à ce sujet?

Bess haussa les épaules nerveusement.

— Il garde le secret parce qu'elle n'est pas encore tout à fait au point.

— C'est-à-dire? insista Ryan.

— Je n'en ai aucune idée, sauf…, reconnut-elle, partagée entre ses doutes et sa loyauté. Sauf qu'elle fait peur à Link.

Ryan posa la main sur son bras.

— Pourquoi? Est-ce dangereux? Y a-t-il des risques?

— Ecoutez, Ryan, toutes les évasions en comportent, mis à part celles où il se contente de se débarrasser d'une camisole de force ou d'une paire de menottes. Mais il est très fort, précisa-t-elle en observant Pierce qui faisait redescendre Elaine jusqu'au sol. Il va avoir besoin de moi dans un instant.

Ryan la retint fermement par le bras.

— Bess, dites-moi ce que vous savez.

— Ryan, répliqua-t-elle avec un soupir, je comprends ce que vous pouvez ressentir, mais je dois me taire. Le travail de Pierce ne concerne que lui.

197

— Je ne vous demande pas de violer la charte éthique des magiciens, objecta Ryan avec impatience. De toute façon, il devra me dire ce qu'il en est, le moment venu.

— Alors, il le fera, assura-t-elle.

Elle lui tapota la main et s'en alla.

Les répétitions se poursuivirent comme d'habitude avec Pierce. Après avoir assisté à une réunion de production en fin d'après-midi, Ryan décida d'aller l'attendre dans sa loge. Le problème posé par le numéro final l'avait rongée toute la journée. Elle n'avait pas aimé l'inquiétude qu'elle avait décelée dans les yeux de Bess.

La loge attribuée à Pierce était spacieuse et cossue. Elle comportait une moquette épaisse et un canapé confortable, suffisamment large pour être transformé en lit. Il y avait aussi un téléviseur à grand écran, une chaîne stéréo de bonne qualité et un bar bien achalandé, auquel elle savait que Pierce n'avait jamais touché. Deux très belles lithographies étaient accrochées au mur. C'était le genre d'endroit que Swan réservait à des artistes exceptionnels. Ryan doutait fort que Pierce y ait passé plus d'une demi-heure par jour, au cours de ses différents séjours à Los Angeles.

Ryan fouilla dans le réfrigérateur, trouva une petite bouteille de jus d'orange et se prépara un verre avant de s'enfoncer dans le canapé. Paresseusement, elle s'empara du livre qui se trouvait sur la table. Elle remarqua qu'il appartenait à Pierce. Encore un ouvrage sur Houdini. Avec un intérêt absent, elle se mit à en parcourir les pages.

Lorsque Pierce entra dans la pièce, il la trouva pelotonnée sur le divan. Elle avait déjà lu la moitié du volume.

— On fait des recherches ?

Ryan releva brusquement la tête.

— Parvenait-il vraiment à faire tout cela ? Je veux dire, ces numéros où il avalait une bobine de fil et des aiguilles et où il les recrachait ensuite enfilées. Ce n'est pas possible, n'est-ce pas ?

— Si, dit-il en enlevant sa chemise.

Ryan plissa les yeux et le regarda.

— Sais-tu faire ça, toi ?

— Je n'ai pas l'habitude de copier les illusions des autres, répondit-il en souriant. As-tu passé une bonne journée ?

— Oui. Il paraît qu'il avait une poche sous la peau.

Cette fois, il éclata de rire.

— Ne crois-tu pas que tu aurais trouvé la mienne, si j'en avais une ?

Ryan posa le livre et se leva.

— Il faut que je te parle.

Il la prit dans ses bras et commença à parcourir son visage de baisers.

— D'accord. Dans quelques minutes. Ces trois derniers jours ont été bien longs sans toi.

— C'est toi qui es parti, dit-elle d'un ton boudeur.

— Il fallait que je règle quelques détails. Ici, je n'arrive pas à me concentrer.

— D'où l'utilité du donjon, murmura-t-elle en lui prenant de nouveau les lèvres.

— Exactement. Nous allons dîner ensemble ce soir, dans un endroit avec des coins sombres et des bougies.

— Il y a tout cela dans mon appartement, dit-elle dans un souffle. Là, nous serons seuls.

— Tu vas encore essayer de me séduire.

Ryan rit et oublia ce qu'elle avait voulu dire.

— J'en ai bien l'intention.

— Vous devenez impudente, mademoiselle Swan, constata-t-il en la repoussant. Ne croyez pas que je sois un homme facile.

— J'adore les défis.

Il frotta son nez contre le sien.

— Votre fleur vous a-t-elle plu ?

Elle passa les bras autour de son cou.

— Beaucoup. Merci. Elle m'a empêchée de te harceler.

— Je sais. Tu trouves difficile de travailler avec moi, n'est-ce pas?

— Extrêmement. Mais si tu laisses quiconque produire ta prochaine émission, je saboterai chacune de tes illusions.

— Bon, dans ce cas, il faudra que je te garde tout en me protégeant.

Il posa doucement sa bouche sur ses lèvres. Ryan fut inondée par une vague d'amour si soudaine et si intense qu'elle s'accrocha à lui.

Elle voulut s'exprimer rapidement, avant que la peur familière ne l'en empêche.

— Pierce, lis dans mes pensées, ordonna-t-elle, les yeux étroitement fermés, enfouissant son visage dans le creux de son épaule. Peux-tu le faire?

L'urgence qu'il sentit dans sa voix l'obligea à s'écarter afin de l'étudier. Elle ouvrit des yeux écarquillés, et il y lut un mélange de peur et de détresse. Il y vit aussi autre chose qui lui provoqua un coup au cœur.

— Ryan?

Pierce leva la main jusqu'à sa joue, effrayé de découvrir un sentiment qui ne concernait que lui. Affolé aussi par sa réalité.

— Je suis terrifiée, murmura-t-elle. Les mots ne parviennent pas à franchir mes lèvres. Peux-tu les deviner? dit-elle d'une voix entrecoupée en se mordant la lèvre afin de contrôler son tremblement. Si tu n'y parviens pas, je comprendrais. Ce n'est pas pour autant que cela changera quoi que ce soit.

Oui, il pouvait les imaginer. Mais elle avait tort. Une fois ces paroles prononcées, tout serait différent. Il n'avait pas voulu que cela se produise, mais il savait néanmoins qu'ils en arriveraient là. Il l'avait su au moment même où il l'avait vue descendre les marches qui menaient à son atelier. Elle était la femme qui bouleverserait sa vie. Quels que soient les pouvoirs qu'il possédait, dès qu'il aurait dit ces trois mots, seule véritable incantation dans un monde fait d'illusions, il serait partiellement à sa merci.

— Ryan.

Il hésita quelques instants tout en sachant qu'il n'y avait pas moyen d'interrompre ce qui était déjà un fait accompli.

— Je t'aime.

Elle laissa échapper un soupir de soulagement.

— Oh, Pierce, j'ai eu si peur que tu ne veuilles pas comprendre, dit-elle en se serrant de toutes ses forces contre lui. Je t'aime tant. De toute mon âme, ajouta-t-elle en tremblant. C'est tellement bon, n'est-ce pas?

Il sentit son cœur qui battait au même rythme que le sien.

— Oui. Oui, c'est bon.

— Je ne savais pas que je pouvais ressentir un tel bonheur. J'aurais voulu te le dire auparavant, susurra-t-elle tout contre sa gorge, mais j'éprouvais une telle appréhension… Et, maintenant, ça paraît ridicule.

Il la pressa plus fort contre lui, mais il restait encore sur sa faim.

— Nous étions tous les deux dans le même cas. Nous avons perdu du temps.

— Mais tu m'aimes, murmura-t-elle, juste pour l'entendre prononcer de nouveau la phrase magique.

— Oui, Ryan. Je t'aime.

— Allons chez moi, Pierce, supplia-t-elle. Allons-y. J'ai envie de toi.

— Hum! A vos ordres!

Ryan rit en rejetant la tête en arrière.

— Maintenant? Ici?

— Ici et maintenant, approuva Pierce, prenant plaisir à voir l'éclair de malice qui passa dans ses yeux.

— Quelqu'un pourrait entrer, objecta-t-elle en s'éloignant de lui.

Pierce ne répondit rien, s'approcha de la porte et tourna le verrou.

— Ça m'étonnerait.

Ryan se mordit la lèvre pour retenir un sourire.

— Oh ! on dirait que je vais être victime d'un viol.

— Tu peux toujours essayer d'appeler à l'aide, suggéra Pierce en faisant glisser la veste de ses épaules.

— Au secours, cria-t-elle à voix basse tandis qu'il déboutonnait son chemisier. J'ai l'impression que personne ne m'a entendue.

— Alors, je crois que tu vas vraiment te faire violer.

— Oh, super ! murmura-t-elle au moment où sa blouse tomba sur le sol.

Ils rirent de la simple joie d'être amoureux. Ils s'embrassèrent et s'enlacèrent comme si le lendemain n'existait pas. Ils se murmurèrent des mots doux et soupirèrent de plaisir. Et même lorsque la passion s'intensifia et que leur désir devint incontrôlable, l'allégresse qui les soulevait resta teintée d'innocence.

« Il m'aime, pensa Ryan en passant les mains sur son dos musclé. Il m'appartient. » Elle répondit avec ferveur à son baiser.

« Elle m'aime, songea Pierce en sentant sa peau brûler sous ses doigts. Elle m'appartient. » Il chercha sa bouche et la savoura.

Ils se donnèrent l'un à l'autre, ils reçurent l'un de l'autre, jusqu'à ce que la fusion soit totale. Une passion grandissante, une tendresse infinie et une liberté nouvelle imprégnaient leur union. Après l'explosion, ils furent pris de vertige à la pensée que, pour eux, ce n'était que le commencement.

— Moi qui pensais que c'était au producteur d'attirer la vedette dans son lit, murmura Ryan.

— N'est-ce pas ce que tu as fait ? remarqua-t-il en lui passant les doigts dans les cheveux.

Avec un gloussement, Ryan l'embrassa entre les deux yeux.

— Il fallait que tu croies que l'idée venait de toi.

Elle se releva et attrapa son chemisier. Pierce s'assit derrière elle et fit glisser un doigt le long de sa colonne vertébrale.

— Tu vas quelque part ?

— Ecoute, Atkins, tu as gagné ton bout d'essai, annonça

Ryan et elle poussa un petit cri quand il lui mordit l'épaule. J'en ai fini avec toi, à présent.

Pierce s'appuya sur ses coudes et la regarda s'habiller.

— Ah bon?

Elle se glissa en frétillant dans ses sous-vêtements, puis se mit à accrocher ses bas.

— Jusqu'à ce qu'on arrive à la maison, dit-elle, jetant un coup d'œil à la nudité de son amant. Tu ferais mieux de te rhabiller avant que je change d'avis, sinon on va finir enfermés dans l'immeuble toute la nuit.

— Je peux nous faire sortir d'ici quand je veux.

— Mais il y a des alarmes.

— Ryan, vraiment! dit-il en s'esclaffant.

Elle lui décocha un regard en coin.

— Je suppose qu'il vaut mieux que tu n'aies pas choisi la voie du crime.

— Il est beaucoup plus simple de gagner de l'argent en crochetant des serrures. Les gens sont fascinés à l'idée de payer pour constater que c'est toujours faisable, expliqua-t-il avec un sourire en se redressant. Mais ils n'apprécient pas qu'on le fasse bénévolement.

Elle le regarda avec curiosité et pencha la tête sur le côté.

— Es-tu déjà tombé sur un verrou qui te résiste?

— Si on y met le temps nécessaire, dit Pierce en récupérant ses vêtements, n'importe quelle fermeture peut être forcée.

— Sans outils?

Il leva un sourcil.

— Il y a différentes sortes d'outils.

— Je vais devoir vérifier si tu n'as pas une poche sous ta peau, dit-elle en fronçant les sourcils.

— Quand tu voudras, approuva-t-il obligeamment.

— Tu pourrais au moins être gentil et m'enseigner un seul de tes trucs. Celui où tu te délivres des menottes, par exemple.

Il secoua la tête et enfila son jean.

— Hum, hum. Il pourrait encore m'être utile.

Ryan haussa les épaules comme si le sujet ne l'intéressait plus et commença à boutonner son chemisier.

— Ah, j'allais oublier. Je voulais te parler de ton numéro final.

Pierce prit une chemise propre dans l'armoire.

— Quel est le problème ?

— C'est précisément ce que j'aimerais savoir. Que prévois-tu exactement à ce sujet ?

— Ce sera une évasion, je te l'ai déjà dit, précisa-t-il en enfilant sa chemise.

— J'ai besoin d'une explication un peu plus précise, Pierce. L'émission passe dans dix jours.

— Je suis en train d'y travailler.

Reconnaissant le ton caractéristique qu'il avait mis dans sa réponse, Ryan fit un pas vers lui.

— Tu ne fais pas un spectacle en solo, Pierce. N'oublie pas que c'est moi qui suis chargée de la production ; c'est toi-même qui l'as voulu. Je peux supporter quelques-unes de tes excentricités concernant le personnel, déclara-t-elle en faisant mine d'ignorer son air indigné. Mais je dois savoir précisément ce dont il s'agit. Tu ne peux pas me maintenir dans l'ignorance alors qu'il reste à peine deux semaines avant l'enregistrement.

— Je vais m'évader d'un coffre-fort, dit-il simplement en lui tendant sa chaussure.

Elle s'en saisit, mais continua à l'observer.

— C'est tout ? Il y a autre chose, Pierce. Ne me prends pas pour une idiote.

— J'aurai les pieds et les mains menottés.

Ryan se baissa pour récupérer son autre chaussure. La réticence permanente qu'il avait à donner des précisions provoqua en elle une véritable panique. Elle fit une pause car elle voulait recouvrer un ton ferme.

— Quoi d'autre, Pierce ?

Il garda le silence et finit de boutonner sa chemise.

— C'est un genre de poupées russes. Une boîte, dans une boîte, dans une boîte. Un truc vieux comme le monde.

La peur de Ryan monta d'un cran.

— Trois coffres? Imbriqués les uns dans les autres?

— Exactement. Chacun d'eux étant légèrement plus grand que le précédent.

— Hermétiques?

— Oui.

Ryan sentit un grand froid l'envahir.

— Je n'aime pas ton numéro.

Il lui adressa un regard calme et posé.

— Tu n'as pas besoin de l'aimer, Ryan, ni de te faire du souci.

Elle avala sa salive.

— Il y a autre chose, n'est-ce pas? Je le sais bien. Dis-moi toute la vérité.

— Le dernier coffre sera équipé d'un minuteur, dit-il, impassible. J'ai déjà utilisé ce procédé.

Elle sentit une onde glacée lui parcourir le dos.

— Un minuteur? Non, ce n'est pas possible. C'est de la folie.

— Pas du tout, répliqua Pierce. Il y a des mois que j'en peaufine les mécanismes et le timing.

— Quel timing?

— J'aurai assez d'oxygène pour respirer pendant trois minutes.

« Trois minutes! », pensa-t-elle en s'efforçant de ne pas perdre pied.

— Et combien de temps l'évasion va-t-elle durer?

— Pour l'instant, elle dépasse à peine les trois minutes.

— A peine…, répéta Ryan, abasourdie. Et si quelque chose tournait mal?

— Aucun risque, Ryan. J'ai déjà tout passé en revue, des centaines de fois.

Elle fit deux pas pour s'éloigner, puis se retourna brusquement.

— Il est hors de question que je te laisse faire. Tu n'as qu'à présenter le numéro de la panthère à la place, mais pas celui-là.

— Ce sera cette évasion ou rien, Ryan, confirma-t-il d'un ton calme et sans appel.

Prise de panique, elle s'agrippa à ses bras.

— Non, Pierce ! Je refuse. Je vais l'éliminer du programme. Utilise une de tes autres illusions ou inventes-en une nouvelle mais pas celle-ci.

Sa voix ne changea pas de tonalité quand il baissa les yeux sur elle.

— Tu n'as pas le droit de la supprimer. C'est moi qui ai le dernier mot. Lis le contrat.

Elle blêmit et s'éloigna de lui.

— Bon sang ! Je me fiche de ce maudit contrat. Je sais ce qu'il contient. Je l'ai rédigé moi-même !

— Donc tu reconnais que tu n'as pas le droit de m'empêcher de faire cette évasion, remarqua-t-il tranquillement.

Des larmes jaillirent de ses yeux, mais elle les refoula d'un battement de paupières.

— Je ne te laisserai pas faire. C'est impossible.

— Je suis désolé, Ryan.

Elle respirait avec difficulté, submergée par un mélange de colère et de peur. Elle avait perdu tout espoir de le convaincre.

— Je trouverai un moyen de tout annuler. Le programme et le contrat.

— Peut-être, dit-il en la prenant par les épaules. Mais je la ferai quand même, Ryan. Le mois prochain, à New York.

Désespérée, elle s'accrocha de nouveau à ses bras.

— Pierce, je t'en prie. Tu pourrais y laisser ta peau. Ça n'en vaut pas la peine. Pourquoi as-tu toujours besoin de tenter le diable ?

— Parce que j'en ai la capacité. C'est mon travail, Ryan. Comprends-moi.

— Je comprends que je t'aime. Cela n'a-t-il aucune importance à tes yeux ?

— Tu sais très bien que si, rétorqua-t-il brutalement. Et à quel point c'est vrai.

Elle s'arracha furieusement à lui.

— Non, je n'en ai aucune idée. Je constate seulement que tu as l'intention de passer outre, même si je te supplie à genoux. Et tu crois que je vais te regarder risquer ta vie sans mot dire, juste pour que tu récoltes quelques applaudissements et une bonne critique ?

Le premier éclair de colère passa dans les yeux de Pierce.

— Cela n'a rien à voir. Tu devrais mieux me connaître.

— Non. Non, je ne sais rien de toi, dit-elle, accablée. Comment pourrais-je comprendre pourquoi tu t'acharnes tellement ? Cet exploit n'est d'aucune utilité ni pour le spectacle ni pour ta carrière.

Il lutta intérieurement pour contenir son impatience et parvint à répondre calmement :

— Pour moi, il est important.

— Pourquoi ? demanda-t-elle rageusement. Pourquoi est-ce nécessaire de mettre ta vie en danger ?

— C'est ton point de vue, Ryan, pas le mien. Les risques sont inhérents à mon métier et à ma personnalité, ajouta-t-il en marquant un temps d'arrêt, sans pour autant se rapprocher d'elle. Il va falloir que tu l'acceptes et que tu me prennes comme je suis.

— Ce n'est pas juste.

— Peut-être, concéda-t-il. Tu m'en vois désolé.

Ryan déglutit avec peine. Elle fit des efforts désespérés pour retenir ses larmes.

— Ce qui nous mène à quoi ?

— C'est toi qui décides, dit-il sans baisser les yeux.

— Je n'y assisterai pas, s'indigna-t-elle en reculant vers la porte. Non, non et non ! Je ne passerai pas ma vie à attendre le moment où tu dépasseras les bornes. Je ne pourrai pas le supporter.

Les doigts tremblants, elle chercha le verrou.

— Je hais ta magie, ajouta-t-elle dans un sanglot en tournant brusquement les talons et en sortant de la pièce.

207

15

Après avoir quitté Pierce, Ryan monta directement jusqu'au bureau de son père. Pour la première fois de sa vie, elle entra sans frapper. Contrarié par cette irruption intempestive, Swan interrompit sa conversation téléphonique et lui jeta un regard noir. Il l'observa attentivement pendant un instant. Il n'avait jamais vu sa fille dans un état pareil : le visage pâle, les yeux écarquillés et brillant de larmes ravalées, le corps secoué de tremblements.

— Je vous rappellerai, grommela-t-il en raccrochant.

Elle était restée debout près de l'entrée. Swan ne savait pas quoi dire, ce qui était plutôt rare. Il s'éclaircit la gorge.

— Qu'est-ce qu'il y a ? demanda-t-il.

Ryan s'appuya contre la porte. Elle avait les jambes en coton. S'efforçant de retrouver un semblant de sang-froid, elle s'avança vers son père.

— Il faut que tu… Je veux que tu annules l'enregistrement de l'émission spéciale.

Il se leva d'un bond et la regarda d'un air furieux.

— Quoi ? Bon sang, quelle idée ! Si c'est la pression qui te fait craquer, je trouverai quelqu'un pour te remplacer. Ross peut parfaitement prendre la relève, dit-il en frappant du plat de la main sur la table. Je regrette de t'avoir nommée à la tête de ce projet.

Swan tendit la main pour prendre le téléphone, mais la voix douce de Ryan l'arrêta.

— Je t'en prie. Je te demande de résilier le contrat et d'annuler le show.

Swan commença à pester de nouveau, l'étudia avec attention, puis se dirigea vers le bar. Il choisit de se taire et de verser une bonne dose de brandy français dans un verre ballon. Il maudissait sa fille intérieurement. Il se sentait gauche et mal à l'aise comme un adolescent. Il lui mit le verre dans les mains et lui ordonna d'un ton bourru :

— Tiens, bois ça. Et assieds-toi.

Ryan semblait aussi bouleversée que désemparée. Comme il ne savait plus sur quel pied danser, il lui tapota maladroitement l'épaule avant de retourner s'asseoir derrière son bureau. Une fois qu'il eut retrouvé sa place, il se sentit davantage en mesure de gérer la situation.

— Bon. Maintenant, tu vas m'expliquer ce qui se passe. Des problèmes pendant les répétitions ? demanda-t-il avec un sourire qu'il espérait compréhensif. Tu es pourtant dans le métier depuis assez longtemps pour savoir que cela fait partie du jeu.

Ryan prit une profonde inspiration. Elle avala une bonne gorgée de cognac, qui descendit dans sa gorge en brûlant. L'effet de l'alcool soulagea sa douleur et atténua sa peur. Sa respiration s'apaisa. Elle parvint à relever les yeux.

— Pierce a l'intention de terminer son spectacle par un numéro d'évasion.

— Je sais, dit-il avec impatience. J'ai lu le script.

— C'est trop dangereux.

Swan joignit ses mains sur le bureau. Si tel était le seul problème, il saurait le résoudre, décida-t-il.

— Dangereux ? Cet homme est un professionnel, Ryan. Il sait ce qu'il fait.

Swan tourna légèrement le poignet pour pouvoir jeter un coup d'œil à sa montre. Il n'avait que cinq minutes à lui accorder.

Elle serra le verre de toutes ses forces afin de ne pas crier. Swan n'était pas du genre à prêter l'oreille à une femme hystérique.

— Cette fois, c'est différent, insista-t-elle. Même les gens qui travaillent avec lui sont d'accord avec moi.

— Bon, explique-moi. En quoi consiste cette évasion?

Incapable de formuler sa pensée, Ryan but encore un peu de cognac pour se donner du courage.

— Trois coffres-forts, commença-t-elle. Imbriqués l'un dans l'autre, le dernier…, ajouta-t-elle en faisant une pause afin de contrôler sa voix, le dernier est muni d'un minuteur. Une fois enfermé dans le premier, il aura juste assez d'oxygène pour respirer pendant trois minutes. Et il vient… il vient juste de me dire que le numéro dépasse actuellement cette durée.

— Trois coffres, dit Swan, pensif, en faisant la moue. De quoi interrompre une représentation!

Ryan reposa violemment son verre sur le bureau.

— Surtout s'il meurt étouffé. Imagine l'effet que cela aura sur l'Audimat. Enfin, il pourra toujours recevoir un hommage posthume.

Swan fronça les sourcils d'un air menaçant.

— Ryan, calme-toi!

— Non! répliqua-t-elle en se levant d'un bond. Il n'a pas le droit de jouer avec sa vie. Il faut résilier le contrat.

Swan eut un haussement d'épaules, qui montrait qu'une telle éventualité était impossible.

— Nous ne pouvons pas faire ça.

— Dis plutôt que nous ne voulons pas, rectifia Ryan rageusement.

— O.K., nous ne voulons pas, approuva Swan en l'imitant. Il y a trop d'intérêts en jeu.

— *Tout* est en jeu! lui cria Ryan. Je l'aime.

Il était sur le point de se lever et de se mettre aussi à hurler, mais ses derniers mots le prirent au dépourvu. Il la dévisagea. Elle avait les yeux pleins de larmes. Il ressentit de nouveau la même gêne.

Il soupira et prit un cigare.

— Ryan, assieds-toi.

— Non!

Elle lui arracha le cigare des mains et le lança à travers la pièce.

— Non. Et je ne me calmerai pas, non plus. Je te demande ton aide. Pourquoi détournes-tu les yeux ? demanda-t-elle avec autant de désespoir que de colère dans la voix. Regarde-moi, vraiment !

— C'est ce que je fais ! rugit-il pour sa défense. Et je peux te dire que je n'aime pas ce que je vois. Maintenant, assieds-toi et écoute-moi.

— Non, J'en ai assez de t'écouter, assez d'essayer de te contenter. Pourtant, je t'ai toujours obéi, mais ça ne suffit pas. Je ne serai jamais le fils que tu aurais voulu. Ce n'est pas ma faute, s'indigna Ryan qui couvrit son visage de ses mains et éclata en sanglots. Je suis juste ta fille et j'ai besoin que tu m'aides.

Cette déclaration le laissa sans voix. Les femmes en larmes l'avaient toujours décontenancé. Il ne parvenait pas à se souvenir s'il avait déjà eu l'occasion de la voir pleurer ; en tout cas, jamais d'une façon aussi passionnée. Il se mit debout maladroitement et fouilla dans sa poche à la recherche d'un mouchoir.

— Tiens, prends ça, dit-il en le lui tendant. J'ai toujours...

Il s'interrompit, hésitant. Puis il s'éclaircit la voix et jeta un regard désespéré autour de lui.

— ... J'ai toujours été fier de toi, Ryan.

Quand, en guise de réponse, ses pleurs redoublèrent, il enfonça ses mains dans ses poches et garda le silence.

— Ce n'est pas grave, finit-elle par dire.

Sa voix était étouffée par le mouchoir. Elle eut honte de sa conduite, de ses paroles, de ses larmes.

— Cela n'a plus d'importance, à présent.

— Si je pouvais t'aider, je le ferais, grommela-t-il au bout d'un moment. Mais je ne peux pas l'empêcher de faire son numéro. Même si je parvenais à annuler l'émission et à me dépêtrer des poursuites que la chaîne et Atkins ne manqueront pas d'engager contre nous, il fera cette maudite évasion, un jour ou l'autre.

C'était la vérité et Ryan détourna les yeux.

— Il doit bien y avoir un moyen…

Swan remua, mal à l'aise.

— Est-ce qu'il t'aime aussi?

Ryan laissa échapper un souffle et refoula ses pleurs.

— Ce qu'il ressent à mon égard ne compte pas, si je ne peux pas l'arrêter.

— Je vais essayer de lui parler.

Elle secoua la tête avec lassitude et regarda de nouveau son père.

— Cela ne changera rien. Je suis désolée. Je n'aurais pas dû venir. J'avais l'esprit confus, ajouta-t-elle en regardant ses pieds et en serrant le mouchoir dans son poing fermé. Excuse-moi de t'avoir fait une scène.

— Ryan, je suis ton père.

Elle leva les yeux sur lui, mais il lui sembla qu'ils ne contenaient aucune expression.

— Oui.

Il se racla la gorge et se rendit compte qu'il ne savait pas quoi faire de ses mains. Ryan se contentait de le regarder, le regard vide. Il ébaucha timidement un geste et lui toucha le bras.

— Je ne veux pas que tu te sentes coupable d'être venue me voir, dit finalement Swan. Je ferai tout mon possible pour persuader Atkins de supprimer ce numéro, si c'est ce que tu veux.

Ryan poussa un gros soupir avant de reprendre sa place.

— Merci. Mais tu as raison, il le fera quand même, une autre fois. Il me l'a dit lui-même. Le problème, c'est que je suis incapable d'accepter cette éventualité.

— Veux-tu que Ross te remplace?

Elle pressa les doigts sur ses paupières et refusa d'un signe de tête.

— Non, je finirai ce que j'ai commencé. Me cacher ne changera rien, de toute façon.

Il hocha la tête, l'air satisfait.

— Bravo! Et, euh…, dit-il en hésitant sur le choix des mots adéquats… Au sujet de toi et du magicien, ajouta Swan qui toussa en tripotant sa cravate, que désires-tu que je fasse? Je veux dire… dois-je m'enquérir de la nature de ses intentions à ton égard?

Ryan eut la surprise de constater qu'elle pouvait encore sourire.

— Non, ce ne sera pas nécessaire, déclara-t-elle en se levant. Mais j'aimerais bien prendre quelques vacances après l'enregistrement.

Elle remarqua que Swan semblait soulagé.

— Bien sûr, tu l'auras bien mérité.

— Je ne vais pas te déranger plus longtemps.

Lorsqu'elle fit mine de s'en aller, il lui mit la main sur l'épaule. Elle lui lança un coup d'œil étonné.

— Ryan…

Impossible de formuler les sentiments qu'il voulait exprimer. A la place, il serra son épaule.

— … Allez, je t'invite à dîner.

Ryan le fixa. Elle tenta de se souvenir de la dernière fois où elle avait pris un repas avec son père. Etait-ce lors d'un banquet en l'honneur d'une remise de prix? Ou au cours d'une réception d'affaires?

— A dîner? dit-elle d'un air ébahi.

— Oui. Un père peut bien emmener sa fille au restaurant, n'est-ce pas?

Sa voix s'était durcie tandis que ses pensées avaient suivi le même raisonnement que celles de sa fille. Il passa le bras autour de sa taille et la conduisit jusqu'à la porte. Il eut un choc quand il se rendit compte à quel point elle était petite.

— Va te laver la figure, grogna-t-il. Je t'attends ici.

Le lendemain matin, à 10 heures, Swan lisait pour la seconde fois le contrat. Un problème épineux, songea-t-il. Il ne serait pas facile de le résilier. Il n'avait, d'ailleurs, aucunement l'intention de prendre une telle décision. D'une part ce serait faire preuve d'un mauvais sens des affaires ; d'autre part, ce serait un geste inutile. Il valait mieux qu'il parvienne à faire pression sur Atkins. Lorsque la sonnerie de son téléphone retentit, il reposa le contrat à l'envers sur son bureau.

— Monsieur Swan, M. Atkins est arrivé.

— Faites-le entrer.

Swan se leva pour accueillir le magicien. Comme la première fois, il traversa la pièce, la main tendue devant lui.

— Pierce, dit-il d'un air jovial, merci d'être venu.

— Monsieur Swan.

— Bennett, s'il vous plaît, rectifia Swan en conduisant Atkins vers une chaise.

— Bennett, approuva Pierce en prenant place.

Swan s'assit en face de lui.

— Bon, êtes-vous satisfait de la tournure que prennent les événements ?

— Oui, répondit Pierce en levant un sourcil.

Swan ouvrit une boîte et en sortit un cigare. « Cet homme est trop calme, pensa-t-il amèrement. Son visage ne trahit aucune émotion. » Il décida d'aborder le sujet par la bande.

— Coogar m'a dit que les répétitions marchaient comme sur des roulettes. Nous avons cependant quelques préoccupations concernant vos projets pour la finale.

— Ah ?

— Il s'agit d'un spectacle pour la télévision, vous savez, fit remarquer Swan avec un sourire chaleureux. Quatre minutes dix, c'est un peu long pour un numéro.

Atkins posa les mains sur les accoudoirs.

— C'est inévitable. Je suis sûr que Ryan vous l'a déjà expliqué.

Swan rencontra le regard direct de Pierce.

— Oui. Elle m'en a fait part. Elle est venue me voir hier soir. Elle était bouleversée.

Les doigts de Pierce se crispèrent légèrement, mais son expression resta la même.

— Je sais. J'en suis désolé.

— Ecoutez, Pierce, je suis sûr que vous êtes quelqu'un de raisonnable, déclara Swan qui se pencha en avant en pointant son cigare vers lui. Votre illusion a l'air d'être un vrai bijou. L'idée du minuteur est fantastique, mais de petits changements pourraient...

— Je n'ai pas l'habitude de modifier mes illusions.

Sa manière d'écarter sèchement tout compromis fit fulminer Swan.

— Tous les contrats peuvent être annulés, annonça-t-il comme une menace.

— Vous pouvez tenter la résiliation. Les complications qui en résulteront risquent d'être beaucoup plus ennuyeuses pour vous que pour moi. Et, en fin de compte, rien ne changera.

— Bon sang, Pierce ! Ma fille est dans tous ses états !

Il tapa du plat de la main sur le bureau et s'effondra dans son fauteuil pour ajouter :

— Elle m'a avoué être amoureuse de vous.

— C'est la vérité, répondit tranquillement Pierce, ignorant le serrement au creux de son estomac.

— Et que diable avez-vous l'intention de faire à ce sujet ?

— La question vient-elle du père ou du directeur de Swan Productions ?

Les sourcils de Swan se rejoignirent, et il grogna pendant un instant avant de prendre sa décision.

— Du père.

Les yeux de Pierce se posèrent calmement sur Swan.

— J'aime Ryan. Et, si elle veut bien de moi, je suis prêt à vivre le reste de ma vie avec elle.

— Et dans le cas contraire ?

Pierce sentit sa vision s'assombrir. L'éventualité traversa son cerveau en un éclair. C'était une possibilité qu'il n'avait pas encore envisagée. Dans l'intervalle, Swan avait deviné ce qu'il voulait savoir. Il profita de son avantage.

— La conduite d'une femme amoureuse n'est pas forcément raisonnable, déclara-t-il avec un sourire indulgent. C'est parfois à l'homme de faire quelques compromis.

— Il existe très peu de choses que je ne ferais pas pour elle. Mais je ne peux pas changer ma personnalité.

— Nous parlons d'un numéro de magie, rétorqua Swan qui commençait à perdre patience.

— Non, c'est ma manière de vivre qui est en cause. Même si j'annule cette évasion, j'en inventerai une autre, puis encore une autre, continua-t-il en feignant d'ignorer le froncement de sourcils de Swan. Si Ryan n'est pas en mesure d'accepter celle-là, comment supportera-t-elle les suivantes ?

— Vous prenez le risque de la perdre.

A ces mots, Pierce se leva, incapable de rester assis plus longtemps.

— Peut-être n'a-t-elle jamais été à moi.

Il avait appris à gérer la douleur, se dit-il. Il était même spécialiste en la matière. Sa voix était calme quand il reprit :

— Il faut que Ryan fasse ses propres choix. Quant à moi, je n'aurai d'autre option que de les accepter.

Swan se dressa sur ses pieds et lui lança un regard furieux.

— Je voudrai bien me faire pendre si vos propos sont ceux d'un homme amoureux !

Pierce le fixa longuement d'un air froid, qui l'obligea à déglutir avec effort.

— Dans ma vie jalonnée d'illusions, Ryan est la seule chose réelle.

Il tourna les talons et sortit à grandes enjambées de la pièce.

16

L'enregistrement était prévu à 18 heures, horaire de la côte Ouest. A 16 heures, Ryan avait déjà dû affronter toutes les difficultés possibles et imaginables.

Pourtant, les problèmes, les réclamations incessantes et la touche de folie qui allait avec l'empêchaient de se réfugier dans un coin sombre pour pleurer. On comptait sur elle, et Ryan n'avait d'autre choix que d'être à la hauteur. Si sa carrière représentait la seule chose qui lui restait, elle devait désormais s'y dévouer corps et âme.

Il y avait dix jours qu'elle évitait soigneusement Pierce et lui dissimulait ses émotions. Il fallait bien qu'ils se rencontrent de temps à autre, mais leurs relations se bornaient à celles d'un producteur avec une vedette. Pierce n'avait fait aucune tentative pour combler le fossé qui s'était creusé entre eux.

Ryan souffrait. Elle était étonnée par moments de constater à quel point elle avait mal. Elle accueillait néanmoins ce sentiment avec gratitude. La souffrance contribuait à masquer sa peur. Les trois coffres-forts avaient été livrés. Quand elle s'était fait violence pour aller les voir, elle avait rapidement évalué leur taille. Le plus petit ne faisait pas plus de quatre-vingt-dix centimètres de haut sur soixante de large. L'idée de Pierce coincé dans cette petite boîte noire lui faisait mal au cœur.

Elle était en train d'examiner le dernier coffre, sa lourde porte et son minuteur compliqué, quand elle avait senti la présence de Pierce dans son dos. Elle s'était retournée, et ils s'étaient regardés en silence. Avant qu'elle se décide à tourner

217

les talons pour s'éloigner, elle avait été envahie d'un mélange d'amour, de désir et de désespoir. Il n'avait pas prononcé un mot, n'avait fait aucun geste pour la retenir.

Depuis ce jour, Ryan s'était tenue à distance des coffres, préférant consacrer son énergie à la vérification, dans ses moindres détails, du bon déroulement de la production.

Il fallait trouver quelqu'un pour superviser la garde-robe, réparer à la hâte un projecteur qui ne marchait plus ou remplacer un technicien tombé malade. Et il y avait le timing, qui devait être calculé à la seconde près.

Les problèmes de dernière minute semblaient ne pas avoir de fin, et elle ne manquait pas de remercier le ciel à chaque nouveau casse-tête qui survenait. Jusqu'à l'instant précis où le public commença à faire la queue devant le studio, elle n'eut pas le temps de se poser de questions.

Les entrailles nouées, mais une feinte sérénité peinte sur le visage, Ryan attendit dans la cabine de contrôle tandis que le régisseur de plateau lançait le compte à rebours.

Le spectacle commença.

Pierce se tenait sur la scène, compétent et décontracté. Les décors étaient parfaits : d'un style dépouillé, élégant et vaguement mystérieux, souligné par l'éclairage tamisé. Habillé tout en noir, Pierce évoquait à la perfection un sorcier du XXe siècle, qui n'avait pas besoin de baguette magique ni de chapeau pointu pour impressionner.

L'eau circulait entre ses mains, le feu sortait du bout de ses doigts. Ryan assista au numéro où il tenait Bess en équilibre sur la pointe d'une épée et la faisait tourner comme une toupie. Puis il enlevait le sabre d'un geste ample du bras, et elle se mettait à tournoyer dans le vide.

Elle vit Elaine léviter au-dessus des torches allumées, et l'audience retenir son souffle. Pierce continua en l'enfermant dans une sphère de verre transparent, qu'il recouvrit d'un drap de soie rouge et qu'il fit s'élever à trois mètres au-dessus du sol. La bulle flotta dans l'air, se balançant doucement au son de la musique de Link. Pierce la ramena sur la scène et en ôta le tissu, Elaine était devenue un cygne blanc.

La diversité de ses illusions étonnait. Audacieuses et spectaculaires, elles étaient toujours merveilleusement belles. Il maîtrisait les quatre éléments, défiait la nature et laissait tout le monde bouche bée.

Ryan entendit une voix qui disait avec excitation :

— Tout se déroule à merveille. C'est sûr qu'on a des chances de décrocher au moins deux prix pour cette émission. Caméra 2, dans trente secondes. Mon Dieu, mais ce type a un talent fou !

Ryan décida de quitter la cabine de contrôle pour rejoindre les coulisses. Elle pensait avoir froid à cause de l'air conditionné poussé au maximum. Elle se dit qu'il ferait plus chaud près de la scène, que la chaleur diffusée par les projecteurs la réchaufferait. Son corps continua pourtant d'être parcouru de frissons. Elle contempla Pierce qui présentait une variante du numéro de transport dans l'espace qu'elle avait déjà vu à Las Vegas.

Bien que son regard ne se posât jamais sur elle, Ryan pressentait qu'il avait deviné sa présence. Son esprit était si totalement centré sur lui que le contraire eût été impossible.

— Tout se passe bien, n'est-ce pas ?

Ryan leva les yeux et vit Link debout à son côté.

— Oui, jusqu'à présent, tout était parfait.

— J'ai adoré le numéro du cygne. C'était très beau.

— Oui.

— Vous feriez mieux d'aller dans la loge de Bess, suggéra-t-il. Il y a une télévision qui retransmet le spectacle.

— Non. Non, je reste.

Pierce était maintenant en compagnie d'un tigre svelte et musclé, qui tournait en rond dans une cage dorée. Ryan savait que c'était la dernière illusion avant le numéro final. Elle prit une profonde inspiration et saisit la main de Link.

— Tout ira bien, Ryan, dit-il en la serrant. Pierce est le meilleur.

On apporta le plus petit des coffres. Sa porte fut ouverte en grand, et on le fit tourner dans tous les sens pour montrer à tous sa solidité. Ryan avait dans la bouche un goût d'acier. Elle n'entendit pas les explications que Pierce donnait au public tandis qu'un commissaire de police de Los Angeles lui menottait les pieds et les mains. Elle regardait fixement son visage. Elle savait qu'en pensée il était déjà enfermé à l'intérieur. Il préparait son évasion. Elle se raccrocha à cette idée aussi fort qu'elle serrait la main de Link.

Son corps tenait à peine dans le premier coffre. Ses épaules en frôlaient les parois.

Traversée par un brusque accès de panique, elle songea qu'il lui serait impossible d'y bouger. La porte se referma sur lui et elle voulut faire un pas vers la scène. Mais Link la retint par les épaules.

— Vous ne pouvez pas faire ça, Ryan.

— Mon Dieu, il ne pourra pas remuer. Il n'aura pas d'air !

Avec une terreur grandissante, elle contempla le second coffre qu'on amenait.

— Il s'est déjà débarrassé des menottes, dit Link sur un ton apaisant, inquiet pourtant de voir le coffre-fort où était Pierce soulevé, puis enfermé dans le second. Il est déjà en train d'ouvrir la première porte, ajouta-t-il autant pour se réconforter que pour rassurer Ryan. Il travaille vite. Vous le savez, vous l'avez vu à l'œuvre.

— Oh ! non, pas ça !

L'angoisse de Ryan devint insoutenable quand arriva le troisième coffre. Prise de vertige, elle s'appuya contre Link. Le plus grand des coffres avala les deux autres, ainsi que l'homme qui était à l'intérieur. On le ferma et on le verrouilla. Le minuteur fut réglé sur minuit. Il n'y avait désormais plus aucun moyen d'y pénétrer de l'extérieur.

— Combien de minutes ? murmura-t-elle, les yeux fixés sur le complexe minuteur en acier brillant. Ça fait combien de temps qu'il est là-dedans ?

— Deux minutes et demie, répondit Link qui sentait une goutte de sueur descendre le long de son dos. Il a largement le temps.

Il savait que les coffres étaient si étroitement imbriqués l'un dans l'autre que l'espace libéré par leurs portes, une fois poussées, laissait à peine le passage à un enfant. Il n'avait jamais compris comment Pierce parvenait à se contorsionner de cette façon. Mais lui, contrairement à Ryan, l'avait vu faire. Link avait observé Pierce tandis qu'il répétait cette évasion un nombre incalculable de fois. La sueur continuait pourtant à couler le long de son dos.

L'air se raréfiait, et Ryan avait de plus en plus de mal à remplir ses poumons. Pierce avait certainement la même sensation à l'intérieur du coffre, pensa-t-elle, hébétée. Sans air ni lumière.

— Combien de temps, Link?

Elle tremblait comme une feuille à présent. Le géant interrompit sa prière pour lui répondre :

— Deux minutes cinquante. C'est presque terminé. Il est déjà en train d'ouvrir le dernier.

Ryan joignit les deux mains et les serra de toutes ses forces tout en faisant mentalement le décompte des secondes. Elle sentit un bourdonnement lui vriller les tympans et se mordit violemment la lèvre inférieure. Elle ne s'était jamais évanouie de sa vie, mais elle eut alors la sensation qu'elle allait perdre connaissance. Quand sa vue se brouilla, elle contracta fortement ses paupières pour l'éclaircir. Mais son souffle s'était bloqué. Pierce manquait d'air, et elle aussi. Prise d'une brusque attaque d'hystérie, elle se dit qu'elle était sur le point de suffoquer, aussi sûrement que Pierce étouffait, enfermé dans le trio de coffres.

Et puis, elle vit la porte qui s'ouvrait, entendit le soupir de soulagement poussé par le parterre et le tonnerre d'applaudissements qui suivit. Trempé de sueur, cherchant à reprendre son souffle, Pierce se tenait debout sur la scène.

Un voile d'obscurité recouvrit la lumière des projecteurs, et Ryan s'évanouit dans les bras de Link. Sa syncope dura presque une minute. Elle reprit conscience grâce à la voix de Link, qui l'appelait.

— Ryan, Ryan, réveillez-vous. Il est dehors. Il va bien.

Elle s'appuya contre lui et secoua la tête pour recouvrer ses esprits.

— Oui, il s'en est sorti.

Elle le contempla une dernière fois, puis elle tourna les talons et s'en alla.

A l'instant où les caméras arrêtèrent de tourner, Pierce se précipitait dans les coulisses.

— Où est Ryan? demanda-t-il à Link.

— Elle est partie.

Il vit les gouttes de sueur qui dégoulinaient sur le visage de Pierce. Il lui tendit la serviette qu'il lui avait préparée.

— Elle était bouleversée, poursuivit Link. Elle a perdu connaissance…

Pierce n'essuya pas sa figure trempée, il ne sourit pas, comme il le faisait toujours après avoir réussi une évasion.

— Où est-elle allée?

— Je ne sais pas. Elle a juste disparu.

Sans un mot, Pierce partit à sa recherche.

Ryan était étendue sous le soleil brûlant. Elle sentait une démangeaison au milieu de son dos, mais elle ne fit pas un mouvement pour se gratter. Elle resta immobile et laissa la chaleur imprégner sa peau.

Il y avait déjà une semaine qu'elle était à bord du yacht de son père, au large de la côte de l'île de Sainte-Croix, dans les Caraïbes. Comme elle le lui avait demandé, Swan avait consenti à ce qu'elle parte seule. Il ne lui avait pas posé de questions lorsqu'elle s'était présentée chez lui pour lui demander sa permission. Il avait pris les dispositions nécessaires et l'avait conduite à l'aéroport lui-même. Plus tard, Ryan avait songé que c'était la première fois qu'il ne faisait pas appel à une limousine avec chauffeur et qu'il la laissait prendre son avion seule.

Ces derniers jours, elle avait bronzé, nagé et s'était efforcée de faire le vide dans son esprit. Après avoir quitté le studio, elle n'était pas retournée à son appartement. Elle était arrivée à Sainte-Croix avec les vêtements qu'elle avait sur le dos et s'était procuré sur place ce dont elle avait besoin. Elle n'avait parlé à personne, sauf aux membres de l'équipage, et n'avait répondu à aucun message en provenance des Etats-Unis. Elle avait tout simplement disparu de la circulation pendant une semaine.

Ryan roula sur le dos et mit ses lunettes de soleil. Elle savait que si elle se forçait à ne pas penser, la réponse qu'elle désirait viendrait d'elle-même. Quand elle lui parviendrait, elle s'y conformerait. Jusque-là, elle patientait.

Dans son atelier, Pierce battit et coupa le jeu de tarots. Il avait besoin de se relaxer. La tension le rongeait.

Après l'enregistrement, il avait fouillé tout l'immeuble à la recherche de Ryan. Quand il s'était rendu compte qu'elle était introuvable, il avait violé ses règles d'or, avait forcé la serrure de son appartement et avait passé la nuit à l'attendre. Mais elle n'était pas rentrée chez elle. Sa disparition l'avait rendu fou de rage. Il s'était abandonné à sa furie, inhibant ainsi sa douleur. La colère, ce sentiment indiscipliné qu'il ne s'était jamais permis d'extérioriser, avait éclaté de toute sa force brutale. Link avait supporté le poids de sa fureur en silence.

Pierce avait mis des jours à recouvrer le contrôle de lui-même. Ryan était partie, et il fallait qu'il accepte cette évidence. La discipline qu'il s'était imposée ne lui laissait pas le choix. Même s'il avait su où elle se cachait, ses principes ne lui auraient pas permis d'aller la chercher.

Pendant toute la semaine qui avait suivi, il avait été incapable de travailler. Il n'avait aucune énergie. Chaque fois qu'il tentait de se concentrer, l'image de Ryan lui apparaissait, son odeur envahissait ses narines, et son goût imprégnait sa bouche. C'était tout ce que son esprit parvenait à élaborer. Il fallait absolument qu'il réussisse à sortir de cet état. Pierce savait que s'il ne retrouvait pas rapidement son rythme normal, il serait un homme fini.

Il était seul à présent, Link et Bess étant partis en lune de miel. Lorsqu'il s'était senti de nouveau maître de lui, il avait insisté pour qu'ils maintiennent leurs projets. Il les avait laissés suivre leur chemin, alors que le vide de sa propre vie se profilait telle une menace sur son avenir.

Il était temps qu'il se remette au travail, qu'il se tourne vers la seule chose qui lui restait. Mais cette perspective lui provoqua un léger pincement au cœur. Il n'était même plus certain de posséder des pouvoirs magiques.

Pierce reposa les cartes et se leva avec l'intention de répéter une de ses illusions les plus compliquées. Il n'était pas question qu'il se mette à l'épreuve avec un numéro trop facile. Il se prépara mentalement, entraîna sa concentration, s'assouplit les mains, puis il leva les yeux et la vit.

Pierce regarda l'image fixement. Il n'avait encore jamais eu d'elle une vision aussi précise. Il pouvait même entendre le bruit de ses pas tandis qu'elle traversait la pièce en direction de l'estrade. Son odeur lui parvint d'abord, et son sang ne fit qu'un tour. Il se demanda presque froidement s'il n'était pas en train de devenir fou.

— Bonjour, Pierce.

Ryan constata qu'il avait sursauté, comme si ses paroles l'avaient arraché à un rêve.

— Ryan? prononça-t-il doucement d'un air interrogateur.

— Ta porte était ouverte, alors je suis entrée. J'espère que je ne te dérange pas.

Il continuait à la fixer en silence. Elle monta les marches de l'estrade.

— J'ai interrompu ton travail.

Il suivit son regard, et ses yeux se dirigèrent sur la fiole de verre qu'il tenait dans la main, puis sur les cubes colorés installés sur la table.

— Mon travail ? Euh… non, pas de problème.

Il reposa la fiole. Il n'aurait de toute façon pas réussi à exécuter la plus simple de ses illusions.

— Je n'en aurai pas pour longtemps, déclara Ryan avec un sourire.

C'était la première fois qu'elle le voyait perdre son sang-froid.

— Il faut que nous parlions. Au sujet d'un nouveau contrat.

— Un contrat ? répéta-t-il, incapable de détourner les yeux.

— Oui. C'est pour cela que je suis venue.

— Je vois.

Il avait envie de poser ses mains sur elle, mais il les garda sur la table. Il ne pouvait pas toucher une femme qui ne lui appartenait plus.

— Tu as l'air en pleine forme, dit-il finalement avec un geste du bras pour lui offrir un siège. Où étais-tu ?

La question avait franchi ses lèvres avant qu'il n'ait pu la retenir ; elle ressemblait dangereusement à une accusation. Ryan se contenta d'un autre sourire.

— Je suis partie, répondit-elle simplement en s'avançant vers lui. As-tu pensé à moi ?

Il fit un pas en arrière.

— Oui, j'ai pensé à toi.

— Souvent ? demanda-t-elle d'une voix calme en s'approchant de lui.

— Ryan, arrête ! dit-il d'un ton cassant.

Et il recula, sur la défensive.

— Tu as hanté mes pensées, poursuivit-elle, comme s'il n'avait rien dit. En permanence, bien que j'aie lutté pour m'en empêcher. Est-ce que tu prépares des potions magiques à tes moments perdus, Pierce ? Est-ce que tu m'en as fait boire une à mon insu ? s'enquit-elle tout en faisant un autre pas dans sa direction. J'ai fait tout mon possible pour parvenir à te haïr. J'ai tenté de toutes mes forces de t'oublier. Mais ta magie est vraiment trop efficace.

Pierce sentait le parfum de Ryan qui envahissait ses sens et troublait ses émotions.

— Ryan, je ne suis qu'un homme et tu es ma faiblesse. Ne fais pas ça, implora-t-il en faisant appel à ce qui subsistait de son contrôle de soi. J'ai du travail.

Ryan joua avec un des cubes colorés.

— Il faudra qu'il attende. Sais-tu combien d'heures il y a dans une semaine? demanda-t-elle en lui souriant.

— Non. Cesse immédiatement, Ryan!

Son cœur battait la chamade. Son désir montait et devenait presque impossible à maîtriser.

— Cent soixante-huit, murmura-t-elle. C'est beaucoup de temps perdu.

— Si je te touche, je ne te lâcherai plus.

— Et si c'est moi qui prends l'initiative? demanda-t-elle en posant les mains sur son torse.

— Arrête, prévint-il de nouveau. Tu ferais mieux de partir pendant qu'il est encore temps.

— Tu feras de nouveau cette évasion, n'est-ce pas?

— Oui. Bien sûr, bon sang!

Ses doigts exigeaient qu'il la touche.

— Ryan, au nom du ciel, va-t'en!

— Tu la referas, reprit-elle. Ainsi que d'autres, probablement encore plus dangereuses ou, du moins, tout aussi effrayantes. Parce que c'est dans ta nature. N'est-ce pas ce que tu m'as affirmé?

— Ryan...

— Voilà l'homme dont je suis tombée amoureuse, constata-t-elle calmement. Je ne sais pas comment j'ai pu croire que j'avais le pouvoir, ou le droit, de le faire changer. Je t'ai dit un jour que tu étais ce dont je rêvais, et c'était la vérité. Mais je suppose qu'il fallait que je comprenne ce que cela impliquait. Veux-tu encore de moi, Pierce?

Il garda le silence, mais elle vit son regard s'assombrir, sentit les battements de son cœur qui s'accéléraient sous sa main.

— Je pourrais me contenter d'une petite vie calme et aisée, ajouta-t-elle en faisant le dernier pas vers lui. Est-ce cela que tu veux que je fasse? T'ai-je blessé si profondément que tu me souhaites une vie d'un ennui insoutenable? Je t'en prie, Pierce, accorde-moi ton pardon.

— Il n'y a rien à pardonner.

En dépit de tous ses efforts, il se noyait dans ses yeux.

— Ryan, pour l'amour de Dieu! Ne vois-tu pas l'effet que tu me fais? dit-il d'un air désespéré en repoussant ses mains.

— Si, et ça me fait très plaisir. J'avais tellement peur que tu me mettes à la porte, avoua-t-elle avec un soupir de soulagement. Je reste, Pierce. Tu ne pourras pas m'en dissuader, affirma-t-elle en passant les bras autour de son cou, sa bouche tout près de la sienne. Dis encore que tu veux que je parte.

Il l'attira contre lui.

— Non. Je ne peux pas.

Il s'empara brusquement de ses lèvres. L'énergie qu'il avait perdue l'envahit de nouveau, avec une force brûlante et douloureuse. Il la serra plus près et sentit sa bouche qui répondait à la sauvagerie de la sienne.

— C'est trop tard, murmura-t-il. Beaucoup trop tard, admit-il, tellement enflammé de désir qu'il avait envie de l'écraser contre lui. Il va falloir que je t'enferme à double tour. Tu saisis?

— Oui. Oui, je comprends, assura-t-elle en rejetant la tête en arrière afin de voir ses yeux. Mais la porte sera fermée pour toi aussi. Je vais y faire poser le seul verrou que tu ne puisses forcer.

— Pas d'échappatoire, Ryan. Ni pour l'un ni pour l'autre.

Et ses lèvres chaudes embrassèrent désespérément sa bouche. Il sentit l'impact de son corps quand il la pressa contre lui, mais les mains sûres de la jeune femme restèrent collées fermement sur son corps.

— Je t'aime, Ryan, déclara-t-il en parcourant son visage de baisers. Je t'aime et j'ai tout perdu quand tu m'as quitté.

— Je ne le ferai plus jamais, promit-elle. J'ai eu tort d'exiger cela de toi. Et aussi de m'enfuir comme je l'ai fait. Je n'ai pas eu assez confiance.

— Et maintenant ?

— Je t'aime, Pierce. Exactement comme tu es.

Il l'enlaça encore et pressa sa bouche contre son cou.

— Ryan, ma beauté, si petite, si douce. Mon Dieu ! que j'ai envie de toi ! Viens, montons, allons au lit. Laisse-moi te faire l'amour correctement.

Leurs deux cœurs s'emballèrent lorsqu'il prononça calmement ces mots, d'une voix rauque, tout contre sa gorge. Ryan inspira profondément, puis elle mit les mains sur ses épaules et le repoussa.

— Et au sujet de ce contrat…

— Que les contrats aillent en enfer, grommela-t-il en tentant de la tirer vers lui.

— Oh ! non, dit Ryan en faisant un pas en arrière. Celui dont je parle doit être établi.

— Je t'ai déjà signé ton contrat, rétorqua-t-il impatiemment. Viens ici.

— C'est d'un autre qu'il s'agit, déclara-t-elle en l'ignorant. Exclusif et à durée illimitée.

Pierce fronça les sourcils.

— Ryan, je n'ai pas l'intention de me lier à Swan Productions pour le restant de mes jours.

— Non, pas à Swan Productions, riposta-t-elle. A Ryan Swan.

La réplique agacée qu'il avait sur le bout de la langue ne vint jamais. Elle vit l'éclat de son regard s'intensifier.

— Quel genre de contrat ?

— Pour une vie à deux, incluant une clause d'exclusivité et une durée éternelle.

Ryan avala sa salive. Elle commençait à perdre un peu de la confiance inébranlable qui l'avait soutenue jusque-là.

— Vas-y, continue.

— Il entre en vigueur immédiatement et stipule l'obligation d'une cérémonie, en bonne et due forme, à la première opportunité qui se présentera, énonça-t-elle en croisant les mains. Il y aura également une clause concernant la probabilité de descendants, ajouta-t-elle en voyant Pierce qui levait un sourcil, mais ne disait rien. Le nombre de ceux-ci pouvant être négocié.

— Je vois, dit-il après une pause. Y a-t-il une clause pénale ?

— Oui. En cas de rupture de contrat, je suis autorisée à t'assassiner.

— Tout à fait raisonnable. Ceci est vraiment tentant, mademoiselle Swan. Quels sont les avantages que j'en tire ?

— Moi.

— Où dois-je signer ? demanda-t-il en la prenant dans ses bras.

— Ici.

Elle poussa un soupir et lui tendit sa bouche. Le baiser fut doux et plein de promesses. Avec un petit grognement, Ryan se serra contre lui.

— A propos de cette cérémonie, mademoiselle Swan, dit Pierce en lui mordillant les lèvres tandis que ses mains la parcouraient, que considérez-vous comme la première opportunité qui se présentera ?

Elle eut un rire et se dégagea de son étreinte.

— Demain après-midi. Tu ne crois pas que je vais te donner le temps de t'évader, n'est-ce pas ?

— Je constate que j'ai trouvé à qui parler.

— Absolument, approuva-t-elle avec un hochement de tête. J'ai encore quelques tours dans ma manche.

Elle prit les cartes de tarot et Pierce découvrit, étonné, qu'elle parvenait avec un certain succès à former un éventail. Elle s'y entraînait depuis des jours.

Il sourit et se rapprocha d'elle.

— Très bien. Je suis impressionné.

— Tu n'as encore rien vu. Prends une carte, lui dit-elle, les yeux pétillants de malice. N'importe laquelle.

Troublante tentation

1

Foxy passa en revue le dessous de la MG. Une forte odeur d'huile et d'essence l'assaillit tandis qu'elle resserrait les joints de culasse.

— Excuse-moi, Kirk, lâcha-t-elle soudain d'une voix teintée de sarcasme. J'ai oublié de te remercier pour la salopette que tu m'as si gentiment prêtée.

— Pas de quoi. Je suis ton frère, non?

Foxy ne voyait de ce dernier que le bas de son jean tout effrangé et ses baskets crasseuses; pourtant, elle devina le petit sourire moqueur qui accompagnait ses paroles.

— C'est merveilleux de constater à quel point tu n'as pas changé! répliqua-t-elle. Toujours les idées aussi larges, n'est-ce pas?

La jeune femme prit le temps de donner un nouveau tour de clé avant d'ajouter :

— Je connais des frères qui n'auraient jamais laissé leur sœur changer elle-même le câble de transmission de leur voiture.

— Peut-être. Mais tu sais bien que moi, je suis pour l'égalité des sexes!

Foxy relâcha un instant son attention et regarda les baskets s'éloigner en direction de l'établi, au fond du garage. Elle entendit le cliquetis sec d'outils que l'on remettait en place.

— Et je peux t'assurer que si tu n'avais pas choisi de devenir photographe, je t'aurais embauchée pour faire partie de mon équipe de mécaniciens!

— Heureusement pour moi, je préfère nettement le révélateur à l'huile des moteurs ! ironisa-t-elle.

Elle s'essuya la joue du revers de la main.

— Quand j'y pense ! Si Pamela Anderson n'avait pas eu besoin de moi pour les photos de son reportage, je ne serais pas là, en train de farfouiller dans les entrailles de cette voiture !

C'est lorsqu'elle entendit le petit rire bref et chaleureux de son frère que la jeune femme réalisa à quel point ce dernier lui avait manqué. Peut-être était-ce parce qu'elle avait eu le bonheur de le retrouver tel qu'en son souvenir, malgré les deux années qui les avaient séparés, juste comme s'ils s'étaient quittés la veille, le visage marqué des mêmes rides et des mêmes légères cicatrices qui promettaient, avec l'âge, de lui conférer un charme supplémentaire. Son sourire, ses yeux, chacun de ses gestes exprimaient toujours l'insouciance qui le caractérisait. Ses boucles blondes, de la couleur des blés mûrs, n'avaient rien perdu de leur volume, et les fines extrémités de sa moustache se retroussaient toujours de la même façon comique lorsqu'il souriait. Foxy l'avait pratiquement toujours connu ainsi. Elle avait six ans et lui seize lorsqu'il avait décidé de se laisser pousser la moustache. Dix-sept ans plus tard, celle-ci faisait toujours partie des attributs de séduction de son frère.

Enfant, Foxy vénérait son grand frère. Il était son héros, et elle exultait lorsqu'il l'autorisait à le suivre dans son sillage. C'était lui qui l'avait affublée du surnom de « Foxy », et la petite Cynthia Fox de dix ans qu'elle était alors s'était accrochée à ce sobriquet comme s'il avait été le plus beau des cadeaux. Lorsque Kirk avait quitté le cocon familial pour poursuivre une carrière de pilote professionnel, elle n'avait alors vécu que dans l'attente des courtes lettres qu'il leur envoyait et de ses trop rares visites. Il avait à peine vingt-trois ans lorsqu'il remporta sa première course importante. Foxy, elle, allait sur ses treize ans.

Cette année-là fut aussi celle d'une peine indescriptible dont, aujourd'hui encore, elle portait les stigmates.

Il était tard lorsque Foxy et ses parents, après quelques courses en ville, avaient repris en voiture le chemin de la maison. La chaussée était recouverte d'une couche de neige glissante. Foxy regardait les gros flocons s'écraser mollement contre les vitres, peu attentive à la musique de Gershwin que diffusait la radio. Elle s'était allongée sur la banquette, avait fermé les yeux et s'était mise à fredonner un air de variété plus approprié à la jeune adolescente qu'elle était alors.

Rien ne laissait présager que la voiture allait entamer un dérapage incontrôlable et, pourtant, elle s'était brusquement mise à tournoyer, d'abord lentement, puis gagnant de la vitesse à mesure que les pneus glissaient un peu plus sur la neige mouillée. Foxy avait vu un tourbillon blanc, en même temps qu'elle avait entendu son père jurer tandis qu'il essayait vainement de rétablir la situation. Ses injures s'étaient perdues dans une secousse terrible et un bruit sinistre de tôle froissée.

Foxy avait senti la morsure de la neige sur son visage, une douleur fulgurante lui traverser le corps. Puis plus rien.

Lorsque, deux jours plus tard, elle avait enfin ouvert les yeux, Kirk était là, penché tendrement sur elle. Le premier mouvement de joie de la fillette avait bien vite été balayé par le mélange d'émotions qu'elle avait lu dans les yeux de son frère : lassitude, douleur, mais aussi résignation. Elle avait alors refermé les yeux, refusant de croire à la réalité. Tout doucement, Kirk s'était penché vers elle et lui avait murmuré :

— Nous serons toujours là l'un pour l'autre, Foxy. Et je vais m'occuper de toi.

Et il avait tenu sa promesse. A sa façon. Durant les quatre années qui avaient suivi le drame, Foxy avait été ballottée de circuit en circuit, subissant un programme scolaire qui l'assommait et que lui dispensaient des précepteurs recrutés au gré de leurs pérégrinations.

A un âge où l'on était censé apprendre l'algèbre et l'histoire, Cynthia Fox, elle, savait monter et démonter un moteur de voiture les yeux fermés, et grandissait tant bien que mal dans un monde exclusivement masculin, rythmé de vapeurs d'essence et de vrombissements d'engins de course.

Car Kirk Fox vouait sa vie à sa passion : la course automobile. Ce qui lui faisait parfois oublier jusqu'à l'existence de Foxy. Mais celle-ci l'acceptait, reconnaissante à son frère du sentiment de sécurité qu'il lui offrait malgré tout.

Plus tard, la découverte du monde universitaire fut un grand choc pour elle. Sa perception des choses et des gens s'élargit en même temps qu'elle découvrait les mesquineries de ses camarades de dortoir, et que sa personnalité s'affirmait. Elle comprit alors que le cercle élitiste des clubs et associations en tout genre n'était pas fait pour elle, et que l'éducation pour le moins laxiste qu'elle avait reçue avait fait d'elle une personne libre et indépendante, rebelle à toute forme d'autorité.

Dégingandée et timide lorsqu'elle avait intégré le campus, elle s'était peu à peu transformée en une séduisante jeune femme, mince et élancée, douée d'une grâce innée, et qui s'était découvert une passion pour la photographie. Elle avait passé les deux années suivantes à construire sa carrière, ne ménageant aucun effort pour parvenir au but qu'elle s'était fixé.

Aujourd'hui, à vingt-trois ans, elle considérait comme un cadeau tombé du ciel le contrat qu'elle venait de signer avec Pamela Anderson et qui lui permettrait de travailler tout en passant du temps avec son frère.

— J'imagine que tu seras choqué d'apprendre que je n'ai pas mis les mains dans le cambouis depuis deux ans, avoua-t-elle en donnant un dernier tour de clé.

— Et comment te débrouillais-tu lorsque tu avais un problème ? s'enquit Kirk en jetant un dernier coup d'œil sous le capot de la MG.

— Je la portais chez un garagiste, grommela la jeune femme. Comme tout le monde.

— Avec l'expérience que tu as ? Mais c'est un crime !

— Je n'avais pas le temps, figure-toi, se défendit Foxy. J'ai quand même changé moi-même les bougies et les vis platinées le mois dernier.

Kirk referma le capot et l'essuya à l'aide d'un chiffon doux.

— Cette voiture est une véritable pièce de collection. Tu ne devrais laisser à personne d'autre que toi le soin de la toucher.

— Je ne peux quand même pas…

Elle s'interrompit au bruit d'une voiture qui arrivait dans la cour et entendit Kirk saluer le nouvel arrivant.

— Hé, ce n'est pas un endroit pour un homme d'affaires comme toi !

— Que veux-tu, je tiens à vérifier mon investissement.

Les mains de Foxy se mirent à trembler, son cœur à battre plus fort.

Lance Matthews.

« Ne sois pas ridicule. Tu ne peux pas lui en vouloir encore, pas après six ans ! »

De son poste restreint d'observation elle ne voyait de lui que ses baskets avachies et le bas de son jean qui, tout comme celui de Kirk, était effrangé.

— Il faut toujours qu'il fasse du genre, grommela-t-elle à voix basse en réprimant un reniflement indigné.

Six ans ! Il était peut-être enfin devenu supportable aujourd'hui. Elle en doutait, pourtant.

— Je n'ai pas pu assister aux tours d'essai ce matin, lança-t-il. Alors, comment s'est comportée cette petite merveille ?

— Elle passe à plus de deux cents.

Un petit claquement sec suivi du bruit mousseux d'une canette de bière que l'on ouvrait et Kirk reprit :

— Charlie tient absolument à y faire quelques réglages supplémentaires mais elle est au top. Vraiment au top.

Au ton de sa voix, Foxy comprit que son frère avait déjà oublié sa présence. Ne comptaient plus désormais que son nouveau bolide et les courses qu'il allait disputer.

Elle distingua le bruit ténu d'une boîte que l'on refermait puis, quelques secondes après, reconnut la fumée caractéristique des cigarillos de Lance. Elle se frotta le nez, comme pour chasser les souvenirs liés à cette odeur.

— C'est ton nouveau jouet ? demanda Lance en se dirigeant vers la MG.

Foxy l'entendit soulever le capot.

— On dirait le jouet que tu as offert à ta sœur lorsqu'elle a décroché sa licence, ajouta-t-il. Qu'est-ce qu'elle devient au fait ? Elle s'amuse toujours avec ses appareils photo ?

Outrée, Foxy donna une impulsion à la planche à roulettes et jaillit de sa cachette.

— C'est effectivement le même *jouet*, riposta-t-elle froidement en se relevant. Quant à mes appareils photo, ce sont mes outils de travail.

A travers son indignation, Foxy nota que Lance Matthews était plus séduisant que jamais. Ces six années avaient creusé des rides sur son visage taillé à la serpe et pourtant il était toujours aussi beau. « Beau » n'était pas le terme exact, trop faible pour qualifier Lance Matthews. Ses cheveux, d'un noir de jais, retombaient en boucles indisciplinées sur son visage et dans son cou. Ses sourcils, parfaitement dessinés, accentuaient la couleur de ses yeux dont la teinte pouvait varier, selon son humeur, du gris anthracite à un gris plus doux. Ses traits aristocratiques se trouvaient renforcés par la légère cicatrice qui lui barrait le front. Il était plus grand que Kirk, plus musclé aussi, et doté d'une décontraction toute féline. Mais Foxy savait que sous cette apparente nonchalance se cachait une grande conscience professionnelle qui lui avait d'ailleurs valu d'être, à vingt ans, l'un des plus grands coureurs automobiles de son temps. On disait alors de lui qu'il avait la précision d'un chirurgien, l'instinct d'une bête sauvage et les nerfs du diable. A trente ans, et alors qu'il venait de remporter le titre de champion du monde, il avait brutalement mis un terme à sa carrière pour se lancer dans le design et le sponsoring.

Foxy s'attarda sur le sourire narquois qui flottait sur les lèvres de Lance et qui le caractérisait si bien.

— Ça, alors! Mais c'est notre petite Fox! s'exclama-t-il en fixant ostensiblement la tenue débraillée de la jeune femme. Tu n'as pas changé!

— Toi non plus, rétorqua-t-elle, furieuse de se sentir encore sous son charme. Dommage, d'ailleurs!

Elle avait soudain la désagréable impression de se retrouver dans la peau de l'adolescente timide et maladroite qu'elle était jadis. Mais elle reconnaissait qu'à cet instant elle n'était pas vraiment à son avantage. Son visage devait être couvert de cambouis, elle flottait littéralement dans la salopette prêtée par son frère, et tenait un crochet dégoulinant de graisse à la main. Il y avait mieux pour se sentir séduisante et en pleine possession de ses moyens.

— Je vois que ta langue est toujours aussi affûtée, railla Lance, son éternel sourire au coin des lèvres.

Le fait de retrouver la gamine mal embouchée qu'elle était six ans auparavant semblait manifestement beaucoup l'amuser.

— Je t'ai manqué? ajouta-t-il.

— Tu n'imagines même pas à quel point! ironisa à son tour Foxy en tendant le crochet à son frère.

— Toujours aussi peu de respect pour ses aînés, n'est-ce pas? fit remarquer Lance en s'adressant cette fois à Kirk.

Puis il braqua les yeux sur le visage maculé de la jeune femme et ajouta d'un air faussement distrait :

— Je t'embrasserais bien mais j'avoue que je n'aime pas particulièrement le goût de l'huile de moteur.

— Heureusement pour moi!

Du coin de l'œil, Kirk suivait le débat animé entre sa sœur et son ami, et se gardait bien d'intervenir.

— Dis-moi, Foxy, tu comptes t'exhiber dans cette tenue pendant toute la durée de la saison? plaisanta-t-il en allant reposer l'outil à sa place.

— La saison? s'étonna Lance en tirant lentement sur son cigare. Tu as l'intention de faire la saison avec nous, Fox? Sacrées vacances!

Foxy essuya lentement ses mains pleines de cambouis sur sa salopette et redressa les épaules.

— Je ne suis pas là en tant que groupie, figure-toi, mais en tant que photographe, lança-t-elle avec une pointe de fierté.

— Oui, renchérit Kirk. Foxy va travailler avec Pam Anderson, la journaliste. Je croyais te l'avoir dit.

— Je t'ai vaguement entendu parler d'elle, en effet, murmura Lance en détaillant longuement le visage de la jeune femme. Ainsi, reprit-il pensivement, tu vas renouer avec les circuits?

Foxy retrouva l'intensité troublante du regard de Lance, regard quelquefois si intense, se souvenait-elle, qu'elle en avait le souffle coupé. Elle n'était pourtant qu'une adolescente lorsqu'elle avait perçu pour la première fois l'incroyable sensualité qui se dégageait de l'ami de son frère. Mais si elle trouvait alors cette attirance fascinante, elle en connaissait aujourd'hui les dangers.

— Absolument! lança-t-elle d'un air de défi. Dommage que tu ne sois pas des nôtres!

— Eh bien, réjouis-toi, riposta Lance, je serai là. Kirk va piloter une voiture de ma création. Tu penses bien que je ne vais pas laisser passer une chance pareille de le voir gagner. J'imagine que je ferai la connaissance de Pamela Anderson à ta soirée, ajouta-t-il en se tournant vers Kirk.

Puis il porta de nouveau son attention sur Foxy et lui tapota gentiment la joue avant de tourner les talons et de se diriger vers la sortie.

— Surtout, ne te lave pas le visage! lança-t-il, narquois, en s'éloignant, je risquerais de ne pas te reconnaître. Et j'ai bien l'intention de t'inviter à danser, en souvenir du bon vieux temps!

— Tu peux compter là-dessus! lui cria Foxy qui regretta aussitôt son comportement puéril.

Elle jeta un coup d'œil à son frère.

— Le choix de tes amis me surprendra toujours, laissa-t-elle tomber en retirant sa salopette.

Kirk haussa les épaules et regarda Lance quitter le parking.

— Tu ferais mieux d'aller tester ta voiture avant de rentrer à la maison. Elle pourrait avoir besoin d'un petit réglage.

Foxy poussa un profond soupir.

— Tu as raison, j'y vais.

Foxy choisit pour la soirée une robe longue, lavande et verte, dont le crêpe de Chine était aussi fin que du papier de soie. C'était une robe romantique mais sexy, dont le drapé fluide laissait deviner le galbe parfait de ses jambes. La jeune femme songea avec satisfaction que Lance Matthews en serait pour ses frais : Cynthia Fox n'était plus l'adolescente garçon manqué qu'il avait connue. Elle accrocha deux anneaux d'or à ses oreilles et alla se planter devant le miroir pour juger de l'effet obtenu.

Elle détailla sans complaisance la masse épaisse de ses boucles fauves cascadant sur ses épaules, son visage racé aux pommettes hautes, ses yeux verts en amande. Quelque chose de sauvage et de sensuel émanait de cette beauté singulière. Ses traits fins, son teint diaphane lui donnaient l'apparence d'une fragilité que démentaient le feu de sa chevelure et la droiture de son regard. En observant son reflet dans le miroir, la jeune femme eut le sentiment que cette soirée serait celle de tous les défis.

Elle était en train d'enfiler ses chaussures, lorsque quelqu'un frappa à la porte.

— Foxy, je peux entrer ? demanda Pam Anderson en entrebâillant la porte.

Elle n'attendit pas d'y avoir été invitée pour s'avancer dans la pièce.

— Oh ! s'exclama-t-elle en découvrant son amie. Tu es magnifique !

Foxy se retourna, sourire aux lèvres.

— Toi aussi.

En effet, la robe en mousseline de soie bleu pâle que portait Pam seyait à merveille à ses allures de poupée délicate. Une fois encore, Foxy se demanda comment cette petite beauté blonde avait pu asseoir avec autant de succès sa carrière de journaliste free lance. Par quel miracle parvenait-on à décrocher des interviews d'une telle profondeur lorsque l'on affichait, comme elle, des airs d'orchidée fragile?

— N'est-ce pas merveilleux de démarrer un nouveau contrat par une soirée? dit Pam en regardant la jeune femme brosser énergiquement ses cheveux. La maison de ton frère est vraiment charmante, Foxy. Et ma chambre, parfaite.

— En fait, c'est la maison de notre enfance, précisa Foxy en s'enveloppant d'un nuage de parfum. Kirk en a fait son camp de base. Elle est si proche du circuit d'Indianapolis!

— En tout cas je trouve ton frère très sympathique. Et très généreux de m'héberger jusqu'à ce que nous attaquions les circuits.

Foxy éclata de rire et s'approcha un peu plus près du miroir pour passer un bâton de rouge sur ses lèvres.

— C'est vrai, Kirk est sympathique... lorsqu'il daigne s'intéresser à autre chose qu'à ses courses. Mais tu auras très vite l'occasion de t'en rendre compte par toi-même.

Elle regarda attentivement sa bouche puis, satisfaite, referma le tube.

— Pam..., commença-t-elle en croisant dans le miroir le regard de son amie, puisque nous allons vivre ensemble pas mal de temps, autant que tu saches comment fonctionne Kirk. Il est...

Elle soupira, cherchant ses mots.

— Comment dire? En fait, pas si sympathique que ça. Parfois même, il peut se révéler odieux. La course automobile est toute sa vie, et il a une fâcheuse tendance à croire que, comme les voitures qu'il pilote, les gens sont des machines sans cœur et insensibles.

— Tu l'aimes beaucoup, n'est-ce pas?

— Plus que tout, assura Foxy en se tournant vers elle. Et encore davantage depuis que j'ai découvert en lui de grandes qualités humaines. Kirk n'était pas obligé de se charger de mon éducation lorsque nous avons perdu nos parents ; j'ai réalisé cela lorsque j'étais étudiante. Il aurait pu me placer dans un foyer d'accueil, et personne n'aurait trouvé à le blâmer. En fait...

La jeune femme s'interrompit pour rejeter ses cheveux en arrière puis elle alla s'appuyer contre la commode, bras fermement croisés sur sa poitrine.

— En fait c'est le contraire qui s'est produit. Certains l'ont critiqué de ne pas le faire. Mais lui s'en fichait. Il a fait le choix de me garder avec lui et c'était exactement ce dont j'avais besoin. Et cela, tu vois, je ne l'oublierai jamais. Et j'espère qu'un jour je pourrai lui rendre au centuple ce qu'il m'a donné.

Foxy se redressa, la voix soudain enrouée d'émotion.

— Je crois qu'il est temps que je descende vérifier que tout est prêt. Les invités ne vont plus tarder maintenant.

— Je viens avec toi, déclara Pam en lui emboîtant le pas. Mais parle-moi un peu de ce Lance Matthews qui va nous suivre sur la tournée. Si mes sources sont exactes, c'est un ancien champion automobile, aujourd'hui à la tête des Entreprises Matthews dont l'activité principale consiste à créer de nouveaux modèles de formule 1. C'est d'ailleurs lui qui a conçu celle que pilotera ton frère cette saison. En outre, il est...

Pam esquissa une petite moue, cherchant ce qu'elle pourrait bien ajouter.

— ... il est issu d'une des plus anciennes familles de la côte Est, Boston je crois, qui a fait fortune dans le transport de marchandises. Ils sont outrageusement riches.

— Ce que je pourrais rajouter te donnerait des cauchemars, affirma Foxy en se dirigeant vers la salle à manger.

— Aurais-tu une dent contre Lance Matthews, par hasard ?

— Plus que ça, même, éluda Foxy qui se mit à inspecter attentivement le buffet dressé au milieu de la pièce.

Elle jugea parfait le choix des plats de bois laqué qui

contrastaient merveilleusement avec l'indigo de la nappe, ainsi que celui du centre de table en faïence émaillée débordant de tulipes et de branches de cornouillers. Un dernier coup d'œil aux imposants chandeliers en argent lui confirma que le traiteur connaissait bien son métier et avait respecté l'élégance décontractée exigée par son client.

— Ce buffet me semble parfait, conclut-elle.

L'arrivée du traiteur, déboulant de la cuisine, la retint de tremper les doigts dans un bol de caviar. L'homme se dirigea vers les deux femmes à petits pas précipités.

— Vous êtes en avance ! leur reprocha-t-il en s'interposant entre Foxy et le caviar. Les premiers invités ne sont attendus que d'ici à quinze minutes.

Foxy lui adressa un sourire enjôleur.

— Je suis Cynthia Fox, annonça-t-elle, la sœur de M. Fox. Puis-je vous aider ?

— M'aider ? Grands dieux, certainement pas ! s'écria-t-il en accompagnant ses dires d'un geste de la main qui rabaissait les deux amies au rang d'intruses indésirables. Surtout, ne touchez à rien ! Vous risqueriez de rompre l'équilibre de la mise en place.

— C'est magnifique ! le complimenta Pam en pressant discrètement le bras de Foxy. Viens, Foxy, allons prendre un verre en attendant que les invités arrivent.

— Sale bonhomme prétentieux !, grommela Foxy en suivant Pam dans le salon.

— Ne sois pas si dure. Toi-même, tu ne laisserais personne régler tes appareils photo à ta place, n'est-ce pas ? demanda Pam en se laissant tomber dans un fauteuil.

Foxy se mit à rire.

— Touché ! Eh bien, dit-elle après avoir passé le bar en revue, il y a là de quoi abreuver une armée entière pendant toute une année !

— Si tu tombes sur une bouteille de sherry, j'en prendrais bien un petit verre. Tu m'accompagnes ?

— Surtout pas! répondit Foxy en farfouillant parmi les innombrables bouteilles. Boire me rend un peu trop honnête. J'en arrive même à oublier la règle d'or de la bienséance : tact et diplomatie. Tu connais la rédactrice en chef du magazine *Mariages*, Joyce Canfield?

— Oui.

— Je l'ai rencontrée à un cocktail il y a quelques mois. J'avais fait des photos pour eux. Lorsqu'elle m'a demandé ce que je pensais de sa robe, je l'ai regardée d'un œil vitreux par-dessus mon deuxième verre de Margarita et je lui ai dit qu'elle devrait éviter le jaune qui lui donnait l'air d'un citron.

Foxy traversa la pièce et tendit à Pam le verre qu'elle lui avait demandé.

— Inutile de te dire que, depuis, ils ne font plus appel à mes services, conclut-elle avec une grimace comique.

Pam laissa échapper un petit rire cristallin et se mit à siroter son sherry.

— J'essaierai de me souvenir de ne pas te poser de questions délicates lorsque tu as un verre d'alcool à la main.

Elle regarda son amie caresser la surface lisse d'une table.

— Quel effet cela fait-il de se retrouver chez soi? s'enquit-elle.

Une ombre voila le regard clair de Foxy.

— Des souvenirs que l'on croyait enfouis remontent à la surface. C'est curieux, je n'avais jamais repensé à ma vie ici, mais là, tout à coup...

Elle s'approcha doucement de la fenêtre et écarta les rideaux de toile ivoire. Le soleil couchant embrasait le ciel de ses feux rouge et or.

— Finalement, reprit-elle, c'est le seul endroit que je pourrais véritablement qualifier de foyer. A New York, ce n'est pas la même chose. Depuis la mort de mes parents j'ai toujours beaucoup voyagé, d'abord avec Kirk, puis pour mon travail. Et je viens juste de réaliser, en retrouvant cette maison, à quel point ma vie a toujours manqué de racines.

— Est-ce si important pour toi?

— Je ne sais pas.

Elle se tourna vers Pam, lui offrant un visage perplexe.

— Je ne sais pas, répéta-t-elle. Peut-être. A vrai dire, tout cela reste assez confus.

— Que veux-tu dire?

Foxy sursauta au bruit d'une porte que l'on ouvrait.

Kirk se tenait sur le seuil, les mains fourrées dans les poches de son pantalon, son éternel sourire aux lèvres.

Foxy le gratifia d'un regard approbateur avant de le rejoindre.

— Dis donc, mais c'est de la soie? remarqua-t-elle en touchant le col de sa chemise pour s'en assurer. Aurais-tu décidé de renoncer à plonger les mains dans le cambouis ce soir?

Kirk répondit à l'ironie de sa sœur en tirant sur une mèche de ses cheveux. Puis il plaqua sur sa joue un baiser sonore.

— Je vais te préparer un verre, lui proposa la jeune femme en se dirigeant vers le bar, parce que figure-toi que nous sommes consignés ici pour… encore deux minutes et demie. Zut! il n'y a plus de glace.

Elle referma le couvercle du bac à glace et haussa les épaules.

— Tant pis, je vais devoir affronter les foudres du traiteur. Pam boit du sherry, lança-t-elle par-dessus son épaule en quittant la pièce.

— Je vous ressers? s'enquit Kirk qui sembla enfin remarquer la présence de la jeune femme.

— Non merci, répondit cette dernière en portant le verre à ses lèvres. Je n'ai pas encore eu l'occasion de vous remercier de bien vouloir m'héberger. Vous n'imaginez pas à quel point cela me fait plaisir de rester là, parmi vous.

— Je sais ce que c'est de passer ses nuits à l'hôtel.

Kirk lui sourit et alla s'asseoir en face d'elle. C'était la première fois, depuis la veille, qu'ils se retrouvaient en tête à tête. Il prit une cigarette et l'alluma. Durant quelques secondes, il étudia ostensiblement la jeune femme.

Elle n'avait rien des groupies écervelées qui passaient leur vie à hanter les circuits, constata-t-il.

Ses yeux s'attardèrent sur la bouche sensuelle, délicatement rosée. « Belle et désirable », jugea-t-il en connaisseur.

— Foxy m'a si souvent parlé de vous que j'ai l'impression de vous connaître, lança Pam qui se reprocha aussitôt la platitude de ses propos. J'ai vraiment hâte d'assister à la course.

— Pourtant, répliqua Kirk en se renversant sur son siège, vous n'avez pas le physique de l'emploi.

— Vraiment ? rétorqua Pam en recouvrant sa belle assurance. Et de quoi ai-je donc le physique ?

Kirk laissa échapper quelques ronds de fumée, souriant à demi.

— Plutôt le genre qui s'intéresse à la musique classique tout en sirotant du champagne.

Pam fit négligemment tourner son verre entre ses mains avant de lever les yeux sur Kirk.

— Cela m'arrive aussi, reconnut-elle en l'épinglant du regard. Mais en tant que journaliste, je m'intéresse à pas mal d'autres choses. J'espère donc que vous saurez vous montrer coopératif et que vous répondrez sincèrement à mes questions.

Un petit sourire moqueur souleva les extrémités effilées de la moustache de Kirk. Il se demanda si la peau de la jeune femme était aussi douce qu'elle en avait l'air, si ses cheveux soyeux couleraient entre ses doigts… La sonnerie de la porte d'entrée annonçant l'arrivée des premiers invités le détourna de ses pensées. Il se leva, prit le verre des mains de Pamela, et l'aida à se lever à son tour.

— Etes-vous mariée ?

— Non, répondit Pam en fronçant les sourcils.

— Parfait ! Je n'aime pas coucher avec des femmes mariées.

La désinvolture de sa remarque prit la jeune femme de court. Mais, très vite, la colère l'assaillit, empourprant violemment son teint de porcelaine.

— Espèce de présomptueux…

Kirk ne lui laissa pas le temps d'achever.

— Ecoutez-moi bien, la prévint-il le plus sérieusement du

monde. Nous allons coucher ensemble, et cela même avant la fin de la saison.

— Seriez-vous profondément choqué si je déclinais votre *généreuse invitation* ? rétorqua-t-elle sur le ton glacial et teinté d'une pointe de condescendance que seuls peuvent avoir les gens du Sud.

— Non. Pas le moins du monde. Ce serait dommage, voilà tout, conclut Kirk en haussant négligemment les épaules.

La sonnette retentit pour la deuxième fois.

— Ils insistent, dit-il en prenant la jeune femme par la main. Nous devrions y aller.

2

Au cours de l'heure qui suivit, la maison ne cessa de se remplir d'invités qui, peu à peu, finirent par envahir le patio fleuri, portés par les conversations animées et les éclats de rire.

Tous les gens présents ce soir-là étaient liés par une passion commune, celle de la course automobile. Il y avait des pilotes, certains accompagnés de leur épouse, d'autres seuls, ainsi que des fans privilégiés.

Foxy allait de groupe en groupe, assurant de façon officieuse le rôle de maîtresse de maison. La belle ordonnance du buffet avait vite été anéantie, et plateaux et saladiers s'étaient retrouvés, en moins de temps qu'il n'en faut pour le dire, éparpillés un peu partout.

Heureuse de voir autant de bonne humeur autour d'elle, la jeune femme alla ouvrir à un retardataire. Son sourire se figea instantanément sur ses lèvres. Elle nota néanmoins avec une certaine satisfaction le regard qui la détaillait sans vergogne et qui donnait à Lance l'air d'un chasseur sur le point de fondre sur sa proie. Elle releva crânement le menton, redressa les épaules et jaugea le nouvel arrivant à son tour. Comme toujours, il affichait ce calme souverain qui avait le don de l'agacer prodigieusement, et soutint le regard de la jeune femme, non sans une certaine arrogance.

— Il semblerait que je me sois trompé, murmura-t-il, comme pour lui-même.

— Trompé ? répéta Foxy en résistant à l'envie de lui claquer la porte au nez.

249

— Oui. En fin de compte, tu as changé.

Il prit les mains de la jeune femme entre les siennes et la fit tourner sur elle-même, détaillant avec ostentation sa silhouette harmonieuse.

— Tu es toujours aussi ridiculement mince, jugea-t-il, cependant le temps a bien fait les choses. Tu as des rondeurs bien placées.

Foxy se mit à trembler d'indignation. Furieuse, elle tenta de dégager ses mains.

— Si tu t'imaginais me faire un compliment, c'est raté. Et s'il te plaît, Lance, lâche-moi !

— Mais bien sûr, acquiesça-t-il en poursuivant néanmoins son inspection. Dans une minute. Je me suis toujours demandé comment ce charmant petit minois allait évoluer. Et je dois avouer que je ne suis pas déçu.

— Je suis étonnée que tu te souviennes à quoi je ressemblais.

Résignée à attendre que Lance veuille bien relâcher son étreinte, Foxy cessa de s'agiter inutilement. Elle scruta son visage à la recherche du moindre défaut qui aurait pu s'accentuer au cours des six dernières années. En vain.

— Toi, en revanche, tu n'as pas changé du tout, ajouta-t-elle.

— Merci, dit-il sobrement.

— Inutile de me remercier, lâcha-t-elle. Ce n'était pas un compliment.

Les mains de Lance glissèrent sur la taille de la jeune femme et il l'entraîna, ainsi enlacée, vers la salle à manger.

Contre toute attente, elle ne tenta pas de résister à cette marque de familiarité qui l'amusait plus qu'elle ne la dérangeait. Elle avait toujours si facilement succombé au charme de Lance !

Elle s'écarta néanmoins fermement de lui tandis qu'ils pénétraient dans la salle de réception.

— J'imagine que tu connais tout le monde, affirma-t-elle en embrassant la pièce d'un geste de la main. Je te laisse, tu sais où se trouve le bar.

— Je crois aussi me souvenir que tu n'as pas toujours été

aussi désagréable avec moi, murmura Lance en fixant sur elle un regard pénétrant.

— Eh bien tu vois, il m'a fallu du temps mais j'y suis arrivée.

— Lance, mon chou ! s'exclama Honey Blackwell en se précipitant vers eux.

Honey Blackwell était une petite blond platine dont les courbes provocantes ne laissaient pas les hommes indifférents. Riche et oisive, elle était dans l'esprit de Foxy l'incarnation même de la groupie idiote. Elle la regarda passer les bras autour du cou de Lance et l'embrasser avec effusion, tandis que celui-ci plaquait ses mains sur ses hanches généreuses.

— Je vous laisse, je vois que vous vous connaissez, jeta-t-elle avec humeur.

Elle s'approchait d'un groupe d'invités lorsqu'une main se posant sur son bras la fit sursauter.

— J'attendais le moment propice pour me présenter. Je suis Scott Newman.

— Enchantée, je suis Cynthia Fox, se présenta à son tour la jeune femme en prenant la main tendue.

— Je sais. Vous êtes la sœur de Kirk.

Foxy sourit au jeune homme, détaillant au passage les yeux d'un brun velouté, le nez droit, la bouche finement ourlée dans un visage discrètement hâlé. Ses cheveux châtains, qu'il portait mi-longs, balayaient le col d'un costume trois pièces impeccablement coupé. Le type parfait du jeune cadre supérieur.

— Nous allons être amenés à nous croiser souvent au cours des prochains mois, lui assura-t-il.

— Vraiment ? lança-t-elle distraitement en s'effaçant pour laisser le passage à un serveur portant un plateau débordant de petits-fours.

— Je suis le manager de Kirk, précisa Scott. En gros, c'est moi qui veille à l'organisation et au bon déroulement des courses.

— Je vois. Mais vous savez, je me suis tenue à l'écart des circuits pendant quelques années.

Tout en parlant, Foxy reporta son attention sur son frère

qui, une brunette piquante accrochée au bras, subjuguait une grappe de fans suspendus à ses lèvres.

« Mon frère est une comète, songea-t-elle avec amour. Une comète éblouissante. »

— A l'époque où je suivais les courses, reprit-elle, un vague sourire aux lèvres, il n'y avait pas encore de manager.

Elle se remémora, un bref instant les nuits où, ivre de fatigue, elle s'écroulait sur la banquette arrière d'une voiture, dans des vapeurs d'essence et de tabac froid. Ou celles, plus fastes, où elle pouvait se payer le luxe d'une toile de tente sur un bout de terrain à proximité du circuit.

— En effet, il y a eu quelques changements depuis, lui expliqua Scott. Surtout à partir du moment où Kirk a commencé à remporter des courses importantes et où il a bénéficié du soutien financier de Lance Matthews. Sa carrière a alors sacrément décollé !

— L'argent, toujours l'argent, n'est-ce pas ? dit Foxy en riant.

Mais la pointe de sarcasme dont elle avait émaillé sa question échappa totalement à Scott.

— Vous n'avez rien à boire, remarqua-t-il. Venez, nous allons remédier à cela.

Foxy passa son bras sous celui de Scott et se laissa guider vers le bar.

— Que voulez-vous ? s'enquit Scott.

Le regard de Foxy passa de son chevalier servant au serveur grisonnant qui officiait derrière le bar.

— Un Margarita.

Un rayon de lune filtrait à travers les jeunes pousses des arbres. Les fleurs à peine écloses, porteuses des promesses d'un été tout proche, exhalaient leur parfum subtil dans la nuit tiède.

Foxy inspira profondément et se laissa aller contre les coussins profonds de la balancelle, écoutant distraitement la rumeur assourdie qui lui parvenait de la maison. Elle avait éprouvé le besoin d'échapper au brouhaha ambiant ainsi qu'à l'atmosphère enfumée pour savourer quelques instants de solitude. Elle prit une nouvelle bouffée d'air pur et, poussant sur ses pieds, fit balancer son siège.

Elle repensa à Scott. Il avait beau être séduisant, courtois et intelligent, elle le trouvait ordinaire. Elle se renversa en arrière et regarda les nuages moutonneux éclipser paresseusement la lune. L'espace de quelques secondes, la clarté faiblit pour disparaître tout à fait.

— Te voilà encore en train de critiquer, murmura-t-elle. Faut-il qu'un homme danse sur les mains pour que tu t'intéresses à lui? Qu'est-ce que tu attends? Un chevalier sur son fier destrier?

Elle fronça les sourcils, rejetant cette éventualité en souriant.

— Non, les chevaliers sont trop parfaits. Tu sais bien que tu préfères les hommes un peu moins lisses, capables de te faire rire et pleurer ou même de provoquer ta colère. Ceux qui te font battre le cœur dès qu'ils posent la main sur toi.

Elle se mit à rire doucement, se demandant si elle trouverait un jour une perle aussi rare. Elle rejeta la tête en arrière et croisa les jambes, attentive au doux bruissement de la crêpe de Chine sur ses cuisses.

— Je veux du mystère. Un homme à la fois tendre et sauvage. Mais fort aussi, intelligent, bien sûr, et pourvu d'un brin de fantaisie.

Elle interrompit son inventaire pour fixer les étoiles qui scintillaient entre les nuages mouvants.

— Voyons, sur quelle étoile vais-je faire un vœu? lança-t-elle d'une voix plus forte.

— En principe on choisit la plus brillante, lui répondit la voix chaude de Lance.

Foxy sursauta et plissa les yeux dans l'espoir de percer la semi-obscurité. Elle devina plutôt qu'elle ne la vit sa silhouette élancée se diriger vers elle avec la grâce et la souplesse d'un félin. L'espace de quelques secondes, le jardin prit l'aspect d'une jungle effrayante.

La belle voix grave de Lance vibra étrangement dans le silence paisible de la nuit.

— Quel vœu as-tu fait? demanda-t-il.

Foxy réalisa soudain qu'elle retenait son souffle. Elle s'exhorta au calme, cherchant à se persuader que ce petit frisson qui la parcourait n'était dû qu'à la surprise d'avoir vu Lance apparaître brusquement.

— Des bêtises, éluda-t-elle sur un ton qu'elle voulait désinvolte. Que fais-tu ici? Tu étais pourtant aux mains d'une belle blonde pulpeuse.

Lance donna une légère impulsion à la balancelle.

— J'avais besoin d'air frais. Et de tranquillité, ajouta-t-il en regardant ostensiblement la jeune femme.

Foxy haussa les épaules et ferma les yeux, comme pour chasser la présence de l'homme qui se tenait près d'elle.

— Tu as réussi à te tirer des griffes de Miss Gros-Seins? railla-t-elle.

— Pourquoi es-tu aussi vindicative avec moi, Foxy? murmura-t-il.

La jeune femme ouvrit les yeux. Il avait raison. Elle n'avait pas cessé de l'agresser depuis l'instant où ils s'étaient revus. Pourtant, ce n'était pas dans son caractère.

— Je suis désolée, Lance. Assieds-toi. Je te promets de bien me tenir.

Sans se faire prier, Lance se laissa tomber à côté d'elle.

Elle se raidit légèrement.

— Je ne déteste pas me mesurer à toi, admit-il humblement, mais j'avoue qu'une trêve serait la bienvenue.

Il sortit un briquet de sa poche et alluma le bout d'un long cigare fin.

Foxy regarda la petite flamme vaciller un instant avant de s'éteindre. Elle commençait enfin à se détendre.

— Voyons un peu si nous pouvons nous comporter en gens

civilisés durant quelques minutes, suggéra-t-elle gaiement. De quoi pourrions-nous parler ? Du temps ? Du dernier prix Goncourt ou du régime politique en Roumanie, peut-être ? J'ai trouvé ! Quel effet cela fait-il de concevoir des voitures plutôt que de les conduire ? Mets-tu plus d'espoir dans la voiture que tu as dessinée pour le Grand Prix d'Indianapolis ou dans la formule 1 conçue pour les autres courses ?

— Je vois que tu t'intéresses toujours de près à ce sport.

— Si je ne me tenais pas au courant de ce qui se passe sur les circuits, Kirk ne me le pardonnerait pas, répondit Foxy en riant.

— Ton rire non plus n'a pas changé. Quand tu avais quinze ans déjà, il était le plus sexy que j'aie jamais entendu. Pareil à une bulle éclatant dans le brouillard.

Lance exhala un mince filet de fumée et posa un long regard sur les reflets cuivrés que le clair de lune allumait dans la chevelure de Foxy.

— J'ai appris que le siège social de ta société était à Boston, reprit Foxy, mal à l'aise. Je suppose que tu vis là-bas maintenant.

Sa tentative désespérée pour abandonner un sujet qu'elle jugeait épineux amena un petit sourire moqueur sur les lèvres de Lance.

— La plupart du temps, répondit-il en allongeant négligemment le bras derrière elle. Tu connais ?

Foxy, bercée par le doux va-et-vient de la balancelle, ne prêta qu'une vague attention au geste de Lance.

— Non, mais j'adorerais y aller. Il paraît que c'est une ville tout en contrastes. J'ai pu m'en rendre compte sur des photos. Ce mélange de verre et d'acier, de minéral et de végétal, c'est assez étonnant.

— A ce propos, j'ai vu un de tes clichés il n'y a pas très longtemps.

Sous le coup de la surprise, Foxy se tourna vers Lance. Leurs deux visages étaient si proches qu'elle pouvait sentir son souffle tiède sur sa peau. Elle s'écarta légèrement de lui, repoussant vivement l'image de ses lèvres sur les siennes.

— C'est une photo que tu as prise en hiver, mais il n'y avait pas de neige, poursuivit-il. Juste des arbres nus saupoudrés d'une fine couche de givre. Un homme, emmitouflé dans un vieux manteau blanc et noir, semblait dormir sur un banc. Un rayon de soleil filtrant entre les branches des arbres caressait son visage. Il émanait de cette photo quelque chose d'incroyablement beau et triste.

Foxy écoutait parler Lance, perplexe. Elle ne l'aurait jamais cru sensible à son art. Alors qu'ils étaient assis côte à côte dans le silence de la nuit, la jeune femme sentit quelque chose d'indéfinissable passer entre eux. Pourtant, elle ne savait si elle devait y résister ou l'encourager. Les yeux toujours rivés sur Foxy, Lance se mit à jouer négligemment avec une mèche de ses cheveux.

— J'ai été très impressionné lorsque j'ai vu ton nom au bas de cette photo. Je n'arrivais pas à croire que cela pouvait être toi. La Cynthia Fox que je connaissais ne pouvait pas être cette professionnelle, capable d'une telle subtilité, d'une telle profondeur. Pour moi, tu n'étais encore qu'une adolescente mal embouchée, celle que j'avais toujours connue.

Le cœur battant, Foxy le regarda jeter au loin le reste de son cigare.

— Quoi qu'il en soit, poursuivit-il, j'ai tenu à vérifier, et lorsque j'ai eu la confirmation qu'il s'agissait bien de toi, j'ai été doublement impressionné.

Il s'interrompit un instant.

— De toute évidence, tu es faite pour ce métier, conclut-il.

— Ce métier qui consiste à *jouer* avec mes appareils photo ? lança-t-elle, un brin narquoise.

Elle lui sourit, se sentant soudain d'humeur légère.

— J'ai toujours pensé que l'on pouvait prendre du plaisir à travailler, lui répondit-il en souriant. Je ne fais rien de plus, moi non plus, que de jouer avec des voitures.

— Mais toi, tu peux te le permettre.

Sans qu'elle en soit consciente, sa voix s'était légèrement durcie.

Un silence gêné s'installa entre eux.

— Tu ne me pardonneras jamais le fait d'être né riche, n'est-ce pas ? laissa-t-il tomber, l'air grave.

— Tu as raison, reconnut-elle. Je déteste la richesse ostentatoire.

Contre toute attente, Lance éclata de rire et tira un peu plus sur les cheveux de la jeune femme, la forçant à soutenir son regard.

— Les vieilles fortunes, celles qui se transmettent de génération en génération, ne sont *jamais* ostentatoires, précisa-t-il. Elles savent se montrer discrètes. C'est ce qui fait leur force.

— Financièrement, je ne vois pas la différence avec les parvenus.

— Eh bien, précisa Lance que l'obstination de la jeune femme amusait, il faut au moins trois générations pour en arriver là. En dessous, toute richesse est considérée comme suspecte aux yeux de la bonne société de Boston. Sais-tu, Fox, ajouta-t-il à brûle-pourpoint, que je préfère cent fois le parfum que tu portes ce soir à l'odeur d'essence que tu dégageais habituellement ?

— Merci, répondit Foxy en se levant. Je dois aller retrouver nos invités. Tu viens ?

— Pas tout de suite.

Il lui prit la main et l'attira vivement vers lui, jusqu'à ce que, en déséquilibre, elle se laisse tomber sur ses genoux.

— Lance ! s'écria-t-elle en riant.

Elle tenta de le repousser et de se relever, mais l'étreinte se resserra un peu plus autour de sa taille.

— Je crois que j'ai oublié de t'embrasser, murmura-t-il sans la quitter des yeux.

Le sourire de Foxy mourut sur ses lèvres. Le jeu devenait trop dangereux. Elle voulut, une nouvelle fois, s'écarter de lui, mais la pression de ses mains se fit plus puissante. Elle n'eut que le temps de bredouiller un faible « non » avant que Lance emprisonne ses lèvres d'un baiser.

Foxy sentit sous les siennes les lèvres de Lance s'étirer en un sourire satisfait. La raison lui commandait de lutter, de protester, mais elle se sentait fondre au contact de cette bouche chaude et ferme sur la sienne. L'espace d'un instant, elle eut l'impression que son cœur allait flancher, que ses poumons allaient éclater, puis, comme par miracle, le sang se remit à affluer dans ses veines. Elle n'aurait su dire qui alors, de lui ou d'elle, prit l'initiative d'approfondir leur baiser. Elle sentait sur elle les mains de Lance aller et venir impatiemment sur le tissu de sa robe, aussi légères que l'air qu'ils respiraient. Elle plaqua contre son torse brûlant ses seins tendus de désir et se mit à lui mordiller les lèvres, attisant ainsi le feu qui les consumait. Poupée de chiffon haletante, elle laissa échapper un petit gémissement de plaisir.

Leurs yeux, rivés dans la même quête du plaisir, étaient de la même nuance. Foxy noua ses bras autour du cou de Lance et se grisa de l'odeur animale qui émanait de lui. Elle ne voyait rien, n'entendait rien, juste consciente des mains de Lance qui modelaient ses hanches.

Perchée sur un arbre voisin, une chouette se mit à hululer, rompant la magie de l'instant. Foxy reprit instantanément ses esprits et bondit sur ses pieds. Elle lissa distraitement des plis imaginaires sur sa robe en évitant soigneusement le regard de Lance.

— Tu n'aurais pas dû faire ça, lui dit-elle sur un ton de reproche.

Lance se leva à son tour.

— Pourquoi ? demanda-t-il d'un ton égal. Tu es une grande fille, non ? En outre, j'ai eu l'impression que tu appréciais ce baiser autant que moi, alors inutile de jouer les vierges effarouchées.

— Je ne joue pas les vierges effarouchées ! se défendit

vivement Foxy, vexée. Et que j'aie apprécié ou pas ce baiser, là n'est pas le problème !

Elle s'interrompit, consciente de donner raison à Lance. Il fallait à tout prix qu'elle se tire de ce mauvais pas avec un minimum de dignité.

— Et où est-il le problème, Fox ? questionna ce dernier d'une voix teintée d'irritation.

— Le problème, siffla la jeune femme entre ses dents, c'est que je t'interdis de recommencer !

— Tu *m'interdis* ? Tu me donnes des ordres maintenant ?

Foxy pesa soigneusement ses mots avant de rétorquer :

— Je ne suis pas une marchandise dont tu peux disposer à ton gré, Lance. Si j'ai cédé, c'est parce que j'avais bêtement baissé ma garde. Sans doute aussi parce que j'étais fatiguée. Et puis peut-être aussi par curiosité.

— Par curiosité ? répéta Lance en éclatant de rire. Eh bien j'espère l'avoir satisfaite ta *curiosité* ! Peut-être même, comme dans *Alice au pays des merveilles*, auras-tu envie d'aller toujours plus loin !

— Tu es vraiment impossible ! s'écria la jeune femme, furieuse contre elle-même.

Elle lui tourna le dos et s'enfuit en courant retrouver la chaleur rassurante de la maison.

3

La course d'Indianapolis est un tel événement dans le milieu du sport automobile que la petite ville paisible du Middle West où elle se déroule se trouve soudain hissée, l'espace de quelques jours, au rang de capitale nationale. Car s'il est un championnat que les amateurs de grands frissons ne rateraient pour rien au monde, c'est bien celui-ci.

En effet, les championnats d'Indianapolis sont au sport automobile ce que Wimbledon est au tennis, ou le Derby d'Epsom aux courses hippiques.

Foxy contempla avec soulagement le ciel vierge de tout nuage. Pas la moindre traînée brumeuse, annonciatrice de pluie. Une petite brise fit voleter le ruban en satin qui retenait ses cheveux en queue-de-cheval. Elle avait revêtu pour la circonstance son vieux jean préféré, usé aux genoux, et une chemise de base-ball rayée rouge et blanc. Autour du cou, le Nikon d'occasion qu'elle s'était offert alors qu'elle n'était encore qu'une étudiante sans le sou, et auquel elle tenait comme à la prunelle de ses yeux.

De l'endroit stratégique où elle se trouvait, elle constata que les tribunes d'honneur étaient encore vides. Journalistes, cameramen, pilotes, mécaniciens, tout ce petit monde papotait autour des stands, une tasse de café fumant à la main. Tous tentaient, par leurs bavardages, de dissiper l'extrême tension qui régnait un peu partout. Dans moins de deux heures, les gradins bourdonneraient de spectateurs. Et lorsque le drapeau vert donnerait le signal du départ, plus de quatre mille personnes, unies par la même passion, seraient là pour assister à l'une des courses automobiles les plus prestigieuses du monde.

Durant quatre heures, le circuit vibrerait du bruit incessant des moteurs, et des milliers de paires d'yeux resteraient rivés sur les bolides effectuant sans relâche les trois kilomètres de la boucle infernale.

Foxy, elle, ressentait un mélange complexe d'émotions. Cela faisait maintenant deux ans qu'elle n'avait pas assisté à une course, et six qu'elle n'avait pas foulé le périmètre d'un circuit. Pourtant elle retrouvait, intacte, l'exaltation teintée de nervosité des premiers jours. Bien sûr elle s'émerveillait des talents de pilote de son frère, mais éprouvait depuis toujours, tapie en elle, une terreur insupportable qui trouvait ses racines dans le traumatisme de la mort brutale de ses parents. Elle savait bien que, dès que les voitures s'élanceraient sur le circuit, cette panique l'enserrerait à l'étouffer, prête à éclater à n'importe quel moment.

Elle connaissait par cœur les ficelles du métier. Elle savait, par exemple, que certains pilotes accordaient des interviews en affichant une décontraction qu'ils étaient loin de ressentir et que d'autres, comme Kirk, masquaient leur extrême nervosité sous une apparente arrogance. Pour Kirk, chaque course était semblable à la précédente et cependant toujours différente. Semblable, car il partait toujours gagnant ; différente, car les obstacles rencontrés n'étaient jamais les mêmes.

Foxy savait qu'après les interviews son frère disparaîtrait pour s'isoler, jusqu'au moment où il se glisserait dans le cockpit de son bolide. Dans ces moments-là, Foxy se faisait discrète.

— Qu'est-ce que tu fais à fouiner partout avec ce machin autour du cou ?

Foxy reconnut tout de suite la voix grincheuse, mais elle prit le temps d'achever la photo qu'elle était en train de prendre.

— Salut, Charlie, dit-elle en se tournant vers le vieil homme.

Elle lui sourit puis, lui passant les bras autour du cou, embrassa ses joues râpeuses.

261

— Ces bonnes femmes, toujours à vous bécoter ! ronchonna-t-il, cachant mal son émotion.

Foxy sentit le léger tremblement de ses mains lorsqu'il fit mine de la repousser. Il n'avait presque pas changé, nota-t-elle. Quelques fils d'argent supplémentaires dans des cheveux devenus plus rares, mais, au fond des yeux, la même petite flamme pétillante que dix ans auparavant, quand elle l'avait connu. Il était alors âgé de cinquante ans, autant dire un ancêtre pour la jeune fille qu'elle était alors ! Il était le chef mécanicien de Lance et régnait sur son petit monde en véritable despote. Aujourd'hui responsable de l'équipe de Kirk, il n'avait rien changé à ses habitudes tyranniques.

Il esquissa une petite moue de dégoût et maugréa :

— Toujours aussi fluette, à ce que je vois. Tu ne gagnes donc pas ta vie, que tu n'as pas de quoi te nourrir correctement ?

— Que veux-tu, Charlie, personne n'est plus là pour bourrer mes poches de barres de chocolat !

Malgré l'allusion, elle savait que Charlie Dunning préférerait mourir sous la torture plutôt que d'avouer qu'il avait toujours eu un faible pour la gamine qu'elle avait été, et qu'elle était encore sûrement à ses yeux.

— Tu nous as manqué à la soirée de Kirk, ajouta-t-elle.

Charlie renifla bruyamment pour cacher son embarras.

— Et puis quoi encore ? Tu me vois dans ce genre de boum pour adolescents attardés ? Mais dis-moi, tu as l'intention de couvrir les courses du Grand Prix avec l'espèce de chichiteuse que j'ai vue traîner par ici ?

— Si c'est de Pamela que tu parles, la réponse est oui, répondit Foxy indifférente à l'irascibilité du vieil homme.

— En tout cas, qu'aucune de vous ne vienne traîner dans mes pattes, compris ?

— Compris, Charlie ! riposta la jeune femme d'une petite voix d'enfant obéissante.

— Et insolente avec ça ! Tu aurais mérité quelques bonnes corrections quand tu étais petite !

Pour toute réponse, Foxy régla le viseur de son appareil sur Charlie et fit de lui un gros plan.

— Insolente, répéta-t-il en s'éloignant d'un pas lourd, un petit sourire au coin des lèvres.

Foxy le regarda disparaître dans la foule, émue. Se retournant pour partir, elle poussa un cri en se heurtant à Lance. Le souvenir de leur petit intermède de la veille, qu'elle s'était soigneusement appliqué à chasser de son esprit, revint en force à sa mémoire.

— Il a toujours eu un petit faible pour toi.

Mais la jeune femme n'entendit pas ses paroles ; elle ne voyait que le regard intense qu'il fixait sur elle. Elle remarqua les boucles brunes qui voletaient autour de son visage et le maudit intérieurement d'être aussi séduisant.

— Salut, Lance, parvint-elle à dire d'un ton faussement dégagé. Aucun journaliste à tes basques ?

— Salut, Foxy, répondit ce dernier sur le même ton. Déjà au boulot ?

La jeune femme marmonna quelque chose d'inaudible et fit mine de s'absorber dans le réglage de son Nikon. La seule proximité de Lance Matthews suffisait à l'électriser tout entière.

— Toujours aussi impatiente de voir la course commencer ? demanda-t-il en jouant négligemment avec la queue-de-cheval de la jeune femme.

Le contact de ses mains dans ses cheveux fit perdre à Foxy tous ses moyens. Elle rata quatre clichés d'affilée.

— J'ai appris que Kirk était en pole position aux tours d'essai, éluda-t-elle. Tant mieux. Il sait mieux que personne tirer parti de cet avantage.

Lorsqu'elle se retourna pour lui faire face, elle affichait un air désinvolte. « Un baiser, se dit-elle, ce n'était qu'un baiser. Pas de quoi en faire toute une histoire. »

— J'imagine qu'en tant que sponsor tu dois être satisfait, reprit-elle. J'ai vu la voiture. Elle est vraiment impressionnante.

Face au silence obstiné de Lance, Foxy laissa échapper un soupir de frustration.

— Cette conversation est vraiment fascinante, Lance, mais il est temps que je retourne travailler.

Elle s'apprêtait à le quitter lorsque, d'une poigne ferme, il l'en empêcha.

— J'ai une soirée ce soir, annonça-t-il soudain d'une voix neutre. Dans ma suite, à l'hôtel.

— Vraiment? dit la jeune femme en levant un sourcil perplexe.

— En fait, il s'agit d'un dîner. A 19 heures.

— Vous serez nombreux?

— Non. Juste toi et moi.

Foxy suivit des yeux deux mécaniciens affichant la couleur rouge vif de l'assistance de Kirk avant de répondre :

— Dans ce cas, je crains que tu ne dînes seul. J'ai rendez-vous avec Scott Newman.

— Annule.

— Non.

— Tu as peur?

Il accompagna sa question d'une pression un peu plus appuyée sur son bras.

— Pas du tout. Mais je ne suis pas complètement idiote, répliqua-t-elle avec une pointe de sarcasme. Tu as peut-être oublié mais je te connais depuis longtemps, et je t'ai vu à l'œuvre avec les femmes. Cela a été riche d'enseignements pour moi de te voir choisir tes proies, les utiliser et t'en débarrasser dès que tu en avais assez. Eh bien j'ai retenu la leçon, Lance! Trouve-toi quelqu'un d'autre pour flatter ton ego surdimensionné.

Il éclata de rire.

Vexée, la jeune femme le fusilla du regard.

— Tu as toujours aussi mauvais caractère, Fox! Mais tu es toujours aussi brillante. Je ne te donne pas une heure avant de t'ennuyer à mourir en compagnie de ce brave Scott.

— C'est *mon* problème! s'écria-t-elle.

Lance relâcha son étreinte.

— En effet, laissa-t-il tomber avant de s'éloigner en souriant.

Toujours furieuse, Foxy prit la direction opposée. De loin, et alors qu'elle était en train d'interviewer un pilote, Pamela avait assisté à toute la scène. Bien que trop loin pour entendre ce que les deux jeunes gens se disaient, elle avait rapidement compris que leur relation n'était pas simple.

Lance Matthews lui avait plu à la seconde où elle l'avait vu. Elle avait tout de suite vu chez lui l'anticonformisme dont il avait fait sa règle de vie et la grande générosité de cœur qui lui attirait la sympathie des hommes comme des femmes. Il était doué d'une grande force morale, d'une pointe d'arrogance et d'une sensualité débordante. Elle devinait en lui l'ami indispensable, mais également l'amant redoutable.

Tout à ses réflexions, elle boucla son interview, remercia le pilote et, après lui avoir souhaité bonne chance, elle se précipita vers Lance.

— Monsieur Matthews!

Lance se retourna vers elle, et elle vit qu'il appréciait en fin connaisseur le tailleur gris qu'elle portait tout en observant avec une certaine curiosité le magnétophone en bandoulière sur son épaule. Arrivée à sa hauteur, elle lui adressa un sourire des plus sincères.

— Monsieur Matthews, annonça-t-elle d'une voix claire en lui tendant une main aux ongles impeccablement vernis, je suis Pam Anderson. Foxy vous a peut-être parlé de moi. Je réalise une série d'articles sur le monde des courses automobiles.

Lance l'étudia quelques secondes en silence.

— Bonjour. Je ne vous avais jamais vue.

— En fait, je vous avais repéré à la soirée de Kirk, avoua Pam qui, comme à son habitude, préféra jouer la carte de l'honnêteté. Mais lorsque je suis arrivée à l'endroit où vous vous trouviez, vous aviez disparu. De même que Foxy.

— Vous êtes très observatrice, décréta Lance avec une pointe d'irritation.

La jeune femme repoussa une mèche de cheveux que le vent faisait danser devant ses yeux avant de poursuivre :

— Je suis ici pour des raisons professionnelles et je compte bien m'en tenir strictement à cela. En revanche, j'espère pouvoir compter sur votre coopération car votre expérience en tant que concepteur de voitures de course et ancien pilote m'intéresse beaucoup. En outre, le fait que vous soyez une figure connue du monde des courses et de la grande bourgeoisie américaine donnera un peu plus de crédibilité à mon reportage.

Mains dans les poches, Lance l'écoutait attentivement.

— Il y a encore quelques minutes, je me demandais si vous étiez bien la même Pamela Anderson, auteur d'un article dithyrambique sur les rouages de notre système pénal qui a soulevé tant de polémiques. Maintenant j'ai la réponse, ajouta-t-il après l'avoir détaillée longuement. Je crois que nous aurons pas mal d'occasions de bavarder au cours des prochains mois.

La jeune femme le vit soudain focaliser son attention sur Foxy qui, à quelques mètres de là, appuyée sur une barrière de sécurité, était occupée à régler ses objectifs. Un sourire flotta alors sur les lèvres de Lance. Lorsque son regard se porta de nouveau sur elle, son sourire s'élargit un peu plus et il lui demanda à brûle-pourpoint :

— Mademoiselle Anderson, que savez-vous des 500 Miles d'Indianapolis ?

— La première course a eu lieu en 1911 et le vainqueur a remporté la victoire avec une vitesse de pointe de quatre-vingts kilomètres/heure. A cette époque, la piste était pavée de briques, d'où son surnom de « Old Brickyard ». De nos jours, il s'agit toujours d'une course d'endurance, et même si elle n'est pas considérée comme un Grand Prix, il existe beaucoup de similitudes entre les formule 1 classiques et celles utilisées pour le circuit d'Indianapolis. Certains pilotes, à l'instar de Kirk Fox, ont couru à la fois les 500 Miles d'Indianapolis et le Grand Prix. Les voitures ici marchent à l'éthanol, ce qui est particulièrement dangereux car c'est un combustible qui a la particularité de brûler sans flammes apparentes.

— Vous semblez maîtriser votre sujet sur le bout des doigts, murmura Lance que ce flot ininterrompu d'informations semblait beaucoup amuser.

— En effet, j'ai eu accès à toutes les données, confirma-t-elle. Mais pouvez-vous me dire pourquoi, sur les quarante-neuf décès recensés depuis l'ouverture du circuit, il n'y en a eu que trois au cours des dix dernières années ?

— C'est parce que aujourd'hui les voitures sont plus sûres. A l'époque, on utilisait pour les construire le même matériau que celui que l'on employait pour la construction des cuirassés. Résultat : en cas de crash, les voitures résistaient aux chocs mais pas les pilotes. Aujourd'hui, c'est la fragilité des matériaux qui leur sauve la vie. En outre, ils sont entièrement protégés par des combinaisons ignifugées.

L'heure du départ approchant, Lance se dirigea vers les concurrents, toujours escorté de la jeune femme.

— On peut donc affirmer que les courses sont devenues moins dangereuses ? insista-t-elle.

— Je n'ai pas dit cela. Il y aura toujours un facteur risque sans lequel une course comme celle d'Indianapolis ne serait rien de plus qu'une promenade d'agrément.

— Les accidents ne ramènent-ils pas à la surface les vieilles peurs ancestrales ?

— Un pilote n'envisage jamais le pire, sans quoi il ne se glisserait jamais à l'intérieur d'un cockpit. Il a toujours l'impression que cela n'arrive qu'aux autres. Enfin, quoi qu'il en soit, il connaît les règles du jeu et les accepte.

— Que se passe-t-il lorsqu'un pilote voit un concurrent s'écraser ? enchaîna Pam, intarissable. Que ressent-il vraiment à ce moment-là ?

— Vous ne pouvez vous permettre aucune émotion, répondit Lance simplement. Il n'y a pas de place pour les états d'âme dans ce métier.

— Je peux comprendre. Ce que je ne comprends pas, en revanche, ce sont les motivations qui poussent un homme à vouloir risquer sa vie sur un circuit.

— Cela dépend. J'imagine qu'il y a autant de raisons différentes qu'il y a de pilotes. Cela peut être le sens de la compétition, le goût du risque, l'envie de se surpasser, l'argent, le prestige, la vitesse… Savez-vous qu'il existe une certaine dépendance à la vitesse dont on peut difficilement se passer par la suite ? Certains vont éprouver le besoin de dépasser leurs limites, de tester leur propre endurance. Mais s'il est vrai que chaque pilote a une motivation différente, tous sont unis par la même volonté de gagner, conclut-il.

Au moment où il disait cela, Lance aperçut Kirk qui se dirigeait résolument vers sa voiture.

Il le vit enfiler une cagoule qui lui donnait l'air d'un chevalier du Moyen Age se préparant au combat tout en répondant d'un bref mouvement de tête aux questions que Charlie lui posait. Derrière la visière de son casque, Lance devinait son regard déjà impénétrable et savait que la foule était devenue invisible autour de lui.

Il s'excusa auprès de Pam et s'approcha de Kirk, ignorant Foxy qui se trouvait également à son côté.

— Je te parie une caisse de whisky que tu ne battras pas le record de vitesse, cette fois.

Kirk hocha imperceptiblement la tête puis alla se placer en pole position sur la grille de départ.

Au son de *Retour en Indiana*, des centaines de ballons multicolores furent lâchés, annonçant l'imminence du départ. L'ordre s'éleva soudain, couvrant la rumeur grondante de la foule.

Sur la ligne de départ, la tension était à son comble. Les moteurs se mirent à rugir, les pilotes effectuèrent leur tour de piste à une vitesse qui paraissait insignifiante.

— Nous y sommes, murmura Foxy tandis que Pam la rejoignait près des tribunes.

— Je croyais t'avoir perdue, lui dit cette dernière en remontant ses lunettes de soleil sur son nez.

— Tu n'imagines pas que je pourrais rater un départ, tout de même? répliqua Foxy tout en fixant son objectif sur la grille de départ. Ils vont partir d'une seconde à l'autre maintenant.

Pam nota la pâleur extrême de son amie mais le vrombissement terrifiant des bolides s'élançant sur la piste l'empêcha de lui en faire la remarque.

— Comment font-ils? se demanda-t-elle à voix haute. Comment peuvent-ils maintenir une vitesse pareille sur sept cents kilomètres?

— C'est pour gagner, laissa tomber Foxy d'une voix tendue.

L'après-midi s'étirait en longueur mais les décibels ne faiblissaient pas. Dans les stands, la chaleur exacerbait les odeurs déjà fortes d'essence, d'huile et de sueur. Dix voitures avaient dû se résoudre à abandonner la course. Une boîte de vitesses cassée, un embrayage fichu, une erreur minime de jugement, et c'étaient les espoirs de toute une année qui étaient réduits à néant.

Pam se débarrassa de la veste de son tailleur, retroussa les manches de son chemisier et, magnétophone en bandoulière, s'éloigna pour aller arpenter les stands.

La sueur dégoulinait le long du dos de Foxy, plaquant sa chemise sur sa peau moite.

Lance se tenait juste derrière elle. Il parla en premier, le regard fixé sur la piste, véritable vallée serpentant entre les versants abrupts des gradins.

— Il va attaquer son quatre-vingt-cinquième tour, annonça-t-il en tendant à Foxy le gobelet en plastique qu'il tenait à la main.

Perdue dans ses pensées, la jeune femme s'en empara machinalement et en but une gorgée.

— Je sais. Il a presque un tour d'avance sur Johnson. Tu connais sa vitesse moyenne ?

— Un peu plus de cent quatre-vingt-dix kilomètres/heure.

Foxy regarda Kirk se faufiler entre le tissu serré des voitures. Elle retint son souffle lorsqu'elle le vit dépasser un concurrent dans une courbe serrée. Pétrifiée d'angoisse, elle concentra alors toute son attention sur les petits cubes de glace qui flottaient à la surface de son gobelet.

— Tu as l'air épuisée, Foxy. Tu ne veux pas t'asseoir un moment ?

La douceur de sa voix surprit la jeune femme.

— Non, je ne peux pas, protesta-t-elle, anormalement émue. Pas tant que ce ne sera pas fini. Tu sais que tu vas perdre ton pari, n'est-ce pas ?

— J'espère bien !

Il laissa soudain échapper un juron.

— Bon sang ! Je n'aime pas la façon dont le numéro 15 amorce le premier virage ! Il rase chaque fois le mur d'un peu plus près.

— Le 15 ? demanda Foxy qui, plissant les yeux, se mit à le chercher dans le flot incessant des voitures. Je le vois. Ce n'est pas ce gamin qui vient de Long Beach ?

— Ce *gamin*, comme tu dis, a un an de plus que toi, marmonna Lance. Et il n'a pas suffisamment d'expérience pour tenir le rythme. Il va craquer.

Quelques secondes plus tard, la prophétie de Lance se réalisait : le jeune pilote amorçait de nouveau le premier virage, une fois encore trop près du mur. Des étincelles jaillirent des pneus arrière tandis que le bolide touchait le mur puis partait dans une spirale sans fin. Des bouts de fibre de verre furent projetés en l'air. Les bolides qui arrivaient sur le coureur se mirent à onduler habilement entre les débris retombés au sol. L'un d'eux zigzagua dangereusement mais, après quelques secondes, réussit à repartir dans un hurlement de moteur. Le drapeau jaune s'abaissa en même temps que la formule 1 s'immobilisait enfin. Une nuée de secouristes munis d'extincteurs se précipitèrent sur les lieux du crash.

Comme toujours lorsqu'elle assistait à une telle scène, une gangue de glace enveloppa Foxy. Elle devenait alors une coquille vide, incapable de penser et dénuée de la moindre émotion. A l'instant où la voiture avait touché le mur, elle avait braqué l'objectif de son appareil sur elle, immortalisant chaque seconde du crash. Inlassablement, elle réglait la vitesse d'obturation, la profondeur de champ, puis actionnait le déclencheur, presque sans s'en rendre compte. Ce ne fut que lorsqu'elle vit le pilote sortir de la carcasse et faire signe à la foule qui retenait son souffle que tout allait bien qu'enfin elle retrouva ses réflexes d'être humain.

— Mon Dieu! s'exclama Pam qui les avait rejoints. Comment peut-on sortir indemne d'une telle épave ?

Foxy ignora la question, concentrée à présent sur l'équipe de secours.

— Comme je vous l'ai dit tout à l'heure, répondit Lance, les nouveaux matériaux utilisés ont sauvé la vie de plus d'un pilote. Vous en avez là une preuve éclatante.

— Malheureusement, ce n'est pas toujours le cas, murmura Foxy qui, l'œil toujours rivé au viseur, suivait la voiture de son frère. Tu devrais aller interviewer le miraculé, suggéra-t-elle à son amie. Ce doit être intéressant de savoir ce qui se passe dans la tête d'un pilote alors qu'il est en train de s'écraser à plus de deux cents à l'heure.

Pam jeta un coup d'œil perplexe à Foxy mais se garda de tout commentaire.

— J'y vais, dit-elle en s'éloignant d'un pas rapide.

Foxy laissa retomber son appareil et repoussa les mèches folles qui lui chatouillaient les joues.

— J'imagine que, la prochaine fois, il ne serrera pas autant ce virage.

— Bravo ! ironisa Lance d'un ton glacial. J'admire ton sens aigu du professionnalisme !

Foxy soutint sans ciller le regard métallique qui la transperçait.

— Dans mon métier, mieux vaut avoir les nerfs solides, rétorqua-t-elle calmement.

— Bien sûr. Et surtout ne faire preuve d'aucune compassion, n'est-ce pas ? ajouta Lance qui, saisissant fermement la lanière de l'appareil photo, attira la jeune femme vers lui. Mais je te rappelle qu'il y avait un homme dans cette voiture !

— Qu'est-ce que tu croyais ? se défendit âprement la jeune femme. Que j'allais devenir hystérique ? Cela ne sert à rien de se voiler la face, Lance. Ce n'est pas la première fois que j'assiste à un accident, et il est arrivé que des pilotes n'aient pas la chance de celui-ci. Je vous ai même vus, Kirk et toi, extirpés en catastrophe de voitures à deux doigts de s'enflammer. Tu veux de l'émotion ?

Le ton de Foxy était monté d'un cran, et ses yeux verts flamboyaient d'une étrange colère.

— Alors, trouve-toi quelqu'un qui n'a pas grandi dans l'odeur de la mort !

Lance l'observa un instant en silence.

— Brave petit soldat ! railla-t-il d'une voix teintée de condescendance.

— Absolument, répliqua Fox, au comble de l'irritation.

Elle releva crânement le menton et ajouta :

— Et maintenant, si tu veux bien ôter tes mains de mon appareil photo…

Pour toute réponse, Lance arqua un sourcil, puis, lentement, s'exécuta.

Les deux jeunes gens se jaugeaient, contenant à grand-peine une colère qui, s'ils lui donnaient libre cours, serait dévastatrice.

— Laisse-moi seule, lui intima Foxy en lui tournant le dos.

Mais, vif comme l'éclair, Lance se plaça devant elle pour lui barrer le passage.

— Dans une minute.

Et, sans lui laisser le temps de réagir, il l'attira vers lui et l'embrassa passionnément. La jeune femme ne le repoussa pas. Au contraire, elle s'agrippa désespérément à lui et répondit à son baiser, refusant ce que la raison lui commandait. Leurs corps s'embrasèrent instantanément, tout comme ils s'étaient embrasés la nuit précédente. Elle passa ses bras autour du cou de Lance et plaqua son corps contre le sien. Le vacarme des moteurs s'atténua jusqu'à disparaître totalement de son esprit embrumé. Plus rien ne comptait que l'urgence de son désir.

Ce fut Lance qui, le premier, rompit le charme.

— Je suppose que tu vas me dire que je n'aurais jamais dû ? murmura-t-il d'une voix rauque.

— Cela ferait-il une différence que je te le dise ?

Les jambes en coton, Foxy tentait vainement de réprimer le tremblement qui l'agitait.

— Non, répondit Lance avec honnêteté.

— Me laisseras-tu partir maintenant ?

Il relâcha son étreinte mais laissa ses mains sur les hanches de la jeune femme.

— Pour le moment, acquiesça-t-il. Mais sache que j'ai la ferme intention de terminer ce que j'ai commencé.

D'un geste ferme, Foxy repoussa les mains de Lance.

— De ta suffisance ou de ton arrogance, je me demande bien laquelle est la moins irritante !

Lance la regarda en souriant, indifférent à la pique qu'elle venait de lui lancer.

— Tu es trop mignonne quand tu prends tes airs de grande dame offensée.

Sans un mot, Foxy s'éloigna, consciente des yeux de Lance braqués sur elle.

Seulement la moitié des compétiteurs allaient finir la course. Avant le départ, Foxy avait pu lire, sur le visage de Kirk, ce mélange de confiance et de concentration extrême qu'elle connaissait bien et qui signifiait qu'il allait remporter la victoire. Aussi, lorsque le drapeau s'abaissa, annonçant la fin de la course, ne fut-elle pas étonnée de voir la foule se précipiter dans sa direction.

Elle savait qu'il se prêterait volontiers aux marques d'adulation qu'on lui porterait, offrant à ses admirateurs en délire un visage enfin serein et détendu, délivré de toute trace de tension. Il sourirait de nouveau et son regard retrouverait la petite flamme pétillante qui lui donnait l'air d'un sale gosse content du bon tour qu'il venait de jouer.

Inlassablement, il répondrait aux questions des journalistes, signerait des autographes, serrerait les mains qui se tendraient pour le féliciter.

Puis ce serait la fin. Les cinq cents miles d'Indianapolis, déjà, appartiendraient au passé car, pour Kirk Fox, seule comptait la prochaine course.

Dans deux jours il serait en route pour Monaco et son fameux rallye.

4

La ville de Monte-Carlo est blottie au pied d'un massif des Alpes-Maritimes et fait face au bleu intense de la mer Méditerranée. Elle offre un curieux mélange de gratte-ciel et d'élégantes maisons anciennes, et même si elle n'en a pas la taille, elle donne l'impression d'une grande ville qui serait tout droit sortie d'un conte de fées.

Ce qui frappa Foxy en redécouvrant les lieux, ce fut la variété de couleurs. Elle admira le blanc éblouissant des bâtiments qui se combinait avec bonheur au vert et au brun des montagnes environnantes et au bleu profond de la mer. Fleurs et plantes grasses à profusion ajoutaient une note typiquement exotique.

La jeune femme tomba littéralement sous le charme de l'endroit.

Kirk occupé par les essais préliminaires et Pam par ses interviews, Foxy passait le plus clair de son temps en compagnie de Scott Newman. Elle le trouvait charmant, attentionné, intelligent mais, néanmoins — et elle maudissait Lance d'avoir raison sur ce point —, parfaitement ennuyeux. Il planifiait tout, anticipant le moindre de ses désirs, ne laissant aucune place à la fantaisie. Chacun de leurs rendez-vous était scrupuleusement respecté, et Foxy le retrouvait, toujours impeccablement vêtu, toujours parfaitement bien élevé. Avec lui, elle était à l'abri du moindre danger, mais également de la moindre surprise susceptible de donner un peu de piquant à leurs rencontres. Plus d'une fois, elle s'était sentie coupable, trop consciente du fossé qui les séparait car si Scott avait tout du parfait chevalier, elle, en revanche, n'avait rien de la gente demoiselle enfermée dans sa tour d'ivoire.

Pour l'heure, elle passait nerveusement d'une fenêtre à une autre, écoutant distraitement le cliquetis étouffé du clavier de l'ordinateur de Pam. Elle se prit à contempler rêveusement les yachts majestueux ancrés dans la baie. Elle se souvint soudain d'une voiture qui, durant les courses d'entraînement, avait raté son virage et plongé tout droit dans la mer.

Elle se tourna vers son amie et regarda un instant ses longs doigts fins courir sur le clavier. La table sur laquelle elle travaillait disparaissait sous un amoncellement de papiers, de documents et de cassettes vidéo parmi lesquels elle seule pouvait s'y retrouver.

— Tu vas au casino ce soir ? demanda-t-elle.

— Mmm ? Non… Je veux finir cet article. Et toi, tu y vas avec Scott ? s'enquit-elle à son tour sans cesser de pianoter.

Foxy fronça les sourcils puis se laissa tomber lourdement sur une chaise.

— Oui, je suppose, soupira-t-elle.

Pam leva le nez de son ordinateur et l'observa un instant.

— J'ai compris, dit-elle en posant les coudes sur son bureau. Allez, raconte à maman.

Le ton doux et maternel amusa Foxy qui adressa un sourire affectueux à son amie.

— Je suis stupide, je sais, confessa-t-elle dans un petit rire. J'adore cette ville ! C'est l'un des endroits les plus romantiques du monde, et j'ai la chance inouïe d'être payée pour y venir. Un homme charmant me fait la cour et pourtant…

Elle s'interrompit pour pousser un profond soupir.

— Et pourtant…, reprit Pam à sa place, tu t'ennuies à mourir. C'est normal. Tu passes presque toutes tes journées en sa compagnie, et il faut avouer qu'il n'est pas le compagnon idéal. Kirk n'est pas libre, moi non plus. Quant à Lance…

— Je n'ai pas besoin de Lance ! protesta un peu trop vivement Foxy.

Bien au contraire, ne pas avoir affaire à Lance était une bénédiction plutôt qu'un problème, songea-t-elle en essayant de s'en persuader.

— De toute façon, ajouta Pam prudemment, il semblerait qu'il ait pris ses distances avec toi.

Foxy ignora la remarque de son amie et tenta de se justifier.

— Scott est vraiment charmant. En outre, il sait se montrer discret. Je lui ai clairement fait comprendre depuis le début que je ne voulais pas d'une relation sérieuse avec lui et il a accepté. Sans même essayer de discuter.

Elle se leva d'un bond de sa chaise et se mit à faire les cent pas.

— Il n'a pas tenté de m'entraîner dans son lit, ne se met jamais en colère, est le roi de la ponctualité, ne manifeste aucun débordement d'aucune sorte…

Elle s'interrompit brusquement et se souvint qu'à deux reprises Lance, lui, l'avait embrassée malgré ses protestations…

— Je me sens à l'aise avec lui, conclut-elle d'un ton peu convaincant.

— C'est drôle, mes vieilles pantoufles me font à peu près le même effet, laissa négligemment tomber Pam.

Foxy aurait aimé se mettre en colère mais elle ne put qu'éclater de rire.

— Tu n'es pas faite pour ce genre de relation pépère, voilà tout ! ajouta son amie en riant à son tour.

Elle fit tourner pensivement un stylo entre ses doigts et reprit.

— Tu es comme ton frère, Foxy, tu as besoin de défis permanents. Maintenant, en ce qui concerne Lance Matthews…

— Ah, non ! l'interrompit Foxy en levant la main comme le ferait un agent de circulation. Arrête tout de suite !

— Dommage ! Parce que, avec lui, je doute que tu t'ennuies un jour.

— Peu importe, rétorqua Foxy, butée. D'ailleurs, ajouta-t-elle en se dirigeant vers la porte, j'ai bien l'intention de m'amuser ce soir. Et de gagner une fortune à la roulette. Tiens, je t'achèterai même un hot dog avec mes gains !

Elle se retourna, fit un clin d'œil à Pam et referma la porte derrière elle.

Une fois qu'elle fut seule, le sourire de Pamela s'évanouit. Elle fixa durant de longues minutes la page qui s'affichait sur son ordinateur.

Kirk Fox lui posait un sérieux problème. Même si, en dépit de la déclaration un brin prétentieuse qu'il lui avait faite, il avait su rester à sa place et ne lui avait fait aucune avance depuis, semblant à peine remarquer sa présence.

Elle tenta de se persuader que cela ne l'ennuyait pas du tout. Elle renifla légèrement, haussa les épaules et fixa de nouveau son écran. Avec un peu de chance, il serait suffisamment occupé tout au long de la saison pour ne plus faire attention à elle.

Quant à elle, elle avait un reportage à faire.

Prise de remords, Foxy mit un soin tout particulier à choisir sa tenue. Elle opta pour une robe noire qui épousait parfaitement ses formes et mettait sa silhouette en valeur. Elle releva ses cheveux en chignon, ne laissant que quelques mèches lui caresser la nuque et ses épaules nues. Une fine chaîne en argent autour du cou, un léger voile de parfum et elle se sentit capable de rivaliser d'élégance avec les riches clientes qu'elle ne manquerait pas de côtoyer autour des tables de jeu.

Elle venait juste de fourrer le strict minimum féminin dans un petit sac du soir en lamé lorsqu'on frappa à la porte. Elle afficha son plus joli sourire, bien décidée à offrir à Scott l'image d'une jeune femme ravie à l'idée de passer la soirée avec lui, et alla ouvrir.

— Oh ! dit-elle bêtement.

Elle réalisa soudain que c'était la première fois qu'elle voyait

Lance en tenue de soirée. Le costume à la coupe impeccable qu'il portait lui donnait un air différent. L'espace d'une seconde, Foxy eut l'impression d'avoir devant elle un étranger, le diplômé de Harvard, résidant dans le quartier très chic de Beacon Hill, l'héritier de la fortune des Matthews.

— Bonsoir, Foxy. As-tu l'intention de me faire entrer ou comptes-tu me laisser sur le palier ?

Le ton de sa voix et le sourire ironique qui flottait sur ses lèvres lui firent retrouver son apparence habituelle d'homme irritant. Foxy redressa les épaules et essaya d'afficher un air digne.

— Désolée, Lance, mais comme tu peux le constater j'étais sur le point de sortir.

— Jusque-là, j'avais tendance à croire que beauté et ponctualité ne faisaient pas bon ménage. Je reconnais que j'avais tort.

Il s'avança vers elle et, avant même qu'elle ait eu le temps de réagir, prit son menton entre ses doigts.

— Je t'emmène prendre un verre avant de dîner. J'ai réservé une table pour 20 heures.

— Eh bien il va falloir que tu annules, répliqua-t-elle en tentant d'écarter la main de Lance.

— Cela nous laisse une heure devant nous, poursuivit ce dernier, indifférent aux protestations de la jeune femme. As-tu une idée de la façon dont nous pourrions tuer le temps ?

— Que dirais-tu d'une partie de solitaire ? suggéra-t-elle avec désinvolture. Mais *seul* et dans *ta* chambre.

— Vraiment ? riposta Lance, une lueur amusée au fond des yeux. Dommage ! L'idée de sortir avec toi me séduisait assez. Ah ! j'oubliais, ajouta-t-il en serrant la jeune femme d'un peu plus près : Newman est désolé mais il a eu un… un empêchement de dernière minute. As-tu un châle ? La soirée risque d'être fraîche.

— Un *empêchement* ? répéta Foxy, attentive aux mains de Lance qui caressaient à présent ses épaules nues. Mais encore ?

— En fait, il avait oublié qu'il avait déjà un rendez-vous

ce soir. C'est vraiment dommage de devoir couvrir d'aussi jolies épaules.

— Il avait *oublié* qu'il avait un rendez-vous? insista Foxy que les battements désordonnés de son cœur ainsi que le sourire moqueur de Lance commençaient à irriter au plus haut point. Scott n'aurait jamais pu faire une chose pareille, il a bien trop d'éducation! Qu'est-ce que tu lui as fait, Lance? Ou plutôt qu'est-ce que tu lui as dit? Je sais! conclut-elle en dardant sur lui un regard assassin. Tu as cherché à l'intimider, n'est-ce pas?

— J'avoue que l'idée m'a effleuré l'esprit, admit Lance avec une spontanéité qui désarçonna Foxy. Va chercher ton châle.

— Mon…, balbutia la jeune femme. Certainement pas!

— Comme tu voudras, répliqua-t-il en la prenant par la main.

— Si tu crois que je vais sortir avec toi, fulmina-t-elle, tu perds complètement la raison! Je ne bougerai pas d'ici!

La main de Lance glissa lentement sur sa taille.

— Parfait. L'idée de rester ici me convient parfaitement…

Il inclina légèrement la tête et effleura d'un baiser le creux de son épaule.

— Il… il n'en est pas question, protesta faiblement Foxy. Tu ne peux pas rester ici.

— J'ai entendu dire que le service était excellent dans cet hôtel, poursuivit-il en lui mordillant le lobe de l'oreille. J'adore ton parfum : léger comme une brise de printemps et pourtant si lourd de secrets.

— Lance, s'il te plaît…

Foxy se sentait près de rendre les armes. Il lui devenait de plus en plus difficile de résister au souffle tiède de la bouche de Lance sur la sienne.

— Oui? murmura-t-il en dessinant du bout de sa langue le contour de ses lèvres.

Foxy se mit à trembler comme une feuille. Elle s'écarta

désespérément de lui, luttant encore pour ne pas céder à la tentation.

— Je meurs de faim, annonça-t-elle brusquement, consciente de l'incongruité de sa tactique.

D'un geste qui se voulait désinvolte, elle repoussa les quelques mèches plaquées sur son visage.

— J'accepte donc ton invitation, enchaîna-t-elle très vite. A condition, bien sûr, que ce soit toi qui paies puisque c'est à cause de toi que mon chevalier servant s'est désisté. Et tu devras également m'emmener au casino, comme cela était prévu.

— Avec plaisir, chère amie, répondit Lance en esquissant une courbette.

La distance entre eux la rendant plus forte, Foxy ajouta avec détermination :

— Et sache que j'ai bien l'intention de te faire dépenser des sommes indécentes.

Puis elle alla chercher sur son lit un châle de soie dans lequel elle se drapa avant de se diriger vers la porte d'un pas qu'elle souhaitait assuré. La lune éclaboussait la baie de Monte-Carlo. Une légère brise, venue du large, exhalait des parfums d'iode. Foxy et Lance avaient pris place sur la terrasse d'un restaurant bondé de célébrités. Une musique d'ambiance leur parvenait, douce et légère, entrecoupée des murmures des clients voisins. Sur leur table, un soliflore dans lequel se trouvait une rose d'un rouge incandescent. Il n'en fallait pas plus à Foxy pour réveiller le romantisme qui sommeillait en elle. En outre, elle brûlait de prouver à Lance qu'elle n'était plus la gamine qu'il avait connue mais une vraie femme, qui pouvait se révéler aussi sophistiquée que celles qu'il avait l'habitude de fréquenter. Elle s'appliqua néanmoins à garder à leur conversation un ton neutre.

— Je crois que Kirk a eu des problèmes avec sa voiture, hier.

Elle prit une crevette dans son assiette et la trempa dans un bol de sauce.

— J'espère qu'il a pu le régler, ajouta-t-elle sur un ton faussement distrait.

— Ce n'était rien. Juste une pièce de moteur à remplacer.

Lance la regardait par-dessus son verre, et ce que Foxy lut dans ses yeux la fit redoubler de vigilance.

— Curieux, n'est-ce pas, de penser qu'un simple joint peut remettre en cause les centaines de milliers de dollars investis dans une course.

— Curieux en effet, répéta Lance dans un demi-sourire.

— Si tu commences à te moquer de moi, le prévint la jeune femme en hochant fièrement le menton, c'est très simple : je me lève et je m'en vais.

— Si tu veux. Mais j'irai te chercher et je te ramènerai ici.

Foxy plissa les yeux et fixa Lance en silence. Mais celui-ci soutint son regard sans ciller, son éternel sourire moqueur aux lèvres.

— Oh, mais je n'en doute pas, soupira la jeune femme. Je suis même certaine que, si je faisais un scandale qui nous mènerait tout droit en prison, tu ne bougerais pas plus qu'en ce moment même.

Elle s'interrompit pour siroter une gorgée de vin.

— Il est difficile de rester calme face à quelqu'un d'aussi impassible, reprit-elle. Je me souviens que, lorsque tu étais pilote, tu avais la même attitude. Tu étais pénétré de la même extrême concentration que Kirk, mais tu possédais cette rigueur qu'il n'a jamais eue. Il est aussi fonceur et tête brûlée que tu étais réfléchi, et tandis que tu pilotais avec une décontraction qui laissait à penser qu'il n'y avait rien de plus facile, lui n'était qu'une boule de nerfs. En fait, toi tu courais pour le plaisir.

Intrigué, Lance observa la jeune femme avec une acuité accrue.

— Ce n'est pas le cas de Kirk?

La surprise se peignit sur le visage de Foxy.

— Tu plaisantes! Kirk ne vit que pour les courses. Elles

lui sont aussi indispensables que l'air qu'il respire. Pour lui, le plaisir qu'elles procurent ne passe qu'au dernier plan.

Elle pencha légèrement la tête, la lueur de la bougie dansant au fond de ses yeux.

— Si tes motivations avaient été les mêmes que celles de Kirk, tu n'aurais jamais abandonné à trente ans, ajouta-t-elle. Comme lui tu aurais eu l'espoir de courir jusqu'à ton dernier souffle.

— Tu me surprends, Foxy. Je dois reconnaître que l'adolescente que tu étais avait une perception des choses beaucoup plus aiguë que ce que je croyais.

Lance laissa le maître d'hôtel poser devant eux les tournedos Rossini qu'ils avaient commandés, puis partagea une boule de pain en deux avant de reprendre :

— Tu détestes ce monde, n'est-ce pas, Foxy?

— Oui, avoua-t-elle en acceptant la moitié de pain qu'il lui tendait. Depuis toujours. Et toi, comment tes parents ont-ils accueilli ta décision de devenir pilote?

— Froidement, répondit-il si spontanément que la jeune femme éclata de rire.

— Je suis sûre que tu t'es réjoui de leur réaction.

— Je ne m'étais pas trompé, tu ne manques pas de perspicacité.

— Les proches des coureurs ont tous une façon différente d'appréhender le problème, affirma Foxy dans un souffle. Cependant, quelle que soit celle-ci, il est plus difficile d'être spectateur que pilote.

Elle inspira profondément avant de mordre, songeuse, dans la croûte croustillante de son pain.

— J'imagine que ta famille doit être soulagée maintenant que tu as intégré le monde des affaires. C'est beaucoup plus honorable.

— Tu ferais mieux de manger, lui recommanda Lance. Perdre de l'argent demande beaucoup plus d'énergie que d'en gagner.

Foxy lui adressa une moue dédaigneuse puis s'exécuta docilement.

La nuit n'était pas encore trop avancée lorsqu'ils franchirent le seuil du casino. Malgré elle, Foxy laissa tomber son masque d'indifférence, trop excitée par tout ce qui l'entourait.

— Oh! Lance, s'exclama-t-elle en s'agrippant à son bras, c'est fabuleux!

Elle admirait, éblouie, le kaléidoscope de couleurs qu'offraient les robes de grands couturiers assorties de parures somptueuses. Elle s'amusa à distinguer les différentes langues étrangères qu'elle entendait sur leur passage et les bruits caractéristiques de chaque table de jeu : le doux cliquetis de la bille tournant sans fin sur la roulette, le raclement des plaques ratissées sur les tapis, le claquement sec des jetons lancés sur les tables, le bruissement des cartes que le croupier battait avant de distribuer.

Riant de cette joie enfantine qu'elle manifestait, Lance lui passa un bras autour de la taille.

— Foxy, ma chérie, ne me dis pas que c'est la première fois que tu entres dans un lieu de débauche comme celui-ci?

— Ne te moque pas de moi, veux-tu, répliqua-t-elle, trop impressionnée cependant pour se sentir vraiment insultée. C'est si beau!

— L'amour du jeu est pourtant partout le même, Fox. Que ce soit dans un fauteuil moelleux avec une coupe de champagne ou dans un garage improvisé en tripot avec une canette de bière.

Foxy chercha le regard de Lance puis lui sourit.

— Je me souviens des parties de poker que tu faisais. Tu ne voulais jamais me laisser jouer.

— Tu étais très précoce en effet, souligna-t-il en lui caressant à présent la nuque.

— Tu craignais surtout que je ne te batte!

La jeune femme se fit soudain songeuse. Avec une pointe de culpabilité, elle se félicita de passer cette soirée avec Lance plutôt qu'avec Scott Newman.

— Qu'y a-t-il dans cette jolie tête ? murmura Lance, à qui le regard pensif de Foxy n'avait pas échappé.

— Je pensais à la réaction que j'ai eue lorsque j'ai su que tu avais manipulé ce pauvre Scott ! J'en arrive même à culpabiliser de ne pas culpabiliser !

Lance éclata de rire et déposa un léger baiser sur les lèvres de la jeune femme.

— Au point de gâcher ta soirée ?

— Même pas, avoua-t-elle humblement. Je suppose que je suis trop égoïste pour cela.

La bouche de Lance s'élargit en un sourire satisfait.

— Alors, nous devrions bien nous entendre, proclama-t-il en entraînant Foxy vers la roulette.

Une fois installée, la jeune femme suivit avec attention la petite bille argentée qui bondissait de case en case. Lorsque, enfin, elle s'immobilisa, le croupier ajouta les plaques des perdants à celles des gagnants. Le tas de jetons ainsi accumulés lui fit penser à une espèce de tour de Babel. Elle distingua dans un joyeux brouhaha les intonations mélodieuses de la langue italienne et celles, gutturales, de la langue allemande, qui se mélangeaient à l'accent élégant du sud de l'Angleterre. Les visages également offraient une grande diversité. Certains affichaient un âge avancé, d'autres une éclatante jeunesse, d'autres encore un profond ennui ou, au contraire, une joie indicible.

Mais un seul fascinait Foxy qui ne pouvait détacher son regard de la vieille dame, d'une rare élégance, qui lui faisait face. Ses cheveux soyeux d'un blanc éclatant encadraient un visage aux traits délicats que n'arrivaient pas à altérer les fines rides qui les striaient. Au contraire même, ces rides ajoutaient du caractère à ce visage qui avait dû être d'une grande beauté. Les diamants que la vieille dame portait autour du cou et aux oreilles rehaussaient le vert émeraude de ses yeux, et elle arborait avec panache une robe de soie d'un rouge incandescent qui donnait l'illusion de feu couvant sous la glace. Sous le charme, Foxy la regardait tirer avec grâce sur un long fume-cigarette en or.

— Comtesse Francesca de Avalon, de Venise, chuchota Lance à son oreille. Une femme exceptionnelle.

— En effet, approuva Foxy en prenant la coupe de champagne qu'il lui tendait. Quelle somme as-tu l'habitude de parier sur un coup ?

En guise de réponse, Lance haussa les épaules et alluma la cigarette qu'il venait de sortir d'un élégant étui en argent.

Foxy se mit à rire et secoua la tête.

— J'ai du mal à m'y retrouver. Je ne connais pas la valeur de ces plaques.

— Le prix d'une soirée au casino, répliqua négligemment Lance en levant son verre en direction de Foxy.

En soupirant, la jeune femme prit cinq des plaques qui se trouvaient devant elle, misant ainsi, sans le savoir, sept cents euros sur le noir.

— Je vais essayer de ne pas te faire tout perdre en une fois.

— Très généreux de ta part, fit remarquer Lance en suivant la petite bille des yeux.

— 27, noir ! annonça le croupier d'une voix claire.

— Nous avons gagné ! s'écria Foxy.

Elle croisa le regard amusé que Lance posait sur elle. Ses yeux gris, remarqua-t-elle, avaient pris la couleur sombre de l'ardoise.

— C'est bon, Lance, ne me regarde pas avec cet air suffisant, veux-tu ? dit-elle en trempant les lèvres dans le champagne pétillant. C'était juste la chance des débutants. D'ailleurs…, commença-t-elle en tendant la main vers ses gains.

— Trop tard, l'interrompit Lance en arrêtant son bras. La roue est lancée.

La mine horrifiée de Foxy le fit éclater de rire.

— Oh ! Mais je ne voulais pas…, balbutia la jeune femme. Lance, il doit y avoir l'équivalent de mille dollars là-dessus !

— Possible, en effet, lâcha gravement Lance.

Muette d'angoisse, Foxy regarda la bille minuscule effectuer ses petits bonds capricieux. Un mélange de crainte, de culpabilité et d'excitation l'assaillit tandis que la roue commençait à ralentir.

— 5, noir !

Foxy ferma les yeux, au comble du soulagement, puis les rouvrit très vite pour ramener en hâte sa mise vers elle. Elle se tourna vers Lance qui riait ouvertement, et le gratifia d'un sourire dédaigneux.

— Tu aurais aimé que je perde, n'est-ce pas ?

— Disons que cela m'aurait amusé, reconnut-il en faisant signe au serveur de leur apporter une nouvelle coupe de champagne. Pourquoi ne miserais-tu pas sur des colonnes à présent ? Il faut savoir prendre des risques dans la vie.

— Après tout… c'est ton argent, marmonna Foxy en plaçant cinq plaques sur la première colonne.

De nouveau, elle rafla la mise. Puis la chance sembla l'abandonner et elle perdit trois mille euros qu'elle regagna intégralement le tour d'après. Complètement inconsciente des sommes qui se jouaient et de la chance dont elle bénéficiait, elle gagnait, coup après coup, satisfaite de voir son tas de plaques grossir devant elle. Elle commençait même à y prendre goût. La réussite la grisait tout autant que les coupes de champagne qu'elle ne cessait de vider. Impassible, Lance la regardait jouer et lui adressait, de temps en temps, un sourire plein d'amusement et de tendresse.

— Lance, tu es sûr de ne pas vouloir miser quelques-uns de ces jetons ? demanda-t-elle dans un élan de générosité.

— Tu te débrouilles très bien sans moi, répondit-il en enroulant autour de ses doigts une boucle des cheveux de la jeune femme.

— C'est le moins que l'on puisse dire, affirma une voix inconnue.

Foxy tourna la tête et plongea dans les yeux émeraude de la comtesse de Avalon qui se tenait derrière elle, légèrement courbée sur une canne au pommeau d'ivoire. Foxy fut frappée par la petite taille de la comtesse qui ne devait pas mesurer plus d'un mètre cinquante. D'un geste impérieux, elle imposa à Lance, qui s'apprêtait à se lever, de rester assis. Elle s'exprimait dans un anglais courant, presque sans accent.

— Laissez-moi vous féliciter, *signorina*, pour vos succès retentissants et pour votre jeu, très habile.

— Disons plutôt que j'ai beaucoup de chance, comtesse. Croyez-moi, je ne pensais vraiment pas gagner des sommes pareilles lorsque nous sommes arrivés !

— Alors, je n'ai plus qu'à changer de stratégie, soupira la vieille dame, et croire, moi aussi, à ma bonne étoile.

Elle s'interrompit et jaugea Lance d'un regard approbateur.

— Vous semblez me connaître, jeune homme, reprit-elle de la même voix égale. A qui ai-je l'honneur ?

Lance inclina légèrement la tête.

— Comtesse de Avalon, je vous présente Cynthia Fox.

Foxy prit dans la sienne la petite main fine que la comtesse lui tendait.

— Vous êtes ravissante, décréta-t-elle en épinglant Foxy de ses yeux vifs. Mais si j'avais ne serait-ce que dix ans de moins, je vous aurais soufflé votre charmant compagnon. Ne faites jamais confiance à une femme d'expérience.

Puis, sans plus de commentaires, elle se détourna de Foxy et reporta toute son attention sur Lance.

— Et vous, qui êtes-vous ?

— Lance Matthews, comtesse, dit Lance en effleurant de ses lèvres la main de la vieille dame, dans un baisemain aussi désuet que charmant. C'est un honneur de vous rencontrer.

La comtesse plissa les yeux quelques secondes et son regard sembla s'égarer un instant dans le vide.

— Matthews, murmura-t-elle. Mais bien sûr ! J'aurais dû reconnaître tout de suite ce regard insondable. J'ai bien connu votre grand-père dans le passé.

Le regard teinté de nostalgie, elle laissa échapper un petit rire cristallin.

— Vous lui ressemblez beaucoup, Lancelot Matthews. Et je tiens à dire que vous portez très bien ce nom dont vous avez hérité.

— Merci, comtesse. Je suis d'autant plus flatté que j'adorais mon grand-père.

— Moi aussi. Moi aussi… En revanche, ajouta-t-elle à brûle-pourpoint, votre tante Phoebe est parfaitement sinistre. Je l'ai rencontrée au cours d'un voyage en Martinique il y a deux ans.

Le visage de Lance se fendit d'un large sourire.

— J'ai bien peur que vous n'ayez raison, admit-il.

La comtesse se tourna de nouveau vers Foxy qui, fascinée, ne l'avait pas quittée des yeux.

— Ne relâchez jamais votre vigilance, jeune fille, lui conseilla-t-elle. Il a tout du coureur de jupons qu'était son aïeul.

Elle prit la main de Foxy dans la sienne et la pressa légèrement.

— Comme je vous envie ! conclut-elle avant de s'éloigner d'une démarche assurée.

— Quelle femme magnifique ! murmura Foxy.

Puis, s'adressant à Lance :

— Tu crois que ton grand-père était amoureux d'elle ?

D'un signe de la main, Lance signifia au croupier de convertir les jetons accumulés en argent liquide.

— Oui. Je sais qu'il a vécu une liaison torride avec elle. Il voulait même la convaincre de divorcer et de s'installer avec lui sur la Côte d'Azur. Mais, pour ma famille, cette histoire n'a jamais existé.

— Comment sais-tu tout cela ? demanda Foxy, passablement intriguée.

Lance l'aida à se lever, et couvrit ses épaules de son châle.

— C'est lui-même qui me l'a confié. Il m'a même avoué

un jour n'avoir jamais aimé qu'elle. Jusqu'à sa mort, à plus de soixante-dix ans, il a attendu un signe d'elle pour tout quitter. En vain.

Foxy, pensive, ondulait entre les tables de jeu, n'ayant pas la moindre conscience des nombreuses paires d'yeux braquées sur le couple hors du commun qu'elle formait avec Lance.

— C'est merveilleusement triste, soupira-t-elle avec une pointe de nostalgie. Je suppose que cela a dû être affreux pour ta grand-mère de vivre toutes ces années aux côtés d'un homme qui aimait une autre femme.

— Ma chère innocente Fox, rétorqua Lance. Sache que ma grand-mère est une Winslow, de Boston. Et que, dans ce milieu, un mariage de raison, deux beaux enfants et des parties de bridge hebdomadaires suffisent amplement au bonheur. L'amour n'est pas prévu au programme. Il est tout juste bon pour le commun des mortels.

— Tu plaisantes !

— Malheureusement, non. Viens. Marchons un peu. La soirée est si belle.

Elle lui sourit et passa son bras sous le sien.

Indifférents au flux dense de la circulation, ils flânèrent sous le ciel étoilé, auréolés de la lumière chaude des lampadaires.

Le champagne lui ayant agréablement tourné la tête, Foxy se sentait légère comme une bulle. Elle avait déjà oublié les prophéties de la comtesse et, parfaitement détendue, jouissait pleinement de cette promenade au clair de lune, chargée des parfums et des mystères de la nuit.

Elle se détacha soudain de Lance et alla s'adosser contre le tronc d'un palmier.

— J'adore ces arbres ! J'ai toujours rêvé d'en avoir un mais le climat n'est pas propice en Indiana. J'ai dû me contenter d'un pin parasol.

Lance s'approcha d'elle et, d'un geste tendre, repoussa une mèche de cheveux.

— J'ignorais que tu t'intéressais à l'horticulture.

D'une pirouette, la jeune femme se dégagea et alla se pencher sur une balustrade qui surplombait la mer.

— J'ai mes petits secrets, qu'est-ce que tu crois ? A huit ans, je voulais devenir plongeuse. Ou chirurgien. Je n'arrivais pas trop à me décider. Et toi ? Qu'est-ce que tu voulais être quand tu étais petit ?

— Moi ? Je rêvais de devenir lanceur dans l'équipe des Red Socks, répondit-il sans hésiter.

— Tu ne m'as pas dit combien j'avais gagné au casino.

— Hmm ? marmonna Lance qui, perdu dans la contemplation des reflets dorés de la chevelure de Foxy, n'écoutait plus qu'à moitié.

— Combien ai-je gagné au casino ? répéta-t-elle.

— Dans les huit mille euros, annonça-t-il avec désinvolture.

— Quoi ? s'écria-t-elle, sous le choc. Huit mille euros !

— Au cours actuel de la Bourse, précisa-t-il.

Les mains sur la bouche, les yeux écarquillés, Foxy le fixait comme s'il venait de lui dire qu'il était originaire de Mars.

— Lance ! Seigneur ! Tu te rends compte, j'aurais pu tout perdre !

— Réjouis-toi, ce n'est pas le cas, répondit-il, une pointe d'amusement dans la voix. Tu t'es même très bien débrouillée en dépit de ton désir de perdre.

— Mon Dieu, Lance ! Je n'avais aucune idée des sommes qui se jouaient, sans quoi… Tu es complètement fou de m'avoir laissée faire ! C'est sûr, tu es fou !

Elle se laissa aller contre l'épaule de Lance tandis que son rire clair résonnait dans la nuit calme. Et lorsqu'il passa un bras autour de sa taille, elle ne protesta pas.

— Si j'avais su combien valait cette petite bille chaque fois que la roue tournait, je crois que je me serais évanouie ! poursuivit-elle entre deux éclats de rire.

Elle prit une profonde inspiration et leva vers lui ses yeux brillant d'excitation.

— Eh bien, il semble que j'ai contribué à accroître la fortune, pourtant déjà conséquente, des Matthews.

— Cet argent est à toi, Foxy. C'est toi qui l'as gagné.

La jeune femme, horrifiée, esquissa un pas en arrière.

— Il n'en est pas question ! C'est *ton* argent ! En revanche…

Elle s'interrompit pour aller cueillir une marguerite qui dressait fièrement sa corolle éclatante au pied d'un parapet.

— En revanche…, reprit-elle en glissant la fleur dans ses cheveux, tu pourrais m'offrir un cadeau. Je ne sais pas… Quelque chose d'extravagant.

Elle se tourna vers lui et ajouta dans un sourire :

— C'est correct, non ?

— Tu as une idée en tête ? s'enquit-il.

Elle ne répondit pas et s'éloigna de quelques pas, attentive au cliquetis de ses talons sur l'asphalte.

— J'hésite…, dit-elle en faisant volte-face. Un couple de chiens-loups ou peut-être… des chevaux ! Oui, deux ou trois pur-sang arabes. Ou alors, un troupeau de chèvres !

— Tu ne préférerais pas plutôt un manteau en zibeline ?

— Certainement pas ! s'indigna-t-elle en plissant le nez. Il n'est pas question que je porte la fourrure d'un animal mort !

Elle cessa soudain de faire les cent pas pour se rapprocher de Lance qui en profita pour l'enlacer.

— Comme tu voudras, dit-il en effleurant son visage de ses lèvres.

La jeune femme se rapprocha encore de lui.

— Je ne devrais pas te le dire, murmura-t-elle, mais je suis très contente de passer cette soirée avec toi et pas avec Scott.

— C'est vrai ? répliqua Lance sur le même ton en mordillant le lobe velouté de son oreille.

— Oui, chuchota-t-elle en se plaquant plus étroitement contre lui. Et j'adorerais que tu m'embrasses. Là, maintenant.

Ses derniers mots moururent sur ses lèvres prisonnières de celles de Lance. Foxy l'attira un peu plus vers elle, cherchant désespérément à combler l'infime espace qui les séparait encore. Elle aurait voulu se couler en lui, se fondre en lui. Elle entendait battre son cœur tout contre le sien, au même rythme effréné. Elle ne prêta pas attention au châle que les mains de Lance avaient fait glisser de ses épaules, trop impatient de toucher sa peau nue. La bouche enfiévrée de son compagnon s'attarda sur sa gorge, avant de remonter lentement pour reprendre ses lèvres.

Foxy se grisait de l'odeur presque animale qui émanait de Lance tandis qu'elle enfouissait son visage dans le creux de son épaule. Elle aussi voulait toucher, goûter chaque parcelle de cette peau qui la rendait folle, mais elle obéit docilement à l'injonction muette de Lance qui réclamait encore sa bouche sensuelle. Ce nouveau baiser la foudroya de désir, électrisant chaque parcelle de son corps. Chancelante, elle laissa échapper un gémissement de plaisir, attisant un peu plus la fougue qui animait Lance. Et lorsque la langue de ce dernier rompit le barrage de ses dents, approfondissant leur baiser fébrile, elle murmura son nom puis reposa sa tête contre l'épaule qu'il lui offrait.

— Je ne sais pas si c'est toi ou tout le champagne que j'ai bu, mais j'ai la tête qui tourne, parvint-elle à articuler.

Tremblant comme une feuille, elle se blottit un peu plus contre lui. Lance prit son visage entre ses mains, la forçant à le regarder.

— Quelle importance ?, dit-il d'une voix rauque. Puisque de toute façon nous allons faire l'amour ce soir.

Il avait chuchoté ces derniers mots, son souffle chaud contre l'oreille de Foxy ravivant le feu qui coulait dans ses veines.

— Je ne sais pas…, balbutia-t-elle. Tout est si confus.

Elle s'éloigna brusquement des bras rassurants qui l'enlaçaient et secoua la tête.

— Ce que je sais c'est que, lorsque tu m'embrasses, je perds complètement le contrôle de moi-même.

En deux enjambées, Lance fut près d'elle.

— Si tu cherches à me faire renoncer, tu n'y parviendras pas, Foxy, lui assura-t-il. Je suis un battant, tu le sais.

— Je sais. Bien sûr que je le sais, répéta-t-elle en inspirant une profonde bouffée d'air frais.

Elle fixa la lune, cherchant à reprendre ses esprits.

— Tu ne l'ignores certainement pas mais j'ai toujours admiré ta détermination à vouloir être le premier dans tout ce que tu entreprenais, commença-t-elle, son cœur battant sourdement dans sa poitrine.

Elle chercha à accrocher le regard de Lance mais l'ombre des palmes lui dissimulait son visage.

— Je t'aimais à la folie lorsque j'avais quatorze ans, confessa-t-elle brusquement.

Lance garda le silence puis se pencha en avant pour ramasser le châle qui gisait sur le sol.

— Vraiment ? murmura-t-il en rejoignant la jeune femme.

— Oh ! oui, s'exclama-t-elle avec une touchante spontanéité.

Encore sous l'effet grisant du champagne, elle poursuivit, comme pour elle-même :

— C'était un amour merveilleusement douloureux. Mon premier vrai béguin. Tu m'impressionnais tant ! J'étais si romantique !

Elle se tourna vers lui et lui adressa un sourire plein de tendresse.

— Tu paraissais solide comme un roc, toujours taciturne, mystérieux.

— Ah oui ? dit-il en enveloppant tendrement la jeune femme de son étole.

— Oui. Tu possédais une rare assurance. Et puis il y avait tes mains…

— Mes mains ? répéta Lance, étonné.

— Ce sont les plus belles mains que j'ai jamais vues, lui assura la jeune femme en prenant ses mains dans les siennes. Grandes et carrées, mais élégantes. Des mains d'artiste. Quelquefois d'ailleurs, je me plaisais à imaginer que tu étais musicien. Tu vivais dans une vieille mansarde sous les toits et je prenais soin de toi.

Elle relâcha les mains de Lance et remonta distraitement le châle qui avait glissé de ses épaules.

— Comme j'aurais pris soin d'un animal de compagnie, ajouta-t-elle avec un petit rire. Je souffrais d'un tel manque affectif à cette époque !

Lance, lui, ne riait pas, et restait silencieux.

— J'étais jalouse de toutes les maîtresses que tu avais, poursuivit-elle. Elles étaient toujours très belles. Je me rappelle particulièrement une certaine Tracy McNeil. Tu te souviens d'elle ?

— Non, avoua-t-il. Vraiment, je ne vois pas de qui tu veux parler.

— Elle avait des cheveux blonds magnifiques qui lui arrivaient à la taille. Moi, je détestais mes boucles frisées indisciplinées et leur couleur improbable. D'ailleurs, je suis certaine que ce qui t'a attiré chez Tracy McNeil c'étaient ses cheveux, raides comme des baguettes de tambour.

Foxy s'interrompit et inspira profondément l'odeur âcre du cigare que venait d'allumer Lance.

— Je me demande bien comment une fille élevée dans un milieu exclusivement masculin peut se montrer aussi naïve ! Enfin, quoi qu'il en soit, je soupirais après toi la majeure partie de mon temps. Tu te montrais toujours tolérant pour l'affreuse gamine que j'étais alors.

La jeune femme laissa échapper un bâillement discret.

— Puis, lorsque j'ai eu seize ans, reprit-elle, je me suis sentie adulte et je voulais être traitée en tant que telle. Le petit béguin d'adolescente s'était transformé en amour profond, et je prenais tous les prétextes pour venir rôder autour de toi. Tu l'avais remarqué ?

— Oui, confessa Lance en regardant la fumée de son cigare se fondre dans la nuit. Je l'avais remarqué.

— Tu étais toujours si gentil avec moi ! Aussi, lorsque, sans raison apparente, tu as cessé de l'être, cela a eu un effet dévastateur sur moi. Te souviens-tu de cette nuit, Lance ? C'était pendant les Vingt-Quatre Heures du Mans, continua-t-elle sans lui laisser le temps de répondre. La veille de la course je n'arrivais pas à m'endormir alors je suis descendue sur le circuit. Et quand je t'ai observé te diriger vers les stands, j'y ai vu un signe du destin.

Elle tripota machinalement la fleur dans ses cheveux.

— Je t'ai suivi. J'avais les mains moites, mon cœur battait à se rompre. Je voulais tant que tu me remarques !

Elle se tourna vers lui et lui sourit tendrement.

— Comme une femme. Car, pour moi, il était évident que j'avais basculé dans le monde des adultes. Même si je ne savais comment gérer cet amour si encombrant. J'ai donc affiché un air désinvolte : « Salut, Lance. Toi non plus tu n'arrives pas à dormir ? » Tu portais un pull noir. Tu t'es montré très froid, très distant, mais à mes yeux cela ne faisait que te rendre encore plus romantique. Mon pauvre Lance, dit-elle en lui caressant la joue. Comme cette adoration que je te portais devait te mettre mal à l'aise !

— Le mot est faible pour exprimer ce que je ressentais alors, murmura-t-il avant de se détourner d'elle pour aller jeter son cigare à demi consumé par-dessus le parapet.

Sans paraître remarquer la trace de contrariété qui avait émaillé les propos de Lance, Foxy poursuivit, tout à ses souvenirs :

— Moi aussi je voulais être une femme fatale. Malheureusement, je n'avais pas la moindre idée de la façon dont il fallait s'y prendre pour te pousser à m'embrasser. J'ai bien essayé de me rappeler les stratagèmes dont usaient les héroïnes au cinéma. Nous étions seuls. Il faisait sombre. Et après ? La seule chose dont j'ai été capable a été de me rapprocher de toi le plus possible. Toi, qui avais le nez plongé sous le capot de ta voiture, faisant de ton mieux pour ignorer ma présence. Malgré la forte odeur d'essence et d'huile de moteur, je trouvais cela follement romantique. Que veux-tu, j'ai toujours été romantique, c'est mon point faible. Je me tenais donc sagement derrière toi, me creusant désespérément la cervelle pour savoir quelle attitude adopter tout en me demandant ce que tu pouvais bien trafiquer sous ce capot. C'est au moment même où je me suis penchée au-dessus de ton épaule que tu t'es redressé. Tu m'as retenue à temps, mais je ne voyais que tes mains sur mon bras. Mes jambes ne me portaient plus, j'étais totalement liquéfiée. C'était vraiment incroyable ! C'était la première fois que je ressentais une émotion aussi forte. Je me suis noyée dans ton regard devenu sombre, intense. Et là, je me suis dit : « Voilà, ça y est, il va me prendre dans ses bras et m'embrasser. » Nous allions succomber à la passion, comme Vivian Leigh et Clark Gable dans *Autant en emporte le vent*. Mais au lieu de cela, tu t'es mis à crier, à me reprocher d'être toujours dans tes jambes. Tu as laissé échapper un chapelet d'injures et puis tu m'as repoussée violemment. Tu m'as dit des choses horribles ce soir-là, Lance, mais le pire ça a été lorsque tu m'as traitée de *gamine insupportable*. J'aurais pu tout entendre mais pas ça. En une seconde, ma fierté, mon ego et mes fantasmes ont volé en éclats. Je n'ai pas pensé un seul instant qu'à quelques heures de la course tu pouvais vivre une tension extrême, ou que j'étais effectivement dans tes jambes. Car j'étais trop mortifiée par ce que je venais d'entendre. J'ai attendu que la douleur soit insoutenable pour m'enfuir en courant, persuadée que je te détesterais jusqu'à la fin de mes jours.

Lance laissa passer quelques secondes de silence puis il s'approcha d'elle. Tout doucement il lui caressa la joue.

— Et aujourd'hui, tu m'as pardonné, Foxy ?

— Je suppose. Et puis cela aura au moins servi à me délivrer de toi.

Elle bâilla une nouvelle fois et mit sa tête sur l'épaule de Lance.

— Allons, viens, Fox. Je te ramène avant que tu ne dormes debout.

A moitié endormie, Foxy se laissa guider docilement, soutenue par le bras que Lance avait passé autour de sa taille.

5

Le Grand Prix de Monaco reste l'exemple classique de ce que peut être un circuit à l'intérieur d'une ville. Il est court, à peine plus de deux kilomètres, et se trouve en plein cœur d'un complexe municipal grouillant de monde. Il ne possède aucune ligne droite de plus de quelques mètres, mais est composé, en revanche, de nombreux virages, parmi lesquels deux redoutables épingles à cheveux. Loin d'être monotone, il alterne partie basse et partie haute, cette dernière culminant à quelques trois cents mètres au-dessus du niveau de la mer. Hormis la route sinueuse, les pilotes doivent affronter des dangers aussi différents que les nombreux parapets bordant la chaussée, un tunnel long de quatre cents mètres, des poteaux électriques et, bien sûr, la Méditerranée. C'est un circuit unique au monde qui requiert des pilotes une attention de chaque instant et une endurance à toute épreuve.

Pam s'était débrouillée pour arracher à Kirk la promesse d'une interview et se tenait à présent en face de lui, nerveuse. Il ne restait que deux heures avant la course, une effervescence extrême régnait dans les stands qui surplombaient le port pittoresque, niché au creux de la baie.

La jeune femme se surprit à chercher Foxy des yeux ; elle se sentirait plus à l'aise si elle ne se retrouvait pas seule avec Kirk. En vain. Elle prit alors son courage à deux mains et plongea dans le regard du pilote qui attendait sa première question, une lueur narquoise dans les yeux.

— J'ai entendu plusieurs opinions divergentes au sujet de

cette course, attaqua-t-elle en affichant un sourire professionnel. Certains, dont les constructeurs automobiles auxquels j'ai parlé, considèrent Monaco comme « l'antichambre des circuits ». Et vous, qu'en pensez-vous ?

Kirk était adossé contre un mur, buvant à petites gorgées une tasse de café fumant. De petits filets de vapeur s'échappaient de ses lèvres entrouvertes. Le soleil le faisait cligner des yeux. Il paraissait totalement détendu. Contrairement à elle.

— C'est une course. Une vraie, répondit-il en la regardant par-dessus sa tasse. Simplement, ce n'est pas une course de vitesse. Aucun pilote, si bon soit-il, ne peut excéder cent quarante kilomètres/heure sur ce genre de parcours. Il s'agit plus d'un test d'endurance et de fiabilité.

— Endurance et fiabilité du pilote ou de la voiture ?

— Des deux. Changer environ deux mille fois de vitesse en l'espace de deux heures et demie est aussi redoutable pour l'homme que pour la machine. Et puis il y a ce fameux tunnel ; passer de la lumière à l'ombre un nombre incalculable de fois est épuisant. Vous ne tombez jamais en panne de batterie ? demanda-t-il soudain en soulevant le magnétophone que la jeune femme portait en bandoulière.

— Non, répondit-elle d'un ton neutre.

Si Kirk Fox avait l'intention de la déstabiliser, elle ne lui donnerait pas cette satisfaction. Elle s'éclaircit la voix et redressa les épaules.

— Il y a deux ans, enchaîna-t-elle, vous avez eu sur ce circuit un accident grave. Cette expérience a-t-elle modifié votre façon de piloter ?

— Pourquoi ? rétorqua-t-il en vidant sa tasse d'un trait.

Il la fixait intensément, indifférent aux dizaines de personnes qui s'agitaient autour d'eux.

— Vous pourriez craindre un nouvel accident, insista la jeune femme en repoussant d'un geste impatient les mèches qui lui balayaient les joues. Mortel, celui-ci. Cela ne vous vient-il pas à l'esprit chaque fois que vous repassez à l'endroit où vous vous êtes écrasé ?

— Non, répondit laconiquement Kirk.

Il reposa sa tasse vide puis précisa :

— Je ne pense jamais au prochain accident, mademoiselle Anderson. Juste à la prochaine course.

— N'est-ce pas là une attitude un peu téméraire ? insista Pam sans se soucier du ton sec qu'avait employé Kirk.

Elle ne savait trop pour quelle raison, mais elle était contrariée, mal à l'aise, presque en colère. Elle avait vaguement conscience de ne pas être maîtresse de l'interview et de se laisser dominer, malgré elle, par son interlocuteur. Et elle n'aimait pas cela.

— Une infime erreur d'estimation, un problème mécanique subit peuvent vous mener droit à la catastrophe et vous n'y pensez pas ? reprit-elle. Vous avez pourtant eu votre lot d'accidents, de blessures plus ou moins graves. Dites-moi la vérité : qu'est-ce qui vous passe par la tête au moment où vous entrez dans le cockpit, ou pendant que vous lancez votre machine à plus de trois cents à l'heure ?

— Je pense à la victoire, laissa tomber Kirk sans une seconde d'hésitation.

Le tranchant de sa voix surprit la jeune femme, et elle observa avec attention cet homme si sûr de lui que la mort ne semblait pas effrayer. Elle vit ses yeux balayer son visage, puis s'attarder sur ses lèvres.

— Il n'y a vraiment que cela qui compte à vos yeux ? reprit-elle, troublée par le regard insistant de Kirk. La victoire ?

— Oui.

Elle comprit qu'il était sincère.

— Je n'ai jamais rencontré quelqu'un comme vous, murmura-t-elle, de plus en plus mal à l'aise.

Elle inspira profondément. Cela lui ressemblait si peu de perdre le contrôle d'elle-même.

— Parmi tous les pilotes que j'ai interviewés, aucun n'a fait preuve d'une aussi froide détermination, poursuivit-elle.

Je suppose que, si vous aviez le choix, vous aimeriez mourir sur un circuit, dans un flamboiement glorieux ?

Kirk esquissa un léger sourire.

— C'est une fin qui m'irait bien, en effet. Cependant, j'aimerais autant que ce soit dans cinquante ans, et pas avant d'avoir franchi la ligne d'arrivée !

— Tous les pilotes possèdent-ils le même grain de folie que vous ?

— Probablement, répliqua Kirk qui, sans que Pam s'y attende, passa soudain ses doigts dans ses cheveux. Je me demandais s'ils étaient aussi soyeux qu'ils en avaient l'air, ajouta-t-il pour expliquer son geste. S'ils étaient aussi doux que votre peau…

Cette fois, il caressa tendrement la joue de la jeune femme.

Pam l'écoutait, pétrifiée. Elle fut incapable d'esquisser le moindre geste. Sa belle assurance s'était définitivement envolée.

— J'aime beaucoup votre voix aussi, poursuivait Kirk. Je la trouve suave et sexy. Et j'adore votre regard d'oiseau tombé du nid. Il me donne envie de vous bousculer, conclut-il avec une pointe d'ironie teintée d'insolence.

La jeune femme, furieuse, sentit le rouge lui monter aux joues. Elle avait oublié depuis bien longtemps qu'elle pouvait rougir aussi violemment.

— Est-ce une proposition ? s'enquit-elle d'une voix cinglante.

Kirk éclata du même rire franc que celui de sa sœur.

— Non, juste une constatation, finit-il par dire. Croyez-moi, si cela avait été une proposition je ne vous aurais pas laissé le temps d'y réfléchir. Je m'y serais pris autrement, ajouta-t-il en la plaquant contre lui et en l'embrassant passionnément. Comme cela, conclut-il dans un sourire satisfait en la relâchant.

Pam le regarda s'éloigner tout en dessinant du bout des doigts le contour de ses lèvres encore brûlantes de ce baiser.

*
* *

Deux heures plus tard, Foxy se trouvait à l'endroit précis où Pam et son frère s'étaient tenus avant elle, passant et repassant dans sa tête chaque détail de sa soirée de la veille.

« C'est moi qui lui ai demandé de m'embrasser, songeait-elle avec amertume. Je le lui ai même pratiquement ordonné. Ce n'était pas assez que je m'affiche avec lui, il a fallu que je lui déballe tous mes petits secrets. Maudit champagne ! »

Poussant un soupir exaspéré, elle rabattit d'une main nerveuse le bord de son chapeau de paille sur ses yeux.

« Mais qu'est-ce qui m'a pris de lui parler du béguin que j'avais pour lui lorsque j'étais gamine ? Bon sang, quand je m'humilie, je ne fais pas les choses à moitié ! Et je n'ai pas lésiné sur les détails ! »

Elle ferma les yeux et soupira. La brise venue du large était une véritable bénédiction par cette chaleur.

« Je me demande si je vais pouvoir l'éviter le reste de la saison. Ou, encore mieux, pour le restant de mes jours ! »

Elle leva son téléobjectif vers les voitures qui commençaient leur tour de chauffe et activa machinalement le déclencheur.

Alors que les bolides prenaient place sur la ligne de départ, elle chercha un nouvel angle de vue. En un instant, l'air vibra du rugissement des moteurs. Appuyée sur un genou, elle immortalisa sans relâche la ligne profilée des formule 1 qui défilaient devant elle. La voiture de tête venait d'achever son premier tour lorsqu'elle se redressa. En se retournant, elle se heurta à Lance qui, en la retenant par le bras, lui procura une sensation de déjà-vu. Elle se dégagea d'un geste brusque et fit mine de rajuster la sangle de son appareil photo sur son épaule.

— Désolée, j'ignorais que tu étais derrière moi, marmonna-t-elle.

Jugeant inutile de fuir plus longtemps son regard, elle releva fièrement la tête et le fixa sans ciller. Elle remarqua avec étonnement l'absence du petit sourire narquois qui, habituellement, flottait sur ses lèvres. Aucune trace d'ironie non plus dans ses yeux gris.

— Arrête de m'observer comme si j'étais un moteur défectueux, ronchonna-t-elle, mal à l'aise, en chaussant ses lunettes de soleil.

Après tout, un écran, quelle que soit sa dimension, restait un écran ! Et le regard insistant que Lance posait sur elle l'agaçait prodigieusement. Elle le connaissait assez pour savoir qu'il pourrait rester ainsi des heures sans parler. Il pouvait, lorsqu'il l'avait décidé, se montrer d'une patience à toute épreuve. Et elle savait aussi qu'elle n'aurait pas cette patience. Elle préféra donc prendre l'initiative.

— Lance, j'aimerais te parler de ce qui s'est passé cette nuit.

Lance, bras croisés sur sa poitrine, gardait le silence. Il attendait, patiemment, posément.

Foxy l'aurait volontiers étranglé.

— Il faut que tu saches que je n'étais pas vraiment moi-même, poursuivit-elle, sentant ses joues rougir d'embarras. L'alcool a tendance à me monter à la tête. C'est d'ailleurs la raison pour laquelle, d'habitude, je reste prudente. Alors je ne voudrais pas que tu croies… enfin, je ne voudrais pas que tu penses… En fait, je ne voulais pas me montrer aussi…

Furieuse contre elle-même, elle fourra rageusement les mains dans les poches de son jean et ferma les yeux.

« Bravo ! Tu as été brillante ! Essaie encore, tu vas bien réussir à battre les records d'incohérence. Allons, arrête de te conduire comme une idiote et déballe tout d'un coup ! »

Elle rouvrit les yeux et releva crânement le menton.

— J'espère ne pas t'avoir donné l'impression que je voulais coucher avec toi, lâcha-t-elle d'un trait.

Un immense soulagement l'envahit tandis qu'elle poursuivait :

— J'ai réalisé que j'avais effectivement pu te donner cette impression et je ne veux surtout pas qu'il y ait un malentendu entre nous.

Lance attendit quelques instants avant de répondre, le regard toujours rivé à celui de Foxy :

— Je ne crois pas qu'il y ait de malentendu, assura-t-il d'une voix lisse.

L'ambiguïté de cette réponse la troubla.

— Pourtant, lorsque tu m'as raccompagnée dans ma chambre, tu n'as pas… enfin… tu n'as pas…

— Abusé de toi? acheva-t-il à sa place.

D'un mouvement rapide il était près d'elle et lui ôtait ses lunettes de soleil.

— Non, assura-t-il en plongeant ses yeux dans les siens. Quoique nous fussions tous deux parfaitement conscients de ce que nous faisions. Disons que tu as eu de la chance, et que j'ai respecté les règles du jeu.

Sa voix se fit plus douce lorsqu'il ajouta :

— Je n'ai pas besoin de champagne pour te séduire, Foxy.

Et avant qu'elle n'ait eu le temps de réagir, ses lèvres se posèrent légèrement sur les siennes.

Irritée par l'arrogance de Lance ainsi que par les battements désordonnés de son cœur, elle lui arracha ses lunettes des mains et s'écarta vivement de lui.

— Cesse un peu tes manœuvres de séduction avec moi, Lance Matthews! cria-t-elle pour tenter de couvrir le bruit des moteurs. Tu peux considérer ce que nous avons vécu hier comme un accident de parcours. Et toutes ces… ces bêtises dont je t'ai parlé…

Au comble de la colère, elle sentit une nouvelle fois ses joues s'empourprer violemment.

Mais qu'est-ce qui lui avait pris de lui avouer l'amour qu'elle lui portait lorsqu'elle était adolescente?

— Eh bien, justement ce ne sont que des bêtises! conclut-elle sèchement.

— Pourquoi? demanda Lance qui demeurait aussi calme que Foxy était agitée.

— Parce que j'avais seize ans et que j'étais naïve, voilà pourquoi! Je crois qu'il n'est pas nécessaire d'en dire plus.

— Tu n'as plus seize ans, rétorqua-t-il froidement en inclinant légèrement la tête. Pourtant tu es toujours aussi naïve.

— Pas du tout! jeta-t-elle avec indignation. Oh, et après tout, pense ce que tu veux!

Elle se heurta au sourire ironique qui flottait de nouveau sur les lèvres de Lance.

— Excuse-moi mais j'ai du travail, lança-t-elle vivement pour se donner du courage. Trouve-toi quelqu'un d'autre avec qui passer le temps durant les quatre-vingt-dix-huit tours restants.

— Quatre-vingt-dix-sept, rectifia Lance toujours aussi impassible. Et Kirk est en troisième position, ajouta-t-il à voix basse comme pour lui-même. Si tu veux mon avis, Fox, je vais continuer à respecter encore un peu les règles du jeu, parce que je trouve cela nouveau et rafraîchissant.

Il lui sourit, d'un sourire en coin, un sourire un brin provocateur qui déclencha la méfiance de la jeune femme.

— Et rien ne dit à quel moment je cesserai d'être un homme bien élevé.

— Bien élevé! répéta Foxy en levant les yeux au ciel. Laisse-moi rire!

Toujours souriant, Lance lui reprit les lunettes des mains et les lui posa délicatement sur le bout du nez avant de s'éloigner d'une démarche souple et nonchalante.

Au cours des trois mois qui suivirent, Foxy mit tout son talent à tenter d'éviter Lance. De Monaco à la France en passant par la Hollande, l'Allemagne et l'Angleterre, elle fit en sorte de ne pas croiser sa route. Elle restait autant que possible en compagnie de Pamela, persuadée qu'ainsi Lance ne prendrait pas le risque d'entamer une discussion trop personnelle. Leur emploi du temps serré l'y aida beaucoup. En fait, entre le temps passé à voyager et celui passé à travailler, il leur restait à peine suffisamment d'heures pour manger et dormir. En dehors des circuits qui étaient tous différents les uns des autres, rien ne distinguait un hôtel d'un autre hôtel. La routine s'installait, rompue seulement le temps des courses.

A la fin de l'été ils se trouvaient en Italie, sur le redoutable circuit de Monza. Ces quelques mois passés à suivre la saison avaient appris à Foxy qu'elle ne renouvellerait pas l'expérience. L'époque où elle adorait aller de ville en ville, de circuit en circuit, était révolue. Curieusement, plus le temps passait, plus elle avait de mal à maîtriser ses émotions. Cette partie de sa vie était derrière elle, et si elle devait un jour revenir en Italie, ce serait juste pour le plaisir de visiter Rome ou Venise.

Avec la nuit vint le silence. Toute la journée, le circuit avait vibré des tours d'essai. Assise, seule, sur les gradins désertés, Foxy avait l'impression d'entendre encore le bruit des moteurs rugir, ceux d'hier, depuis la création du circuit soixante ans auparavant, et ceux d'aujourd'hui.

Le ciel était clair, ponctué du croissant parfait de la lune et des innombrables étoiles scintillant de mille feux. L'odeur musquée de la forêt lui parvenait par vagues. Elle écoutait distraitement les stridulations des criquets. Elle jouissait de la tiédeur de l'air, si reposante après une journée caniculaire remplie de bruits infernaux et de fumées âcres. C'était une nuit magique qui portait à rêver, à espérer. Une nuit que l'on aimerait riche de promesses et de mots doux murmurés à l'oreille.

Elle ferma les yeux et se surprit à songer à Lance.

Une main sur son épaule la fit sursauter violemment.

— Kirk! souffla-t-elle. Tu m'as fait peur! Je ne t'ai pas entendu venir.

— Qu'est-ce que tu fais là, toute seule? demanda-t-il en prenant place à côté de sa sœur.

— J'avais besoin de calme. Il y a encore trop d'allées et venues à l'hôtel. Et toi, qu'est-ce qui t'amène ici?

— J'aime bien m'imprégner d'un circuit la veille d'une course.

Il se renversa en arrière et étendit ses longues jambes devant lui.

— C'est un circuit rapide. Nous allons battre des records de vitesse demain, annonça-t-il, sûr de lui.

Elle observa son profil, concentrant toute son attention sur lui. Comme par le passé, elle cherchait à calmer la tension qu'elle ressentait.

— Charlie a-t-il réussi à régler ton problème de pot d'échappement ?

— Oui. Lance t'importune-t-il, Foxy ? demanda-t-il brusquement.

La jeune femme s'attendait si peu à cette question qu'elle mit plusieurs secondes à réagir.

— Pardon ? dit-elle, perplexe.

— Tu m'as très bien entendu, riposta Kirk en tournant vers sa sœur un visage impassible. Est-ce que Lance t'importune ? répéta-t-il patiemment.

Foxy passa le bout de sa langue sur ses lèvres puis haussa un sourcil sceptique.

— Pourrais-tu préciser ta pensée ?

— Bon sang ! Tu sais très bien ce que je veux dire ! s'impatienta Kirk en se levant d'un bond.

Ebahie, Foxy vit son frère fourrer nerveusement ses mains dans ses poches et taper rageusement dans un caillou. Elle l'avait rarement vu dans un pareil état d'exaspération. C'en était presque comique.

— J'ai bien vu la façon dont il louchait sur toi, souligna-t-il. Et s'il a fait plus que ça, j'aimerais bien le savoir !

Les deux mains que Foxy avaient plaquées sur sa bouche furent un barrage bien dérisoire au fou rire qui la gagnait. Elle croisa le regard furibond de Kirk, et son rire redoubla. Elle lutta pour se recomposer une attitude. En vain.

— Je me demande bien ce que j'ai dit de si drôle, grommela-t-il avec humeur.

— Kirk, je...

Elle s'interrompit, toussa à plusieurs reprises puis inspira de profondes bouffées d'air afin de recouvrer son calme.

— Kirk, je suis désolée. Je m'attendais si peu à ce que tu me poses une question pareille.

Elle inspira de nouveau tandis que menaçait une nouvelle crise de fou rire.

— Et puis, je te rappelle que j'ai vingt-trois ans, ajouta-t-elle.

— Et alors ? Cela n'a rien à voir avec ton âge ! protesta-t-il en soutenant le regard rempli d'affection que Foxy posait sur lui.

— Kirk, avança Foxy doucement, lorsque j'avais seize ans tu ne faisais absolument pas attention aux garçons qui rôdaient autour du circuit, et aujourd'hui, tu es…

— Lance n'est pas un garçon ! l'interrompit vivement Kirk en fourrageant d'une main nerveuse dans ses cheveux épais. Et tu n'as plus seize ans, que je sache !

— Il paraît, oui, murmura-t-elle.

Kirk poussa un soupir de frustration et enfonça un peu plus ses mains dans ses poches.

— J'aurais dû être plus attentif, marmonna-t-il.

— Kirk…, commença Foxy d'une voix grave.

Toute trace d'humour avait disparu lorsqu'elle se leva pour aller le rejoindre.

— C'est gentil de t'inquiéter mais, crois-moi, ce n'est pas nécessaire.

Touchée par l'attention qu'il lui portait, elle posa sa tête sur son épaule.

« Quel drôle d'homme ! », songea-t-elle, ébranlée par ce brusque accès d'affection et de tendresse.

— Bien sûr que si, c'est nécessaire, murmura-t-il, visiblement mal à l'aise. Tu es toujours ma sœur, même si je ne t'ai pas vue grandir. Et je connais Lance. Je sais comment…

Il hésita à poursuivre et laissa échapper un juron.

— Comment il se comporte avec les femmes ? répondit crânement Foxy.

Elle déposa sur la joue de Kirk un baiser affectueux destiné à le rassurer.

— Cesse de t'inquiéter pour moi, Kirk. Tu sais, à l'université je n'ai pas fait qu'étudier la photographie. J'y ai appris la vie aussi.

La mine déconfite de Kirk la poussa à lui embrasser l'autre joue.

— Si cela peut te rassurer de le savoir, Lance ne m'importune absolument pas. Et si c'était le cas, je saurais me défendre, je te le promets. D'ailleurs, nous nous parlons à peine. Tu as une imagination trop fertile, conclut-elle, fermement décidée à entraîner Kirk sur un terrain plus neutre.

Evoquer Lance remuait en elle des souvenirs douloureux. Il fallait qu'elle change de sujet. Vite.

— Dites-moi, monsieur Fox, poursuivit-elle en mimant le ton d'un journaliste sportif, vous montrez-vous toujours aussi négatif la veille d'une course ?

Il ne répondit pas tout de suite.

— J'ai réalisé récemment qu'aucune femme sensée ne pourrait s'enticher d'un type comme moi, avoua-t-il soudain.

Foxy l'observa, surprise par une telle déclaration. Il y avait quelque chose dans le regard de son frère qu'elle n'avait jamais vu auparavant et qu'elle ne parvenait pas à définir.

— Lance me ressemble beaucoup, poursuivit-il, et je ne veux pas qu'il te fasse souffrir. Il serait capable de le faire, peut-être inconsciemment, mais il en serait capable.

— Kirk, je…

— Je le connais, Foxy, la coupa-t-il.

Il s'écarta légèrement d'elle et, lui faisant face, plaqua ses deux mains sur ses épaules.

— Les femmes ne seront jamais aussi importantes dans sa vie que le sont les voitures. Aussi, je ne pense pas que ce soit une bonne idée de fréquenter ce genre d'homme. Il y aura toujours une prochaine course, Foxy. Une autre voiture, un autre circuit. Et cette passion reléguera toujours tout le reste au deuxième plan. Ce n'est pas ce que je veux pour toi, même si je suis en grande partie fautif. Je ne t'ai jamais offert rien d'autre que cet horizon-là. Je n'ai pas fait ce que j'aurais dû faire et...

— Arrête, Kirk ! Arrête.

Elle noua les bras autour de son cou et enfouit le visage dans le creux de son épaule, comme elle l'avait fait des années auparavant après l'accident de ses parents, sur son lit d'hôpital.

— Tu as fait ce que tu as pu. En y mettant tout ton cœur.

— Tu crois ? murmura-t-il en la serrant plus fort. Parce que si c'était à refaire, je referais exactement la même chose. Mais cela ne signifie pas pour autant que j'ai eu raison.

— Tu as fait ce qui nous convenait à tous les deux.

Elle leva vers lui des yeux brillant d'émotion.

— Et je t'assure que je n'aurais pas pu être plus heureuse.

— Peut-être que tu as raison, après tout, marmonna-t-il en lui ébouriffant tendrement les cheveux avant de l'embrasser.

Un sourire attendri fleurit sur les lèvres de la jeune femme tandis que la moustache de Kirk lui caressait doucement les joues.

— Je suppose que je ne m'attendais pas à te voir grandir si vite. J'aurais dû me préoccuper de tout cela plus tôt, mais tu as toujours été si discrète ! Je ne t'ai jamais entendue te plaindre.

— Je n'avais aucune raison de le faire. J'étais heureuse.

Elle prit les mains de son frère dans les siennes et sentit la profonde cicatrice qui marquait sa paume, séquelle d'un accident mineur sur un circuit de Belgique.

— Kirk, reprit-elle au comble de l'émotion, nous avons tous les deux choisi les voies qui nous convenaient. Je ne regrette rien et je veux que toi non plus tu n'aies aucun regret. D'accord ?

Il observa un instant ce visage qui lui était si familier, semblant enfin réaliser que, devant lui, se tenait une adulte et plus la petite fille qu'il avait élevée comme il avait pu. Curieusement, la femme qu'elle était aujourd'hui lui paraissait plus vulnérable que la jeune adolescente tête brûlée qu'elle avait été. Peut-être

311

comprenait-il mieux les méandres de la psychologie féminine qu'il n'avait compris ceux de l'adolescence ?

— Je t'aime, conclut-il dans un élan si spontané que les yeux de Foxy se remplirent de larmes. Ne pleure pas, ajouta-t-il d'un ton faussement désinvolte, je n'ai rien pour t'essuyer.

Il passa un bras protecteur autour de ses épaules et l'entraîna hors des gradins.

— Allez, viens. Je te paie un sandwich et un café.

— Je préfère une pizza. Je te rappelle que nous sommes en Italie.

— Comme tu voudras, accepta-t-il gentiment.

Ils marchèrent un moment en silence, goûtant au calme paisible de la nuit, puis Foxy demanda d'une voix faussement ingénue :

— Kirk, si Lance m'importunait, tu irais lui casser la figure ?

— Sans hésitation, répondit-il avec un large sourire.

Il tira doucement sur une mèche de cheveux de la jeune femme et ajouta, tout aussi malicieux qu'elle :

— Aussitôt la saison terminée.

La jeune femme éclata d'un rire joyeux.

— Evidemment ! J'avais compris !

Il était un peu plus de 23 heures lorsque Pam entendit le rire clair de Foxy et celui, sonore, de Kirk résonner à travers les minces cloisons de sa chambre d'hôtel.

Elle se mordit la lèvre et attendit d'entendre le bruit de leurs portes qui se refermaient. Elle mourait d'envie de parler à Foxy, de rire et de plaisanter avec elle, bref de faire tout ce qui pourrait chasser Kirk Fox de son esprit. Car depuis des semaines elle ne pensait à rien d'autre qu'à lui. Malheureusement, plus le temps passait, plus il devenait froid et distant avec elle. Il ne lui adressait quasiment jamais la parole et, lorsqu'il le faisait, il lui témoignait une politesse de rigueur. Au fil du temps, il lui était apparu comme une évidence que Kirk ne manifestait plus aucun intérêt à flirter avec elle comme il l'avait fait au cours de leur première entrevue. En temps normal, elle se serait amusée de ce changement d'humeur. Mais elle avait très vite réalisé que les choses étaient différentes. A mesure que Kirk devenait plus taciturne, elle devenait plus tendue. Elle se souvenait avec une acuité douloureuse de ce jour où, en France, leurs regards s'étaient croisés avec une telle intensité qu'elle avait compris qu'elle était amoureuse de lui. Cette prise de conscience brutale l'avait terrorisée au point qu'elle avait perdu le sommeil et l'appétit. Kirk Fox était si différent des hommes qui l'avaient jusque-là attirée. Mais elle sentait bien que les règles étaient changées et que ce qu'elle éprouvait pour lui allait bien au-delà d'une simple attirance physique.

Elle avait même songé à renoncer à son projet et à rentrer aux Etats-Unis. Mais sa fierté l'avait emporté ; elle allait rester et se tenir, elle aussi, à distance de cet homme dangereux. Elle ne serait pas un trophée de plus sur la liste probablement conséquente de Kirk Fox.

Elle tendit l'oreille. Tout paraissait calme. Elle enfila hâtivement une robe de chambre par-dessus sa chemise de nuit et sortit pour se rendre dans la chambre de Foxy. Mais, à peine le seuil franchi, elle s'arrêta, pétrifiée.

Kirk, qui faisait les cent pas dans le couloir, se retourna et l'épingla de son regard métallique.

Incapable de faire le moindre mouvement, elle retint sa respiration. Impuissante, la main sur la poignée, elle le regardait venir à elle, les yeux toujours rivés aux siens.

Et puis, soudain, un océan de bien-être la submergea. Elle savait ce qui allait arriver. Elle désirait ce qui allait arriver. Elle l'appelait de tous ses sens. Lorsque Kirk fut près d'elle, ils s'observèrent en silence un long moment.

— Je suis venu jusqu'à ta porte des centaines de fois, avoua-t-il humblement. Sans oser frapper.

— Je sais.

— Mais, ce soir, annonça-t-il en la défiant du regard, j'ai bien l'intention de braver tous les interdits.

— Je sais, répéta-t-elle en s'effaçant pour le laisser passer.

Le calme souverain dont elle faisait preuve sembla le faire hésiter une seconde, et une petite flamme d'incertitude vacilla au fond de ses yeux.

— Je vais te faire l'amour, claironna-t-il dans une ultime provocation.

— Oui, acquiesça-t-elle tout en douceur.

« Il est aussi nerveux que moi », songea-t-elle, heureuse, lorsqu'elle le vit pénétrer d'un pas ferme dans la chambre.

Elle referma doucement la porte derrière eux. Ils se dévisagèrent en silence.

— N'attends de moi aucune promesse, annonça-t-il avec gravité, les mains toujours fourrées dans ses poches.

— Non, souffla Pam qui, dans un bruissement d'étoffe léger, alla éteindre la lumière.

La lune déchira l'obscurité, baignant la chambre d'une douce clarté. De la cour leur parvenaient des bribes de conversation, ponctuées d'éclats de rire.

— Je vais probablement te faire souffrir, poursuivit-il sur le même ton.

— Probablement, murmura la jeune femme en se plaquant étroitement contre lui. Mais je suis plus forte que je ne parais.

— Tu es en train de commettre une bêtise, Pam, insista-t-il en plongeant les mains dans sa chevelure soyeuse.

— Non, assura-t-elle avec force en nouant ses bras autour du cou de Kirk. Je ne commets aucune erreur.

Kirk la serra un peu plus fort et prit sa bouche offerte.

6

La foule habituelle piétinait avec impatience les abords du circuit dans l'attente du signal de départ, indifférente à la petite pluie fine et persistante qui tombait sans interruption depuis le matin. Les équipes techniques s'étaient empressées d'équiper les voitures de pneus adaptés à ce type de temps.

Foxy se tenait près d'un lavabo, dans les toilettes des femmes, et se rafraîchissait après son malaise. D'un geste machinal, elle s'épongea le front puis camoufla sous un léger maquillage la pâleur extrême de son visage. Ses mains étaient moites et elle laissa longtemps l'eau froide couler entre ses doigts avant de se rincer longuement la bouche.

La voix chuintante qui s'élevait du haut-parleur lui signifia qu'il ne lui restait plus que quelques minutes avant le signal du départ. Elle s'empara fébrilement de son matériel photographique et se hâta vers la sortie. Elle fut instantanément happée par la foule dense. Absorbée par ses pensées, elle ne vit pas Lance s'approcher d'elle.

— Cela ressemblerait-il à un rapprochement ? railla-t-il tandis que le flux des spectateurs la pressait contre lui.

Le sourire moqueur qui accompagnait ses paroles s'évanouit au contact des mains glacées de Foxy sur son bras nu.

— Mais tu es gelée ! dit-il en l'entraînant à l'écart.

— Pour l'amour du ciel, laisse-moi ! protesta-t-elle en essayant de se dégager. Le départ va avoir lieu dans une minute.

Indifférent aux protestations de la jeune femme, Lance plaça une main sous son menton et la força à lever le visage vers lui. La pâleur de ses traits, malgré le maquillage, sembla ne pas échapper à son regard acéré.

— Tu es malade. Il n'est pas question que tu restes là dans l'état où tu es.

Il passa son bras autour de sa taille et tenta de l'entraîner loin de l'agitation et du vacarme ambiants.

— Bon Dieu, Lance ! jura-t-elle en se débattant sans succès, ce n'est pas nouveau ! Je suis toujours malade avant une course et ce n'est pas ça qui va me faire rater ce départ !

Le visage de Lance passa de l'incrédulité à la colère.

— Tu peux me croire, gronda-t-il d'une voix menaçante, tu n'assisteras pas à celui-ci.

Puis, la traînant plus qu'il ne la conduisait, il l'entraîna vers le restaurant situé en retrait des gradins. Vaincue, Foxy se laissa aller contre lui, les jambes soudain flageolantes.

— Un café ! lança-t-il à l'adresse du serveur en installant Foxy sur la banquette la plus proche.

— Ecoute, Lance…, commença-t-elle.

— Tais-toi, lui ordonna-t-il d'une voix radoucie mais néanmoins si ferme qu'elle lui obéit d'instinct.

Il fallait remonter à plusieurs années en arrière pour qu'elle se souvienne d'avoir vu Lance dans une pareille colère. Redevenue l'adolescente qui l'admirait de loin, elle l'observa du coin de l'œil : sa bouche était pincée, sa voix vibrait d'une rage difficilement contenue, mais c'était surtout ses yeux, dangereusement assombris, qui la poussèrent à ne pas lui résister.

La salle était vide et rien, hormis les vibrations des voitures sur la ligne de départ, ne venait troubler la quiétude des lieux. Foxy regarda distraitement de petits filets de pluie ruisseler sur les vitres crasseuses. Le serveur posa devant eux deux tasses de café fumant.

Foxy ne quittait pas Lance des yeux. Pourquoi semblait-il aussi remonté contre elle ?

— Bois, lui ordonna-t-il d'un ton sec.

— Tout de suite, monsieur, répliqua-t-elle d'un ton faussement servile en portant la tasse à ses lèvres.

Une lueur de colère brûla au fond des yeux de Lance.

— Ne me pousse pas à bout, Fox.

La jeune femme reposa sa tasse intacte et se pencha vers lui.

— Lance, qu'est-ce qui te prend?

Il la dévisagea quelques secondes avant d'avaler d'un trait la moitié de son café brûlant.

— Comment te sens-tu? éluda-t-il en sortant de la poche de sa veste un cigare et un briquet.

— Bien, répondit-elle évasivement en le regardant tourner nerveusement son cigare entre ses doigts.

— Tu es malade avant chaque course? s'enquit-il.

Foxy hésita un instant puis piqua du nez dans sa tasse.

— Ecoute, Lance...

— Ne commence pas!

L'injonction avait claqué comme un coup de fouet.

— Je t'ai posé une question. Es-tu malade, je veux dire *physiquement malade*, avant chaque course? répéta-t-il d'une voix qu'il contrôlait mal.

— Oui.

Bien que murmuré, le juron qu'il laissa échapper était si violent qu'elle se mit à trembler.

— Kirk est-il au courant? demanda-t-il.

— Non. Bien sûr que non. Pourquoi lui en aurais-je parlé?

Dans un geste plein de tendresse, elle posa sa main sur celle de Lance.

— Lance, ce problème ne regarde que moi. Si j'avais avoué à Kirk que j'étais malade chaque fois qu'il prenait le départ d'une course, il se serait inquiété, peut-être même m'aurait-il interdit à jamais de remettre les pieds sur un circuit. Et moi, j'aurais probablement culpabilisé de lui causer autant de soucis!

Elle s'interrompit un instant et secoua la tête.

— Et, quoi qu'il en soit, il n'aurait jamais renoncé. Il n'aurait pas pu.

— Tu le connais bien, marmonna Lance.

— Je crois, oui.

Leurs regards se croisèrent. Lance paraissait moins fébrile mais Foxy devinait encore le feu couvant sous la cendre.

— Les courses passent avant tout dans la vie de Kirk, enchaîna la jeune femme. Elles ont toujours été sa priorité. Moi, je ne passais qu'en second plan. Mais ce n'était pas un problème. Cela me convenait. Car Kirk n'aurait pas été le même homme s'il avait changé l'ordre de ses priorités. Et moi, je l'aime comme il est, peut-être justement parce qu'il est comme ça. Je lui dois tout, tu comprends?

Lance ouvrit la bouche, s'apprêtant à parler, mais Foxy l'en empêcha.

— Non! S'il te plaît, laisse-moi terminer. Il m'a donné un toit, il m'a ouverte à la vie, m'a protégée. Je ne sais pas ce que je serais devenue si je n'avais pas eu Kirk après l'accident. Tu connais beaucoup d'hommes de vingt-trois ans qui auraient choisi de s'embarrasser d'une adolescente de treize ans, toi? Eh bien lui l'a fait, me donnant tout ce dont il était capable. Je sais bien qu'il est loin d'être parfait. Il est lunatique, égocentrique, mais, durant toutes ces années que j'ai passées auprès de lui, il n'a jamais rien exigé de moi, juste que je sois là.

Elle poussa un long soupir et fixa le fond de sa tasse vide.

— Cela ne me paraît pas être un grand sacrifice.

— Tout dépend, commenta Lance qui paraissait à présent plus calme. Mais, de toute façon, tu ne pourras pas être à ses côtés toute ta vie.

— Je sais.

De nouveau elle se perdit dans la contemplation de la pluie qui, à présent, crépitait joyeusement sur les vitres.

— J'en ai pris conscience tout récemment, murmura-t-elle. Je ne peux plus supporter de le voir s'enfermer dans ces bolides et d'imaginer le pire en sachant qu'un jour il se produira.

Elle chercha le regard de Lance et s'y accrocha désespérément.

— Je ne veux pas le voir mourir.

Lance se pencha vers elle et lui prit la main. Sa voix était douce à présent.

— Foxy, tu sais mieux que quiconque que tous les pilotes ne trouvent pas la mort sur un circuit.

— Peut-être, mais ce pilote-là est mon frère. Et j'ai déjà perdu deux de mes proches dans un accident de voiture. Non, laisse-moi finir. Ne crois pas que je me complaise à revivre ce sinistre souvenir, ce serait même plutôt l'inverse. Mais, quoi qu'il en soit, la situation n'est pas facile.

— Je ne cherchais pas à minimiser le danger, Foxy. Mais il est vrai qu'aujourd'hui les pilotes conduisent des voitures beaucoup plus sûres que par le passé. Il ne faut donc pas faire des accidents mortels une règle générale, mais plutôt une fatalité.

— Les statistiques ne signifient pas grand-chose, répliqua-t-elle avec un sourire contrit. Elles ne sont que des chiffres sur du papier. Tu ne peux pas comprendre, ajouta-t-elle en secouant la tête, parce que toi aussi tu as été pilote. Tu es de la même race qu'eux. Et vous avez beau énumérer un nombre incroyable de raisons pour justifier votre passion, il n'y en a qu'une : vous courez parce que vous adorez ça. Les courses deviennent alors votre mère, votre maîtresse, votre meilleur ami. Vous flirtez sans cesse avec la mort, vous vous cassez en mille morceaux, et pourtant vous n'hésitez pas une seconde à reprendre place sur la grille de départ. Un jour à l'hôpital, un jour sur les circuits, c'est votre religion, et je ne peux pas la condamner car je la comprends.

Elle pressa sa joue contre la vitre froide et laissa dériver son regard au loin.

— Je vis néanmoins dans l'attente du jour où il m'annoncera qu'il en a assez, reprit-elle comme pour elle-même. Qu'une autre passion a succédé à celle-ci.

Elle reporta soudain toute son attention sur Lance.

— Et toi, Lance ? Pourquoi as-tu arrêté ? C'est une question que je me suis souvent posée.

— Disons que ce n'était plus ma seule raison de vivre.

Il esquissa un petit sourire.

— J'en suis contente, répondit-elle simplement en lui rendant son sourire.

Elle se mit à tourner distraitement sa cuillère dans sa tasse.

— Lance, tu ne diras pas un mot de tout ceci à Kirk, n'est-ce pas?

— Je te le promets. Cependant, j'aimerais que tu n'assistes pas aux dernières courses de la saison.

— Tu ne peux pas me demander ça! protesta la jeune femme en secouant ses longues boucles rousses. Pas seulement à cause de Kirk, mais parce que j'ai passé un contrat avec Pam.

Elle se renversa sur sa chaise et tenta de percer l'écran de fumée qui lui cachait le regard de Lance.

— N'oublie pas que je suis photographe et que mon travail est très important pour moi, reprit-elle.

— Et après la saison, qu'est-ce que tu comptes faire?

— J'ai ma vie, mon travail. Et puis il va falloir que je m'oblige à vivre sans Kirk. Compte tenu de ma sensibilité, cela risque de ne pas être facile.

Elle se leva de la banquette, prête à partir.

— Excuse-moi, mais je dois y aller.

Lance la devança, lui bloquant le passage. La jeune femme leva sur lui un regard étonné tandis qu'il la prenait dans ses bras. Il la serra contre lui, l'obligeant à enfouir son visage contre son épaule.

— S'il te plaît, Lance, murmura-t-elle au comble de l'émotion. Je suis sans défense lorsque tu te montres aussi gentil avec moi.

Elle sentit ses lèvres effleurer ses cheveux tandis que ses mains lui caressaient tendrement le dos.

— Si tu n'arrêtes pas tout de suite, je te préviens, je vais éclater en sanglots.

— Pleurer? Toi? se moqua-t-il gentiment. Je crois bien ne t'avoir jamais vue pleurer une seule fois depuis que je te connais.

— En réalité, je n'aime pas me donner en spectacle.

Elle aurait pu rester des heures dans les bras rassurants que Lance avait refermés sur elle.

— Que c'est bon !, murmura-t-elle. Méfie-toi, je pourrais m'y habituer.

Pour toute réponse, Lance se pencha vers elle et effleura doucement ses lèvres. Ce n'était pas la passion des premiers baisers, mais une infinie tendresse qui les liait l'un à l'autre à cet instant. Foxy était de plus en plus troublée. L'affection que lui manifestait Lance la désarmait mais la séduisait plus sûrement que la plus ardente des déclarations. Il s'attardait à goûter ses lèvres pulpeuses et fruitées, à les mordiller sensuellement. Elle ne l'aurait jamais cru capable d'une telle douceur. La réalité s'estompa et elle plongea dans un monde où seul Lance existait. Et lorsque, à regret, ce dernier abandonna ses lèvres, elle tremblait de tous ses membres.

— Je ne suis pas encore certain de ce que je vais faire de toi, lui chuchota-t-il à l'oreille en glissant ses doigts entre les boucles soyeuses. J'avoue que c'était beaucoup plus facile lorsque je te pensais forte. J'ai bien peur d'être maladroit, de ne pas savoir comment gérer cette fragilité.

Encore sous le choc du baiser qu'ils venaient d'échanger, Foxy se pencha pour ramasser son appareil photo.

— Je ne suis pas fragile du tout, nia-t-elle avec une désinvolture qu'elle espérait convaincante.

Lance l'observait, son inaltérable sourire moqueur au coin des lèvres.

— Dis plutôt que tu n'acceptes pas de l'être.

— Pas du tout ! protesta de nouveau la jeune femme.

Pourtant, jamais encore elle ne s'était sentie aussi vulnérable. Mais la vie lui avait appris que seules les âmes fortes s'en sortaient indemnes.

Lance lui prit l'appareil des mains, puis, toujours sans un mot, l'enlaça et l'entraîna au-dehors.

*
* *

Lorsque l'équipe fut de retour aux Etats-Unis, Kirk était en tête des championnats avec cinq points. Il lui fallait remporter cette dernière victoire à Watkins Glen, pour être sacré champion du monde.

Foxy, en proie à des sentiments contradictoires, nageait en pleine confusion. Depuis le circuit de Monza, elle était préoccupée. Elle, d'habitude si sûre d'elle et de ses sentiments, passait le plus clair de son temps à s'interroger sur ce qu'elle éprouvait pour Lance Matthews. Depuis leur discussion en tête à tête, il l'obsédait. Car les marques de tendresse qu'il ne manquait pas de lui témoigner se mêlaient curieusement à une certaine retenue. D'ailleurs, depuis le baiser qu'ils avaient échangé, Lance n'avait plus cherché à la toucher. Elle commençait même à se demander si, contrairement à ce qu'elle avait cru, elle le connaissait si bien que cela.

Elle avait remarqué un changement notable également chez son frère. Il devenait plus calme, plus lointain. La jeune femme mettait cela sur le compte de la pression inhérente au championnat.

Les quelque quatre kilomètres du circuit serpentaient entre bois et plaines. Les arbres flamboyaient des riches couleurs d'automne, découpant leurs silhouettes majestueuses sur le bleu limpide du ciel. Des feuilles mortes dansaient leur folle farandole avant d'être emportées, légères, vers d'autres horizons. Foxy adorait ce circuit qui lui rappelait que New York ne se trouvait qu'à quelques kilomètres. Elle aimait ce mélange de simplicité et d'américanisme qui s'en dégageait.

Elle regarda les voitures s'élancer à travers le viseur de son appareil. « La dernière, enfin », songea-t-elle en poussant un soupir de soulagement. Derrière elle se tenait Charlie Dunning qui surveillait le départ de près en mâchonnant le bout d'un vieux cigare.

— T'en as pas marre de prendre des photos ? ronchonna-t-il en fronçant les sourcils.

— Et toi, vieux grognon, répliqua Foxy sans décoller l'œil de son viseur, tu n'es pas fatigué de jouer avec tes voitures et de draguer les filles ?

— Mais c'est que ça au moins, ça vaut le coup !

Il lui pinça la taille et grommela :

— Tu es de plus en plus maigre, ma parole !

— Et toi, de plus en plus beau, répliqua-t-elle en tirant doucement sur la barbe poivre et sel du mécanicien. Tu ne chercherais pas à me séduire par hasard ?

— Pas du tout, mademoiselle Je-sais-tout, maugréa-t-il en rougissant légèrement.

Tout en lui souriant, Foxy sortit de la poche de sa chemise une barre chocolatée dans laquelle elle croqua à pleines dents.

— Préviens-moi si tu changes d'avis, dit-elle sur un ton malicieux. Je ne vais pas rester jeune très longtemps, tu sais.

Charlie marmonna quelque chose d'inaudible et partit rejoindre son équipe de mécaniciens.

— C'est bien la première fois que je vois Charlie rougir, fit remarquer Lance.

Foxy pivota sur elle-même et le regarda s'approcher. Un petit frémissement la parcourut. Il portait un pull en fine maille qui laissait deviner ses muscles saillants, et il affichait son habituel sourire narquois. Elle fixa avec envie sa bouche sensuelle, et le souvenir de leur baiser fut soudain si vivant qu'elle était certaine qu'il ressentait la même émotion. Elle avait l'impression bizarre de le voir pour la première fois, de découvrir à cet instant la nuance unique de ses yeux gris, et ce visage qui, s'il n'était pas parfait, n'en était pas moins extrêmement séduisant et reléguait au rang de pâle rival un homme pourtant aussi beau que Scott Newman. Elle comprit à ce moment précis qu'il n'y avait jamais eu que lui dans son cœur.

« Je n'ai jamais cessé de l'aimer », s'avoua-t-elle, revoyant, en accéléré, toutes les années qu'elle avait passées dans son sillage.

— Tout va bien ? demanda Lance en posant une main sur son épaule.

La jeune femme tressaillit légèrement.

— Non… enfin, oui…, balbutia-t-elle en revenant péniblement à la réalité.

Elle se frotta les yeux, comme pour dissiper le voile qui lui brouillait l'esprit.

— Je… j'étais en train de rêver, je suppose.

— De Charlie ? se moqua gentiment Lance.

— Charlie ? dit-elle distraitement en regardant la barre chocolatée se ramollir entre ses doigts. Ah ! oui, Charlie ! Je… je le taquinais un peu.

Lance l'observait avec un intérêt croissant.

— Tu es sûre que tu vas bien ? s'enquit-il en fronçant les sourcils. Tu as l'air bizarre.

Bizarre ? Le mot était faible pour définir ce qu'elle ressentait.

— Oui, oui, je t'assure, mentit-elle en se forçant à sourire. Et toi ?

Lance attendit que le rugissement des voitures qui s'affrontaient dans une des courbes les plus dangereuses du circuit s'estompe.

— Ça va. Ton chocolat est en train de fondre, ajouta-t-il en pointant ses doigts du menton.

La jeune femme lécha ses doigts maculés et demanda d'un air qu'elle voulait dégagé :

— Qu'est-ce que tu comptes faire une fois la course terminée ?

— Me reposer.

Foxy constata avec soulagement que l'extrême tension qui l'habitait depuis l'arrivée de Lance commençait à se dissiper. D'ici à quelques minutes, tout rentrerait dans l'ordre.

— J'imagine que c'est ce que nous ferons tous. L'été a été long.

— Tu trouves ? dit-il en la fixant intensément. Moi, j'ai

l'impression que c'était hier que je t'ai vue surgir de dessous ta MG, dans le garage de Kirk.

— Et moi, que c'était il y a des années, murmura-t-elle comme pour elle-même.

Sa voix se perdit dans le vrombissement des moteurs. L'air, imprégné de l'odeur puissante des gaz d'échappement et de celle de la gomme surchauffée des pneus, était suffocant.

— Pam, en tout cas, n'a pas l'air d'être perturbée par toute cette agitation, fit-elle remarquer en désignant la silhouette menue de son amie près d'un stand. J'imagine que c'est plus facile lorsqu'on n'a aucun lien avec l'un des pilotes.

Lance laissa échapper un petit rire moqueur.

— Ne me dis pas que tu ne t'es aperçue de rien ?

— Que veux-tu dire ? questionna Foxy, perplexe.

— Foxy, ma chérie, ôte tes œillères, tu veux bien ? Pam est *personnellement* impliquée avec l'un des pilotes !

Foxy plissa les yeux et se mit à observer attentivement son amie. Les mains fourrées dans les poches de l'élégante veste blanche qu'elle portait, elle semblait suivre la course avec le plus vif intérêt.

— Tu veux dire que Pam et Kirk…

Mais bien sûr ! Comment ne s'en était-elle pas rendu compte avant ?

— Seigneur ! dit-elle dans un souffle.

— Désapprouverais-tu, par hasard ?

Le ton de Lance était sec, teinté d'une pointe d'irritation.

— Kirk est un grand garçon, tu sais ! ajouta-t-il alors qu'elle ne répondait pas.

— Ne sois pas ridicule, protesta Foxy en rejetant, d'un geste impatient, la masse épaisse de ses cheveux derrière ses épaules. Pam est une fille exquise, le problème n'est pas là.

— Et où est-il, le problème ?

Foxy désigna Pam d'un geste.

— Mais regarde-la ! Elle est tendre et fragile, et serait plus à sa place dans le salon de thé d'un quartier chic que sur un circuit automobile. Kirk n'en fera qu'une bouchée !

Lance caressa du bout des doigts le visage de Foxy.

— Tu as toujours tendance à sous-estimer la force de caractère des gens, Foxy. Penses-y, lui conseilla-t-il avant de lui tourner le dos et de s'éloigner.

Foxy resta quelques minutes immobile et le suivit des yeux. L'amour qu'elle lui portait n'était plus un amour d'adolescente, mais un amour de femme. Le temps avait passé si vite…

Et voilà que son frère aussi…

Elle devait parler avec Pam.

D'un pas décidé, elle se dirigea vers celle qui, en l'espace de quelques semaines à peine, était devenue une véritable amie.

— Il a pris la tête un peu plus vite que d'habitude, lui expliqua Pam en suivant du regard l'éclair lumineux qui venait de passer devant elles. Cette victoire lui tient tellement à cœur !

Elle se tourna vers Foxy et ajouta, avec un sourire plein d'indulgence :

— Il déteste perdre.

— Je sais. Il a toujours été comme ça.

Déstabilisée par la douceur du regard que Pam posait sur elle, Foxy inspira profondément pour se donner le courage d'aborder le sujet.

— Pam, je sais que cela ne me regarde pas mais je…

Elle s'interrompit et fourra nerveusement ses mains dans les poches de son jean.

— Seigneur ! Je sens que je vais me ridiculiser !

— Tu es venue me dire que je n'étais pas la femme qu'il fallait à Kirk, c'est cela ?

— Pas du tout ! protesta vivement Foxy. C'est *lui* qui n'est pas fait pour toi !

— Comme vous vous ressemblez, tous les deux !, murmura Pam. C'est ce qu'il croit lui aussi. Mais je sais, moi, que nous sommes faits l'un pour l'autre.

— Pam…

Foxy s'interrompit, cherchant les mots justes.

— Les courses…

— … passeront toujours avant moi, je sais, acheva Pam en haussant les épaules. Mais je l'accepte. En fait, c'est en grande partie ce qui m'a attirée en lui. Cette détermination absolue à vouloir être au sommet, partout, toujours, et cette faculté incroyable qu'il a d'occulter le danger. Curieusement, moi qui pensais devoir vivre dans une angoisse et une terreur permanentes, je me surprends à aimer cela et à vouloir le voir gagner. Je crois que je suis aussi folle que lui, ajouta-t-elle avec un petit rire. Je l'aime, poursuivit-elle avec gravité. Suffisamment pour accepter de passer au second plan dans sa vie. Et surtout ne crois pas que j'essaie d'usurper ta place.

— Oh ! non, il ne s'agit pas de cela, Pam ! Au contraire, je suis heureuse pour Kirk. Il a tellement besoin de quelqu'un… de quelqu'un qui le comprenne ! Mais je m'inquiète pour toi. Quelquefois, il peut se montrer très dur, sans même s'en rendre compte.

— Je suis plus forte que tu ne crois, Foxy, assura Pam en lui posant une main amicale sur l'épaule. Certainement plus que toi…

— Que veux-tu dire ?

— Il est très facile pour une femme amoureuse d'en reconnaître une autre, tu sais. N'essaie pas de nier, Foxy. Et si tu veux m'en parler, n'hésite pas, je suis devenue une experte en la matière !

— Je crois que cela n'en vaut pas la peine, déclara la jeune femme en haussant les épaules. Demain, le championnat sera terminé et chacun de nous reprendra sa route.

— Il reste encore une journée. C'est largement suffisant.

En une fraction de seconde, tout bascula.

Tandis que Pam lui parlait, Foxy vit l'inévitable se produire sous ses yeux. Les premières secondes, elle refusa farouchement de croire à ce qu'elle voyait, le bolide de Kirk qui se mettait à zigzaguer pour éviter la soudaine queue-de-poisson que venait de lui faire le pilote venant de sa droite. Le cœur de la jeune femme s'arrêta de battre. Elle attendit que Kirk reprenne le contrôle de sa voiture, comme il l'avait toujours fait. En vain. Celle-ci se mit à déraper, et Foxy entendit le crissement aigu des pneus, suivi, quelques secondes après, d'une explosion sèche semblable à celle d'un coup de feu. Puis des colonnes d'une épaisse fumée noire s'élevèrent dans le ciel tandis que la voiture, dans un froissement de tôle sinistre, s'encastrait violemment dans un mur.

Le sang se glaça dans les veines de Foxy.

— Non! hurla-t-elle.

D'un geste brusque elle se libéra des mains de Pam qui tentaient de la retenir et se rua en direction de la piste. Sa panique grandissait à mesure qu'elle approchait de la voiture de son frère. Partout, dans un rayon de plusieurs mètres, des morceaux de fibre de verre et de pneus déchiquetés témoignaient de la violence du choc.

Foxy courait, la tête vide, lorsqu'un étau lui enserra la taille, l'arrêtant dans sa course folle.

— Pour l'amour du ciel, Foxy, tu risques ta vie! gronda Lance d'une voix sourde.

Hagarde, échevelée, la jeune femme fixait la voiture, terrorisée à l'idée de la voir s'embraser d'une seconde à l'autre.

— Je dois y aller! hurla-t-elle en se débattant comme une forcenée. Tu ne comprends pas! C'est Kirk! Il *faut* que j'y aille!

— Tu ne pourras rien faire, Fox, lui dit-il avec douceur pour tenter de la calmer.

Tout en parlant, il voyait, par-dessus l'épaule de la jeune femme, une partie de l'équipe d'urgence étouffer la fumée avec des extincteurs tandis que l'autre tentait d'extirper Kirk du cockpit dont il était prisonnier.

— Tu ne pourras rien faire, répéta-t-il en lui caressant tendrement les cheveux.

Elle était devenue soudain si docile qu'il crut, l'espace d'un instant, qu'elle s'était évanouie entre ses bras.

— S'il te plaît, Lance, supplia-t-elle à voix basse, laisse-moi y aller. Je ne prendrai aucun risque, je te le promets.

Touché par l'immense détresse qu'il sentait en elle, Lance relâcha son étreinte. Sans un mot, indifférente à la présence de Pam qui les avait rejoints, elle regarda, comme hypnotisée, les secours sortir de l'épave le corps désarticulé de son frère.

7

Les murs de la salle d'attente de l'hôpital étaient d'un vert clair douteux, et le carrelage du sol, beige moucheté de marron. Foxy fixait sans la voir une reproduction d'un tableau de Van Gogh, seule note de couleur vive concédée à la petite pièce. Pam était assise à côté d'elle et buvait à petites gorgées un café depuis bien longtemps refroidi. Charlie, installé en face d'elles sur un divan en Skaï, mâchouillait le bout d'un long cigare éteint. Lance faisait inlassablement les cent pas, quelquefois en grillant une cigarette, quelquefois les mains fourrées dans les poches arrière de son jean.

A plusieurs reprises, Foxy avait vaguement surpris Pam en train de chuchoter quelque chose à l'adresse de Lance. Elle n'entendait pas ce qu'ils se disaient et elle s'en moquait éperdument. Cela ne l'intéressait pas. Ce qu'elle ressentait n'avait pas de nom. C'était cette même terreur indicible qu'elle avait éprouvée lorsqu'elle avait repris conscience après son propre accident et qu'elle s'était alors sentie profondément impuissante. Impuissante comme maintenant. Lance avait raison : elle ne pouvait rien faire. Que se résigner et attendre. Une voix la fit sursauter.

— Mademoiselle Fox?

Elle fixa sans la voir la silhouette qui se détachait en ombre chinoise sur le seuil.

— Oui! dit-elle d'une voix étonnamment forte en se dirigeant vers le médecin.

Celui-ci était jeune et arborait une moustache brune qui lui rappela douloureusement Kirk.

— Votre frère est hors de danger, lui annonça-t-il d'une voix douce. Il va pouvoir quitter le service de réanimation.

Foxy sentit l'horrible étau qui lui enserrait la poitrine disparaître instantanément.

— Ses blessures sont-elles graves? demanda-t-elle néanmoins avec une certaine prudence.

— Cinq côtes cassées, un poumon perforé mais, heureusement pour lui, pas d'hémorragie interne. Quant à sa jambe…

Il hésita un moment à poursuivre.

— Vous voulez dire que…, commença Foxy qui sentit une gangue de glace l'envelopper de nouveau.

Elle inspira profondément et se força à demander :

— Il risque de… de perdre sa jambe?

— Non, la rassura le médecin en prenant sa main glacée entre les siennes. Mais il faut que vous sachiez que c'est une blessure compliquée qui nécessitera plusieurs opérations. Il s'agit d'une fracture ouverte, et l'artère a été légèrement touchée. Nous avons bon espoir de le voir récupérer l'usage de sa jambe d'ici à quelques mois mais il y a toujours un risque d'infection. Il devra rester hospitalisé un bon moment.

— Je comprends, murmura Foxy que le diagnostic du médecin venait néanmoins de soulager. Y a-t-il autre chose?

— Quelques brûlures superficielles, des contusions, mais rien de grave. On peut dire que votre frère a eu de la chance, il s'en sort bien!

— C'est vrai, reconnut-elle en se tordant nerveusement les mains. Est-il conscient?

Le médecin esquissa un petit sourire qui lui donna soudain l'air encore plus jeune.

— Pour ça, oui! Dès qu'il a ouvert les yeux, il a tenu à savoir qui avait gagné la course!

Foxy se mordit la lèvre pour ne pas pleurer.

— Il sera transporté dans sa chambre d'ici à une heure,

poursuivit le médecin. Vous pourrez le voir à ce moment-là. Mais pas plus d'une visite, ce soir.

Foxy hocha lentement la tête.

— C'est Mlle Anderson qui ira le voir en premier, annonça-t-elle tranquillement.

— Foxy…, protesta faiblement Pam.

— Il a besoin de toi, décréta Foxy en croisant le regard ému de son amie. Dis-lui simplement que nous étions tous là.

Pam acquiesça, les yeux remplis de larmes. Elle avait réussi, au prix d'un effort intense, à maîtriser ses émotions au cours des heures tragiques qu'ils venaient de vivre. La générosité de Foxy la libéra de toute cette pression accumulée. Elle s'approcha de la fenêtre et, le regard perdu au loin, laissa les larmes ruisseler librement sur ses joues.

— J'ai donné mon numéro personnel au secrétariat, ajouta Foxy à l'intention du médecin. Qu'on me prévienne si quelque chose survenait avant demain.

— Ne vous inquiétez pas, mademoiselle Fox. Tout va bien se passer maintenant.

— Merci.

— Charlie, ordonna Lance, tu attends Pam et tu la raccompagnes. Moi, je m'occupe de Foxy, ajouta-t-il en prenant la jeune femme par le bras.

Puis, se tournant vers le médecin :

— Il y a des journalistes en bas. Je ne veux pas que Mlle Fox ait à les affronter ce soir.

— Prenez l'ascenseur réservé au personnel jusqu'au sous-sol. De là, vous pourrez aller jusqu'à la station de taxis qui se trouve près de l'entrée.

— Merci, dit Lance en entraînant Foxy à sa suite.

— Mais enfin, lâche-moi ! lui ordonna-t-elle lorsqu'ils furent dans le couloir. Je peux marcher toute seule.

— Je sais ce que j'ai à faire, rétorqua Lance en appuyant sur le bouton d'appel.

— Je ne t'ai pas encore remercié de m'avoir empêchée de foncer tête baissée sur la piste, dit-elle soudain d'une voix lisse.

Le timbre clair d'une sonnette retentit, leur annonçant l'ouverture des portes.

— C'était vraiment stupide de ma part, ajouta-t-elle en entrant dans la cabine.

— Arrête ! Bon Dieu, arrête ! explosa Lance en la secouant par les épaules. Crie, pleure, frappe-moi ! Mais cesse de vouloir donner le change !

Foxy le regarda sans comprendre. Que pouvait-elle faire de plus. Ses émotions, cadenassées à double tour, refusaient de faire surface. Elle n'y pouvait rien.

— J'ai hurlé tant que j'ai pu tout à l'heure, se justifia-t-elle de la même voix égale. Si je n'arrive pas à pleurer, c'est parce que je suis encore sous le choc, et si je ne te frappe pas, c'est que je n'ai aucune raison de le faire.

— Bon sang ! C'est quand même moi qui ai conçu la voiture dans laquelle ton frère aurait pu se tuer ! Cela ne te suffit pas comme raison ?

Il la prit cette fois par la main pour la guider vers le garage. Leurs pas résonnaient étrangement dans le silence du parking quasiment désert à cette heure de la nuit.

— Personne n'a forcé Kirk à se glisser derrière ce volant, Lance. Tu n'y es pour rien. Personne n'est fautif.

— J'ai bien vu le regard accusateur que tu m'as lancé lorsqu'ils l'ont sorti de la voiture.

Elle était épuisée lorsque Lance l'aida à s'asseoir dans le taxi. Elle tourna son visage vers lui et s'appliqua à articuler clairement :

— Je suis désolée, Lance. Peut-être, en effet, t'en ai-je voulu, mais juste l'espace d'une seconde. Je croyais qu'il était mort, tu comprends, alors il fallait que quelqu'un porte le chapeau. Toi ou un autre, peu m'importait.

La voix tremblante, elle s'interrompit un instant avant de reprendre :

— Chaque jour de ma vie, je me suis préparée à ce qui est arrivé. Et pourtant j'ai réalisé que je ne l'étais pas. Je ne le serai jamais.

Elle inspira profondément et s'enfonça dans son siège.

— Je ne t'en veux pas de ce qui est arrivé à Kirk, pas plus que je ne lui en veux à lui, ajouta-t-elle d'une voix sourde. Cet accident le dissuadera peut-être enfin de continuer.

Lance ne répondit pas.

Ils effectuèrent le reste du trajet en silence.

Lorsqu'ils arrivèrent à l'hôtel, ils trouvèrent Scott Newman en train de faire les cent pas devant la chambre de Foxy. Dans son costume impeccable, il avait l'air d'un cadre supérieur qui aurait miraculeusement pu s'échapper quelques minutes d'une réunion importante.

— Cynthia ! s'exclama-t-il en se précipitant vers la jeune femme. J'ai appelé l'hôpital et ils m'ont dit que tu étais sur le chemin du retour. Comment va Kirk ? Ils n'ont rien voulu me dire au téléphone !

— Ça va aller, le rassura Foxy.

Puis elle lui fit un résumé succinct du diagnostic.

— Tout le monde était mort d'angoisse ici ! Ils vont être contents d'apprendre la nouvelle. Et toi, comment te sens-tu ? J'ai pensé que tu aurais besoin de moi, ajouta-t-il sans attendre sa réponse.

— Elle a surtout besoin de se reposer, répondit Lance avec autorité.

— C'est vraiment très gentil à toi de m'avoir attendue, Scott, murmura Foxy en fusillant Lance du regard. Je vais bien. Je me sens juste un peu fatiguée. Pam est restée au chevet de Kirk pour lui tenir compagnie.

— Nous avons repassé les vidéos, l'informa Scott. Kirk ne pouvait pas faire autrement pour éviter la queue-de-poisson de Martell. Il semblerait que celui-ci ait eu un problème de direction. En tout cas, sans la présence d'esprit de Kirk, ils allaient au crash tous les deux.

Il dénoua le nœud de sa cravate avant d'ajouter :

— La presse est sur les dents. Ils veulent tout savoir. Tu veux leur faire une déclaration maintenant ?

— Il n'en est pas question, intervint Lance d'une voix tranchante. Et si tu tiens vraiment à te rendre utile, demande à la réception de ne passer aucune communication téléphonique dans cette chambre, sauf si elle vient de l'hôpital. Foxy, donne-moi la clé.

— Je pense pouvoir les tenir jusqu'au matin…, avança Scott.

— Retrouve-moi dans ma chambre dans deux heures, lui ordonna Lance en prenant la clé que Foxy lui tendait. Je te donnerai de quoi les calmer un peu. Et fais en sorte qu'ils ne viennent pas importuner Foxy. Compris ?

Scott opina d'un hochement de tête puis se tourna vers Foxy.

— Si tu as besoin de quoi que ce soit, n'hésite pas, Cynthia.

— Merci, Scott, et bonne nuit, répondit la jeune femme en luttant pour ne pas claquer au nez de Lance la porte qu'il venait de lui ouvrir.

Maîtrisant la colère qui la gagnait, elle se laissa tomber dans un fauteuil.

— Tu as été très dur avec Scott, parvint-elle à dire calmement en se frottant les tempes. Je crois bien ne t'avoir jamais vu aussi grossier, d'ailleurs.

— Si tu voyais ta tête, tu comprendrais pourquoi j'ai manqué de patience !

Foxy l'observa en silence, refrénant toujours la colère qui l'étouffait.

— Tu es pâle à faire peur, poursuivit Lance, semblant ne prêter aucune attention au regard assassin qu'elle lui lançait, et cette espèce d'idiot ne te parlait que de conférence de presse ! Non mais vraiment, quel imbécile !

— Cela ne l'empêche pas d'être un très bon manager, riposta-t-elle en luttant vainement contre les signes avant-coureurs d'une violente migraine.

— Ainsi qu'un homme très charitable, railla Lance d'un ton sarcastique.

— Lance, serais-tu en train d'essayer de me protéger ?

— Peut-être bien, marmonna-t-il en décrochant le téléphone.

Foxy l'entendit vaguement dispenser toute une série d'ordres. « C'est étrange, songea-t-elle. C'est devenu une habitude chez lui. D'abord en Italie, maintenant, ici. Et pourtant cela semble le mettre toujours aussi mal à l'aise. »

Elle le regarda raccrocher brutalement puis se mettre à arpenter la pièce comme elle l'avait vu faire dans la salle d'attente de l'hôpital, quelques heures plus tôt. Elle réalisa soudain qu'elle lui était reconnaissante d'être là, à ses côtés. Elle se sentait tout à coup si fragile, si vulnérable ! Elle ne voulait pas qu'il la laisse seule ; elle ne s'en sentait ni la force, ni le courage.

— Lance, appela-t-elle doucement en lui tendant la main.

La douce intonation de sa voix le stoppa net. Il considéra quelques secondes la main offerte, puis se dirigea vers elle.

— Merci, Lance. Je ne sais pas comment j'aurais fait sans toi. En fait, je viens de réaliser à quel point ta présence m'est indispensable. Je tenais à ce que tu le saches.

Elle vit son visage tressaillir légèrement.

— Fox…, commença-t-il.

Mais la jeune femme s'empressa de l'interrompre, se moquant éperdument de lui dévoiler sa faiblesse. Elle avait besoin de lui et entendait bien le lui faire savoir.

— Tu ne vas pas partir demain, n'est-ce pas ? Si tu pouvais rester juste deux jours de plus, le temps que les choses se tassent un peu. Je suis capable de mentir, tu sais, ajouta-t-elle avec une pointe de désespoir. C'est un truc que j'ai appris au fil des ans. Demain, je peux me rendre à l'hôpital, regarder Kirk droit dans les yeux et faire comme si tout allait bien. Je t'assure qu'il ne soupçonnera même pas à quel point je déteste le voir allongé dans ce lit. Mais si tu pouvais rester, si je savais que tu es là, près de moi... Je sais que c'est beaucoup te demander mais je...

Elle s'interrompit, pressant ses deux mains sur son visage.

— Je crois bien que je suis un peu perdue, avoua-t-elle à mi-voix.

Elle entendit les coups discrets que l'on frappait à la porte puis Lance aller répondre et revenir.

— Fox, bois ça, chuchota-t-il en lui plaçant dans la main un verre de brandy que l'un des serveurs venait d'apporter.

Elle le prit et en fixa distraitement le fond.

Lance attendit un moment puis il s'accroupit à son côté.

— Fox, murmura-t-il, épouse-moi.

La jeune femme écarquilla ses grands yeux verts puis le fixa, sidérée.

— Quoi? s'exclama-t-elle, certaine d'avoir mal compris.

— Epouse-moi, répéta Lance plus fort.

Elle vida son verre d'un trait. L'alcool lui brûlait la gorge mais elle ne s'en rendait même pas compte. Elle fixait Lance. Elle devinait, derrière le masque de quiétude, un déferlement d'émotions vives prêtes à exploser à tout moment. Une boule se forma dans sa gorge, un intense sentiment de panique la submergea.

— Pourquoi? demanda-t-elle dans un souffle.

— Pourquoi pas? riposta-t-il en lui prenant le verre vide des mains.

Elle esquissa un geste d'incompréhension et ne trouva rien à répondre.

— Oui, pourquoi pas? insista Lance en portant à ses lèvres les mains tremblantes de Foxy.

— Je ne sais pas, je...

La proposition pour le moins surprenante qu'il venait de lui faire lui ôtait toute faculté de penser.

— Il doit certainement y avoir une raison mais j'avoue que j'ai du mal à rassembler mes idées, laissa-t-elle tomber.

— Alors, accepte de m'épouser et viens vivre à Boston avec moi.

— Boston? répéta-t-elle bêtement.

Pour la première fois depuis des heures, un faible sourire vint éclairer le visage de Lance.

— Oui, Boston. C'est là que j'habite, tu te rappelles?

Foxy lissa une ride imaginaire entre ses sourcils.

— Oui... oui, bien sûr, je me rappelle, balbutia-t-elle.

— Nous pourrions partir dès que nous serons sûrs que Kirk est tiré d'affaire. A mon avis, il ne sortira pas avant deux mois. Mais ce n'est pas nécessaire que tu restes jusque-là. Et puis Pam sera avec lui.

Lance s'exprimait à présent avec la plus parfaite retenue, lui exposant son plan sur le même ton que celui qu'il aurait employé pour lui proposer d'aller lui chercher une tasse de thé. Elle avait l'impression de vivre un rêve éveillé.

Elle finit par secouer lentement la tête.

— Lance, je...

Elle hésita à poursuivre puis choisit d'esquiver. Il ne servait à rien de foncer, tête baissée.

— J'avoue que je n'ai pas les idées très claires en ce moment. Je crois qu'il serait plus sage que tu me laisses un ou deux jours pour réfléchir à tout cela.

Lance inclina légèrement la tête et fronça les sourcils.

— Cela me paraît raisonnable, acquiesça-t-il sans grande conviction.

Mais lorsqu'il la vit se lever et se détourner de lui, il bondit sur ses pieds.

— Non! s'écria-t-il si fermement que Foxy pivota brusquement pour lui faire face.

— Qu'y a-t-il?

— Non. Je ne veux pas te laisser le temps d'y réfléchir.

En deux enjambées il était près d'elle et la serrait étroitement contre lui. Ses yeux avaient perdu de leur sérénité et reflétaient à présent toute la contrariété qui semblait l'habiter. Elle avait déjà vu ce regard, des années plus tôt, au Mans. Allait-il de nouveau exprimer violemment sa colère contre elle ?

— Qu'est-ce que tu veux, Lance ?

— Toi. C'est toi que je veux, Fox, dit-il en plongeant dans son regard. Je ne veux pas te laisser m'échapper.

Il posa sur ses lèvres un baiser d'une infinie douceur.

— Tu pensais vraiment que j'allais franchir cette porte et attendre patiemment que tu te décides ?

D'un nouveau baiser, il scella la réponse qu'elle s'apprêtait à lui faire.

— Me crois-tu capable de t'abandonner alors que tu viens juste de m'avouer que tu avais besoin de moi ?

— Lance, protesta la jeune femme, cela ne voulait pas dire… Enfin, je ne veux pas que tu te croies obligé de… Je t'étais juste reconnaissante…

— Je n'ai rien à faire de ta reconnaissance ! s'emporta-t-il brusquement. Ni de ta gratitude ! Ce n'est pas ce que j'attends de toi !

Le ton monta d'un cran et sa voix vibra d'une agitation contenue.

— Et je me fiche bien de devoir ménager ta susceptibilité ! Je suis un sale égoïste, Foxy, et j'ai pour habitude d'obtenir ce que je veux, quand je le veux !

Le cœur de Foxy se mit à battre si sauvagement dans sa poitrine qu'elle en eut le vertige. Elle s'exhorta au calme, posa une main qui se voulait rassurante sur le bras de Lance.

— Lance…, hasarda-t-elle prudemment, ce dont tu parles n'implique pas nécessairement une décision aussi importante que le mariage. Considérons cela comme un grand pas en avant, comme une conséquence inévitable de notre passé, enfin je ne sais pas trop quel terme lui attribuer mais…

— Je t'aime.

Foxy resta sans voix.

— Je veux passer ma vie avec toi, poursuivit-il, et je ne retournerai pas à Boston sans toi. Je ne peux pas t'offrir les flonflons d'un mariage romantique, parce que le temps nous manque et que je n'aurai jamais la patience d'attendre. Nous verrons tout cela plus tard, si tu le désires.

Ses mains fébriles passaient, sans qu'il semble s'en rendre compte, des cheveux de la jeune femme à ses épaules, puis à sa taille.

— Foxy, tu me rends fou.

Il l'épingla d'un regard implacable.

— Et tu m'aimes aussi. Je le sais.

— Oui, admit Foxy, vaincue, en posant la tête sur son torse puissant. C'est vrai, je t'aime. Oh, Lance ! Serre-moi fort.

Durant quelques minutes, elle s'offrit l'incroyable luxe de se sentir protégée et chérie par l'homme qu'elle aimait. « Il m'aime », se disait-elle en écoutant le cœur de Lance battre contre son oreille. Tout était allé si vite !

Elle se haussa sur la pointe des pieds et tendit ses lèvres à Lance. Leurs bouches se cherchèrent, puis se prirent passionnément, réunissant leurs deux corps dans un même désir.

— Nous pourrions nous marier d'ici à deux jours, annonça Lance.

Ses mains se mirent à caresser doucement le dos de Foxy avant de s'immobiliser sur ses hanches.

— C'est à peu près le temps qu'il faudra pour réunir les pièces administratives. Ensuite, nous pourrons partir pour Boston.

Son regard se fit grave.

— Pam s'occupera de Kirk. Tu peux comprendre cela, n'est-ce pas, mon amour ?

La jeune femme repoussa vivement l'image de l'accident venue ternir ce moment de pur bonheur.

— Oui, Lance. Oui, je veux rentrer avec toi. Reste, ajouta-t-elle en se blottissant un peu plus contre lui. Je veux que tu passes cette nuit avec moi.

Lance s'écarta d'elle et caressa tendrement sa joue, du bout des doigts.

— Non. J'ai déjà assez profité de la situation, parvint-il à plaisanter. Tu as besoin d'une bonne nuit de sommeil.

Puis, sans lui laisser le temps de protester, il la porta jusqu'à son lit.

Lance l'allongea délicatement puis il s'assit auprès d'elle.

— Tu n'as besoin de rien?

— Lance, murmura Foxy, redis-le-moi.

Lance lui prit la main et en embrassa tendrement la paume.

— Je t'aime, lui chuchota-t-il à l'oreille. Dors, maintenant.

Elle ferma les yeux et sentit à peine les lèvres de Lance effleurer les siennes.

— Je reviendrai demain matin, lui promit-il.

Elle dormait déjà d'un sommeil profond lorsqu'il referma doucement la porte derrière lui.

8

Les rayons du soleil filtrant à travers les volets lui caressaient doucement la joue. Son esprit encore embrumé se fixa peu à peu sur des détails insignifiants mais qui, dans la quiétude du matin, prenaient une ampleur particulière : le tic-tac régulier de son réveil, la légère démangeaison entre ses omoplates, la lourdeur de l'édredon sur son corps engourdi. Elle se rappelait vaguement l'avoir rabattu jusqu'à son menton après s'être réveillée dans la nuit, transie d'angoisse et de froid. Un cauchemar l'avait brusquement arrachée du sommeil profond dans lequel elle avait sombré, lui tirant enfin les torrents de larmes qu'elle n'avait pu verser jusque-là. Elle avait pleuré, pleuré jusqu'à ce que, de ses yeux brûlants, ne coule plus une seule larme. Elle avait ensuite ruminé un long moment la déclaration de Lance mais les doutes l'avaient alors assaillie : il ne lui avait fait cette proposition que poussé par le sens aigu du devoir qui le caractérisait. Elle avait tenté de revivre l'émotion ressentie lorsqu'il lui avait avoué son amour pour elle. En vain. Elle s'était sentie malheureuse et désemparée, puis avait plongé dans un sommeil agité.

Elle s'étira paresseusement, les paupières encore lourdes de sommeil. Ce ne fut que lorsqu'elle eut pleinement repris conscience de la réalité qu'elle s'assit brusquement et que, la tête posée sur ses genoux, elle se permit de sourire à son avenir.

Elle étendit sa main gauche devant elle et, plissant les yeux, tenta d'imaginer une alliance à son annulaire.

— Je vais me marier ! dit-elle à voix haute, juste pour le plaisir d'entendre ces mots résonner à ses oreilles.

Mais ces mots magiques prirent également tout leur sens, et il lui vint brutalement à l'esprit qu'elle ne savait rien du Lance Matthews d'aujourd'hui, hormis le fait qu'il vivait à Boston et qu'il était un homme d'affaires, riche à millions. Celui qu'elle avait connu était un pilote téméraire qui n'hésitait pas à défier le destin et à plonger les mains dans le cambouis. Le seul indice sur sa vie qu'elle possédait, elle l'avait eu au cours de la soirée qu'ils avaient passée ensemble à Monte-Carlo. Mais cela ne suffisait pas. Quel genre d'homme était-il au quotidien et dans le monde qui était le sien ? Appartenait-il à l'un des clubs très fermés de la haute bourgeoisie bostonienne ? Jouait-il au golf tous les dimanches ? Elle tenta de l'imaginer, un club à la main, effectuant un swing parfait.

Elle ferma les yeux et essaya de se détendre.

Elle devait cesser de se torturer l'esprit. De toute façon, il était trop tard, l'heure n'était plus aux doutes. Quelle différence cela faisait-il qu'il joue au golf ou au backgammon, ou même qu'il pratique le yoga ? Et que, pour aller travailler, il porte un costume trois pièces ou un jean avec un pull à col roulé ?

— Allons, lève-toi et va te préparer ! Lance ne va pas tarder à arriver et il n'est pas question qu'il te voie comme ça. Tu ressembles à un zombie, ma pauvre fille !

D'un geste brusque, elle repoussa drap et édredon et bondit hors du lit. Elle étira ses muscles endoloris par le trop-plein d'émotions de la veille puis ôta les vêtements qu'elle n'avait pas eu la force de retirer avant de s'endormir. Lorsque Lance frappa à la porte, trente minutes plus tard, elle mettait la touche finale à un maquillage destiné à atténuer ses traits tirés et les cernes mauves sous ses yeux encore gonflés.

Elle l'accueillit dans une robe en maille jaune, les cheveux soigneusement tirés en une natte torsadée. Lance l'observa un instant en silence.

— Tu as pleuré, remarqua-t-il sur un ton accusateur qui

fit réaliser à la jeune femme que ses tentatives de camouflage avaient échoué. Tu n'as pas dormi?

— Pas très bien, admit-elle. En fait, je me suis réveillée et j'ai pris de plein fouet tous les événements de la journée.

— J'aurais dû rester.

— Non, le rassura Foxy. J'avais besoin d'être seule, et cela m'a permis de prendre du recul. Je vais beaucoup mieux, ce matin.

Une lueur inquiète vacilla au fond des yeux de Lance.

— Tu as changé d'avis pour le mariage?

L'espace de quelques secondes, un frisson d'angoisse parcourut la jeune femme.

— Non, annonça-t-elle pourtant avec détermination.

Lance parut soulagé mais ne manifesta aucune émotion.

— Parfait. Alors nous passerons à la mairie nous occuper des formalités administratives avant d'aller à l'hôpital. Tu es prête?

Pour toute réponse, Foxy franchit le seuil, Lance sur ses talons, puis elle referma doucement la porte derrière eux.

— J'aimerais annoncer moi-même la nouvelle de notre mariage à Kirk. Et lorsque je jugerai le moment venu.

— Je n'y vois pas d'inconvénient, acquiesça Lance toujours aussi impassible.

— Excuse-moi, j'aurais peut-être dû te demander si toi non plus tu n'avais pas changé d'avis? jeta froidement la jeune femme, vexée par l'attitude pour le moins déconcertante de son compagnon.

— Si cela avait été le cas, je te l'aurais déjà dit, répliqua-t-il sur le même ton.

— Evidemment, lâcha-t-elle, un brin sarcastique.

Sans un mot, Lance la conduisit jusqu'à la Porsche bleu métallisé qu'il avait louée le matin même.

Un accès soudain de colère envahit Foxy qui ne put s'empêcher de relancer la discussion.

— J'imagine que tu as déjà contacté tes avocats pour le contrat de mariage. On ne sait jamais…

— Arrête, Foxy, gronda Lance d'une voix sourde en lui ouvrant la portière du côté passager. Arrête !

La jeune femme secoua la tête et le fixa, les yeux brillant d'une rage qu'elle contenait mal. Elle n'avait aucune envie de se taire.

— Je ne comprends pas pourquoi tu te comportes de la sorte ! poursuivit-elle. Mais peut-être est-ce tout simplement le reflet de ta mauvaise humeur du matin. Je suppose que je vais devoir m'y habituer. Tout comme toi, tu vas devoir t'habituer au fait que je dis ce que je veux quand je le veux. Et si cela ne te convient pas, tu peux…

Lance interrompit la tirade de la jeune femme en claquant violemment la portière derrière elle et en l'attirant non moins violemment contre lui, lui écrasant passionnément les lèvres. Puis il l'écarta de lui sans plus de ménagement.

— Voilà ! Désormais tu sauras comment je m'y prendrai pour te faire taire lorsque je n'aurais pas envie d'entendre ce que tu as à me dire.

— Tu es complètement fou ! fulmina-t-elle, suffoquant d'indignation.

— C'est possible, concéda-t-il en la repoussant sur son siège.

Rouge de rage et de confusion, Foxy remarqua deux jeunes filles hilares qui se tenaient sur le trottoir d'en face et qui avaient l'air de se réjouir du spectacle auquel elles venaient d'assister. Vexée, elle croisa les bras sur sa poitrine et se retrancha, boudeuse, derrière un mur de silence.

C'est donc dans un silence de mort qu'ils firent les démarches administratives nécessaires à toute union solennelle.

A peine deux heures plus tard, et après n'avoir parlé que lorsque cela s'était avéré strictement indispensable, ils se retrouvaient au chevet de Kirk.

Foxy cacha à grand-peine le choc que provoqua chez elle la vue des bandages et des plâtres qui dissimulaient presque chaque parcelle de la peau de Kirk. Sa jambe était immobilisée par une fixation externe semblable à celle que les enfants utilisent dans leurs jeux de construction. Partout des tuyaux et des tubes reliaient son frère à la vie.

Foxy nota aussitôt l'extrême tension qui régnait entre Kirk et Pam, mais elle jugea plus prudent de s'abstenir de tout commentaire.

Les mains vides, car elle savait que Kirk aurait détesté qu'elle lui apporte des fleurs, elle s'approcha du lit, les yeux empreints de gravité.

— Tu n'es pas très présentable, parvint-elle néanmoins à dire avec légèreté.

Elle tremblait pourtant de tous ses membres devant l'appareillage impressionnant dont son frère était équipé. Un faible sourire flotta sur les lèvres de Kirk.

— Tu n'es pas mal non plus, rétorqua-t-il avec humour. Salut, Lance. Je crois que ta voiture va avoir besoin d'une bonne révision.

— Et d'un bon coup de peinture aussi, ajouta ce dernier en enfonçant nerveusement ses mains dans ses poches.

Son regard croisa celui de Pam. Elle avait les traits tirés de quelqu'un qui venait de passer une nuit blanche. Il avait vu cette même lassitude tant de fois sur le visage d'amis, de parents, de maîtresses ou d'épouses de pilotes hospitalisés…

— On m'a dit que c'était Bettini qui avait remporté le championnat, reprit Kirk en haussant maladroitement les épaules. Tant mieux, c'est un bon pilote.

Foxy le vit grimacer de douleur tandis qu'il essayait de changer de position. Elle s'empressa de détourner les yeux, sachant que son frère ne supporterait pas la moindre marque de compassion.

— Eh bien je suppose qu'il ne doit pas te poser trop de problèmes en ce moment, dit-elle, faussement désinvolte, en s'adressant à Pam.

— Détrompe-toi, c'est tout le contraire.

— Pam…, gronda Kirk entre ses dents.

Mais la jeune femme poursuivit, indifférente au ton menaçant de son amant.

— Figure-toi qu'il m'a *ordonné* de rentrer à Manhattan. Malheureusement, et cela semble le contrarier au plus haut point, je n'en ai pas la moindre intention.

Ne sachant trop quoi dire, Foxy regarda tour à tour son frère, puis Pam.

— Il trouve que ce n'est pas raisonnable, continua Pam sur le même ton égal.

— Et stupide, renchérit Kirk en fronçant les sourcils.

— Ah ! oui, j'oubliais ! Et stupide.

— Ecoute-moi bien, Pam, reprit Kirk d'une voix tremblante de colère, tu n'as aucune raison de rôder autour de moi comme ça, tu m'entends ?

— Si, j'en ai une ! claironna Pam. Je suis une maniaque des hôpitaux ! Que veux-tu, c'est comme ça, je ne peux pas m'en passer.

— Bon Dieu ! Fiche le camp d'ici, je ne veux plus te voir ! aboya Kirk en laissant échapper un cri de douleur.

Une main fermement posée sur le bras de Foxy, Lance empêcha cette dernière de se précipiter au chevet de son frère.

— Ne t'en mêle pas, lui ordonna-t-il à mi-voix.

Pam, la tête haute, les épaules bien droites, affrontait Kirk, comme un général face à une armée ennemie.

— Tu n'arriveras pas à te débarrasser de moi. Je t'aime.

— Tu es complètement folle ! grogna Kirk en se laissant retomber doucement sur son oreiller.

— Sûrement. Pour tomber amoureuse d'un homme comme toi, il faut l'être.

Kirk plissa les yeux et fixa la jeune femme qui lui tenait tête.

— Je ne céderai pas, grommela-t-il plus faiblement.

Pam haussa négligemment les épaules.

— Vraiment ? Et comment comptes-tu t'y prendre ? En me bottant les fesses avec ta jambe valide, peut-être ? railla-t-elle.

347

— Attends un peu que je puisse me lever ! ronchonna Kirk, furieux de se faire tenir la dragée haute par un petit bout de femme pas plus haut que trois pommes !

— Ah oui ? dit-elle avec la plus parfaite décontraction avant de s'approcher de Kirk et de tirer sur l'une des pointes de sa moustache. Alors, rappelle-moi d'avoir peur un de ces jours. Mais pour l'instant, c'est moi qui décide. J'avais le choix entre trois options : te tuer, me suicider en sautant d'un pont ou assumer.

Elle s'interrompit pour lui tapoter la joue avec un grand sourire narquois.

— Eh bien, j'ai décidé d'assumer et tu n'y peux rien, mon vieux.

— C'est ce que tu crois, lâcha Kirk qui, à bout d'arguments, commençait à faiblir.

Pam se pencha vers lui pour l'embrasser.

— Je ne crois pas, j'en suis sûre, conclut-elle.

— Nous réglerons cela quand je serai en mesure de le faire, murmura-t-il en répondant avec passion au baiser de la jeune femme.

— Si tu veux, répliqua-t-elle avec un petit sourire, tandis qu'elle s'asseyait sur le bord du lit.

Foxy remarqua la main de son frère qui cherchait celle de Pam. La vérité la frappa comme une évidence.

« Il l'aime, réalisa-t-elle soudain. Il l'aime vraiment ! »

Peut-être était-ce Pam, la solution ? Peut-être Kirk trouverait-il en cette femme qu'il aimait une alternative à sa passion ? Peut-être allait-il arrêter de courir et de jouer ainsi avec la mort ?

— A présent que le problème semble réglé, déclara Pam qui s'amusait du regard empreint de respect que Foxy fixait sur elle, peut-être pourriez-vous nous parler de ce qui s'est passé dans le monde depuis hier.

— Pardon ? demanda distraitement Foxy.

Pam éclata d'un rire joyeux.

— Oui ! Y aurait-il eu des tremblements de terre, des inondations, des guerres, des famines, ou je ne sais quoi encore dont je ne serais pas au courant ? J'ai l'impression d'être totalement coupée du monde depuis vingt-quatre heures !

— Ah ! non, annonça Foxy, il n'y a rien eu de tout cela. Pas que je sache, en tout cas.

« C'est le moment, se dit-elle. C'est le moment de lui dire. »

— Lance et moi..., commença-t-elle, se sentant soudain ridiculement nerveuse et maladroite.

Elle prit une profonde inspiration, puis reprit calmement en regardant Kirk droit dans les yeux :

— Lance et moi allons nous marier.

Les sourcils de Kirk s'arquèrent tandis que son visage exprimait une surprise intense. Pam, elle, se leva d'un bond pour aller serrer son amie dans ses bras.

— Foxy ! Quelle merveilleuse nouvelle !

Regardant par-dessus l'épaule de Foxy, ses yeux rencontrèrent ceux de Lance.

— Félicitations, Lance, tu as beaucoup de chance.

— Oui, admit ce dernier avec raideur. Je sais.

Kirk, qui n'en revenait toujours pas, balbutia :

— Vous marier... Comment ça, vous marier ?

— Un mariage, Kirk. Dans la plus stricte tradition, le renseigna Foxy avec une pointe d'ironie. Le mariage, cette coutume populaire qui unit un homme et une femme pour la vie, tu en as déjà entendu parler, non ?

— Quand ?

— Dès que nous en aurons terminé avec les paperasses administratives, répondit Lance en passant un bras protecteur autour des épaules de Foxy. Tu as l'air abasourdi. Tu t'attendais peut-être à ce que l'on te demande la permission ?

— Non, pas du tout, marmonna Kirk, encore sous le choc.

Il regarda sa sœur d'un air absent.

— Enfin, si, ajouta-t-il en retrouvant toute sa bonne humeur. J'aurais pu lui dispenser les conseils d'usage d'un grand frère.

— De toute façon, en ce moment tu n'es pas en état de dispenser quoi que ce soit, plaisanta Lance.

Le regard de Kirk allait de sa sœur à son meilleur ami.

— Tu es sûre que c'est bien ce que tu veux ? ne put-il s'empêcher de demander à Foxy.

Pour toute réponse, la jeune femme plongea dans le regard de Lance et la réponse fusa, spontanée :

— Oui, j'en suis sûre, affirma-t-elle d'une voix forte.

Elle se leva sur la pointe des pieds et embrassa Lance.

— J'en suis sûre, répéta-t-elle fermement. Ne t'inquiète pas pour moi.

— Tu es une grande fille, maintenant, lança Kirk d'un ton léger où perçait néanmoins une certaine émotion. Je suis certain que tu seras très heureuse.

— Merci, dit-elle dans un souffle.

— Allons, viens m'embrasser, lui ordonna-t-il en souriant. Quant à toi, ne lui fais pas de mal, ajouta-t-il, faussement menaçant, à l'adresse de Lance. Ou tu auras affaire à moi. Avez-vous l'intention de vous installer dans ta maison de Boston ?

— Oui, répondit Lance.

Le visage de Kirk s'adoucit et un sourire franc vint enfin flotter sur ses lèvres.

— Dommage que je ne sois pas en état de te donner le bras pour remonter l'allée jusqu'à l'autel, sœurette, dit-il en lui pressant affectueusement la main.

Puis, s'adressant de nouveau à Lance :

— Je te la confie. Rends-la heureuse.

9

Trois jours plus tard, Foxy se trouvait au côté de Lance dans la Porsche qu'il avait louée pour effectuer les nombreux kilomètres qui séparaient New York de l'Etat du Massachusetts.

Ses mains posées bien à plat sur ses cuisses trahissaient néanmoins l'intense nervosité qui l'agitait intérieurement. Régulièrement, elle faisait tourner entre ses doigts la fine alliance en or qu'elle portait à la main gauche.

« Mariés, songea-t-elle une nouvelle fois. Nous sommes vraiment mariés ! » Tout s'était passé si vite ! Presque sans émotion. Quelques minutes devant un maire au visage impénétrable, et ils s'étaient retrouvés mari et femme pour la vie. Quinze minutes exactement ! Elle avait eu l'impression étrange d'être le personnage central d'une pièce de théâtre. Mais lorsque Lance avait passé l'anneau à son doigt, elle s'était immédiatement sentie devenir Mme Lancelot Matthews.

Depuis, elle ne se lassait pas de se répéter mentalement son nouveau nom, Cynthia Fox-Matthews. N'était-ce pas plus élégant ainsi ? Non. Elle était, et resterait, Foxy Matthews.

La voix de Lance la fit sursauter et l'arracha à ses considérations patronymiques.

— Si tu continues, tu n'auras plus de doigt avant même d'arriver à Rhode Island, lui dit-il dans un sourire moqueur. Nerveuse ?

Peu encline à lui révéler les bêtises qui lui passaient par la tête, elle préféra esquiver.

— Non, j'étais en train de penser à… à Kirk. Il avait l'air d'aller mieux, n'est-ce pas ?

Lance mit en marche les essuie-glaces qui, dans un doux frottement, balayèrent la petite pluie fine qui s'était mise à ruisseler sur le pare-brise.

— Mmm, acquiesça-t-il. Il ne pouvait pas trouver meilleur traitement que Pam pour le remettre rapidement sur pied.

— C'est vrai.

Foxy se tourna à demi dans son siège pour contempler le profil de Lance. Son mari. Ce mot lui semblait étrange et elle se le répétait inlassablement, comme une litanie.

— A part toi, se força-t-elle à dire, je n'avais jamais connu quelqu'un capable de maîtriser Kirk comme elle le fait.

— Elle est parfaite. Exactement le genre de femme qu'il lui faut pour lui tenir tête.

Il lui coula un bref regard en biais et reprit :

— A ta manière, toi aussi tu sais t'y prendre avec lui. A treize ans déjà, tu en faisais ce que tu voulais, et sans même qu'il en ait conscience.

— Je n'avais pas le sentiment de le mener par le bout du nez, s'étonna-t-elle. Mais, surtout, je n'avais pas réalisé que tu t'en étais rendu compte.

— Rien de ce qui te concernait ne m'échappait, lui avoua-t-il en la regardant cette fois droit dans les yeux.

Le cœur de la jeune femme se mit à battre sauvagement dans sa poitrine.

« Me fera-t-il toujours cet effet, se demanda-t-elle, émue. Aurai-je toujours ce frémissement délicieux dans le ventre, même après des années de mariage, lorsque la passion ne sera plus qu'un souvenir lointain ? Connaîtrai-je toujours la même émotion au moindre de ses regards ? »

De nouveau, la voix de Lance la tira brutalement de ses pensées.

— Excuse-moi, tu disais…

— Je disais que c'était chic de ta part d'offrir ton bouquet de mariée à Pam. Dommage que tu n'aies pas gardé le moindre souvenir de ton mariage.

Ces quelques mots déclenchèrent aussitôt en elle un malaise diffus. Elle ne répondit pas et regarda distraitement le paysage défiler sous ses yeux.

— Tout cela a été expédié un peu trop rapidement, n'est-ce pas? reprit Lance. Pas d'amis, pas de larmes, pas de riz lancé à la sortie de l'église, pas de jolie robe blanche... Tu dois te sentir un peu frustrée, non?

— Non, pas du tout! répondit-elle précipitamment.

Bien sûr, elle s'était vaguement demandé ce qu'elle aurait pu ressentir s'ils avaient fait un véritable mariage, mais à aucun moment elle ne s'était sentie dépossédée de quoi que ce soit. Et même si elle ressentait encore l'impression étrange que son mariage n'avait pas été tout à fait réel, ce n'était pas à mettre sur le compte de l'absence de cérémonie.

— Je ne regrette rien, affirma-t-elle d'une voix forte. D'ailleurs, ma famille se résumant à Kirk, il n'y aurait eu personne à l'église pour pleurer de joie sur mon bonheur.

— Et ton alliance? Toujours pas de regret d'avoir voulu un simple anneau d'or et pas une bague plus sophistiquée?

— Oh, non! C'est exactement ce que je voulais.

— Elle te va bien?

— Oui, oui. Parfaitement bien.

— Dans ce cas, peux-tu m'expliquer pourquoi tu la fais sans cesse tourner autour de ton doigt? demanda-t-il sur un ton où perçait une note d'irritation.

Foxy poussa un profond soupir.

— Je suis désolée, Lance. Mais, tout s'est passé si vite, et puis nous rendre à Boston comme ça...

Elle se mordit la lèvre.

— En fait, confessa-t-elle, je me sens très nerveuse à l'idée de rencontrer ta famille. Tu comprends, j'ai si peu d'expérience dans ce domaine.

Lance posa sa main sur la sienne.

— Je te conseille de ne pas faire de ma famille le critère idéal. Tu risquerais d'être déçue.

— Je vois, murmura Foxy dans un sourire contrit. Est-ce censé me rassurer?

— Ne les laisse pas te pourrir la vie, c'est tout, lui suggéra Lance en haussant négligemment les épaules. Fais comme moi, ignore-les.

— C'est facile à dire, rétorqua-t-elle en fronçant le nez. Ce sont *tes* parents.

— Maintenant, ce sont aussi les tiens.

— Parle-moi un peu d'eux, demanda la jeune femme en se recroquevillant dans son siège.

Sans lâcher le volant, Lance sortit un cigare de son étui et l'alluma.

— Ma mère est une Bardett, une des plus vieilles familles de Boston. Et des plus patriotes aussi. En épousant un Matthews, elle a accédé à la satisfaction suprême. Mais, plus que tout, ma mère adore vouer sa vie aux comités!

— Aux comités? répéta Foxy. Quel genre de comités?

— Peu importe, pourvu qu'ils conviennent au rang d'une Matthews-Bardett. Elle adore les organiser, y assister, et évidemment les critiquer. Elle est parfaitement snob, depuis la pointe de ses cheveux toujours impeccablement coiffés à la pointe de ses chaussures, de marque invariablement italienne.

— Lance! C'est affreux!

— C'est toi qui voulais que je t'en parle, répliqua-t-il, impassible. Ma mère s'investit également beaucoup dans les œuvres de charité. Evidemment. Pour en lire le compte rendu élogieux dans les journaux. Cependant, elle attend des pauvres qu'elle aide qu'ils aient le bon goût de ne pas avoir besoin d'argent avant que tout ne soit mis en place par ses propres soins. Mais snob ou pas, motivations nobles ou pas, il faut néanmoins lui reconnaître une grande efficacité d'action.

— Tu es très dur avec elle, lui reprocha Foxy qui, elle,

gardait de sa mère l'image d'une femme douce, tellement aimante avec ses enfants.

Lance lui coula un regard en biais puis finit par lâcher :

— Peut-être. Elle et moi n'avons jamais eu la même conception des choses et de la vie. Et je n'ai jamais eu la tolérance de mon père qui trouvait l'engagement de ma mère *amusant et inoffensif*, à défaut d'être honorable.

Il s'interrompit et adressa à Foxy un sourire cynique.

— Mais ne t'inquiète pas, on n'a jamais vu le sang couler dans la famille. Nous sommes des gens extrêmement civilisés.

— Et les Matthews ? s'enquit Foxy, de plus en plus intriguée.

— Ah, les Matthews ! Eh bien, eux, ils ont la fâcheuse habitude de produire un mouton noir par génération. Il y a deux cents ans de cela, figure-toi qu'un des leurs a eu la mauvaise idée d'épouser une vulgaire petite serveuse. Sacrée mésalliance, non ?

Il sourit dans le vague, visiblement satisfait du bon tour que son aïeul avait joué à sa famille.

— Mais pour la plupart, reprit-il, les Matthews sont pour le moins aussi respectables que le sont les Bardett. Ma grand-mère est l'incarnation même de la dignité. Et même lorsque les commentaires allaient bon train au sujet de la liaison que son mari entretenait avec la comtesse, je ne l'ai jamais entendue prononcer un mot plus haut que l'autre. Car, pour elle, il était clair qu'il ne se passait rien. Quant à sa fille, ma tante Phoebe, elle est vraiment telle que l'a décrite la comtesse : sinistre. Et cela fait cinquante ans que ça dure. En dehors de mes parents proches, ma famille compte toute une tribu d'oncles, de tantes, de cousins, sans parler des innombrables branches rapportées.

— Ils ne vivent tout de même pas tous à Boston ?

— Non, Dieu merci ! Si une bonne partie réside entre Boston et Martha's Vineyard, le reste est disséminé un peu partout aux Etats-Unis et en Europe.

— Je suppose que ta mère a dû être surprise d'apprendre

que nous allions nous marier, dit-elle en s'interdisant de faire tourner une nouvelle fois sa bague autour de son doigt.

— Elle ne le sait pas.

— Comment ça, elle ne le sait pas ? s'écria la jeune femme, surprise et légèrement mal à l'aise. Tu ne lui as rien dit ?

— Non.

Foxy se renfonça dans son siège, mortifiée, regardant sans la voir la pluie battre les vitres. Evidemment, une Cynthia Fox d'Indiana ne pouvait pas se mesurer aux grands Bardett et Matthews de Boston...

— Tu as l'intention de me cacher dans un grenier ? cracha-t-elle avec aigreur. Ou, pourquoi pas, de m'inventer un faux pedigree ?

— Hmm ? demanda distraitement Lance qui, après avoir dépassé un camion, baissa sa vitre pour jeter son cigare.

Foxy eut beau s'exhorter au calme, elle n'y parvint pas.

— Oui, nous pourrions leur dire que je suis une princesse d'un pays perdu du tiers-monde ! Je te promets de ne pas prononcer un mot d'anglais pendant six mois !

Ivre de rage et de douleur, elle ne pouvait se contenir.

— Ou alors la fille de quelque obscur baron anglais qui, en mourant, m'a laissée sans un sou ! Après tout, la lignée compte plus que l'argent dans votre monde, non ?

Lance la regarda, stupéfait.

— Mais enfin, qu'est-ce que tu racontes ?

— Si tu pensais que je n'étais pas assez bien pour vous, il ne fallait pas...

Lance donna un coup de volant si brusque que Foxy s'interrompit net. Une fois la Porsche sur la bande d'arrêt d'urgence, il agrippa violemment la jeune femme par le bras.

— Ne répète plus jamais ça, tu m'entends ? siffla-t-il entre ses dents.

Aveuglée par la colère, Foxy releva fièrement le menton et le défia du regard.

— Je n'arrêterai pas tant que je ne comprendrai pas la raison de ton silence à propos de notre mariage !

Impuissante, elle ne put retenir plus longtemps ses larmes, qui se mirent à rouler librement sur ses joues.

— Arrête ! lui ordonna-t-il en la secouant sans ménagement.

— J'arrêterai si je veux, s'entêta Foxy en pleurant de plus belle.

Lance laissa échapper un juron puis reprit d'une voix radoucie mais néanmoins ferme :

— A ta guise. Mais je ne partirai pas de là tant que tu ne m'auras pas expliqué.

Foxy fouilla dans son sac en reniflant bruyamment.

— Je n'ai pas de mouchoir, gémit-elle d'une voix de petite fille en essuyant ses joues du revers de la main.

Lance sortit de la poche de sa veste un carré de soie qu'il tendit à la jeune femme.

— Je ne peux pas me moucher là-dedans ! protesta-t-elle en reniflant plus fort.

— Foxy, si tu continues, je vais finir par t'étrangler !

Et, comme pour conjurer le sort, il crispa ses doigts sur le volant.

— Je te répète que je ne partirai pas d'ici tant que tu ne m'auras pas dit ce qui se passe.

— Ce n'est rien, rien du tout, affirma Foxy en s'essuyant enfin le nez avec le précieux carré de tissu.

Durant les quelques secondes qui suivirent, seuls les reniflements de Foxy et le vrombissement assourdissant des voitures qui les dépassaient rompirent le silence pesant qui plombait l'habitacle.

— Si tu savais à quel point je m'en veux d'être contrariée par le fait que tu n'aies pas prévenu ta famille de notre mariage ! lança enfin la jeune femme.

— Te serais-tu imaginé, par hasard, insinua Lance d'une voix dangereusement calme, que je n'ai rien dit à ma famille parce que j'avais honte de toi ?

— Y aurait-il une autre raison ? Car j'imagine, effectivement, que mon arbre généalogique ne doit pas être très impressionnant aux yeux de ta prestigieuse famille !

— Idiote !

Le mot avait claqué, sec comme un coup de fouet.

Clouée par la surprise, Foxy vit Lance tenter désespérément d'apaiser la colère qui l'étouffait. Lorsqu'il parla enfin, sa voix était redevenue douce et lisse.

— Si je n'ai rien dit à ma famille, précisa-t-il, c'est parce que je voulais profiter de deux jours de paix avant qu'ils ne nous tombent tous dessus. Il faut que tu saches que, dès qu'ils seront au courant, la machine infernale va se mettre en branle. Bien sûr, si nous avions pu partir pour un voyage de noces de plusieurs jours, cela nous aurait facilité les choses. Mais comme je te l'ai expliqué, les championnats m'ont pris beaucoup de temps et je ne peux pas me tenir plus longtemps éloigné de mes affaires. Crois-moi, je n'ai pas pensé une seule seconde que tu aurais pu imaginer une raison aussi… aussi extravagante !

Il se tut et, après avoir enclenché la première, s'insinua prestement dans le flot ininterrompu des voitures.

Un nouveau silence s'installa entre eux, pesant, insupportable. Foxy tripotait nerveusement son mouchoir, cherchant désespérément un sujet de conversation.

— Je suis désolée, Lance, lâcha-t-elle enfin en levant les yeux sur lui.

— N'y pense plus.

Le ton était cassant, implacable, et lui signifiait clairement que le chapitre était clos. Foxy se sentait misérable. Elle se tourna légèrement pour se perdre dans la contemplation de la pluie qui tombait toujours.

« Les jeunes mariées sont-elles toutes aussi angoissées, se demanda-t-elle. Je ne me reconnais plus, j'ai l'impression qu'une inconnue pense et agit à ma place. Peut-être que tout rentrera dans l'ordre dès que nous serons installés. Je suis si fatiguée ! Quelques jours de repos me feront le plus grand bien. »

Elle ferma les yeux et se laissa bercer quelques instants par le crépitement régulier de la pluie sur les vitres puis s'endormit, enfin sereine.

Foxy laissa échapper un petit grognement et étira devant elle ses bras engourdis. Elle n'entendait plus le ronronnement régulier du moteur de la Porsche mais avait conscience d'un léger bercement et d'embruns qui lui chatouillaient les joues. En tournant la tête pour s'en protéger, son visage effleura quelque chose de doux et de chaud. Le parfum qui s'en échappait lui était familier. Elle ouvrit les yeux et aperçut la mâchoire carrée de Lance. Elle réalisa soudain qu'elle était dans ses bras et qu'il la portait. Elle se blottit un peu plus contre lui, cherchant à échapper à la pluie qui lui mouillait le visage.

La nuit était presque tombée et un léger voile de brouillard commençait à s'installer. De la terre humide s'élevait l'odeur persistante de feuilles mortes et d'herbe coupée. Il émanait de l'ensemble une atmosphère irréelle, presque magique. Inconnue.

Désorientée, Foxy se mit à bouger légèrement.

— Enfin décidée à rejoindre le monde des vivants ? lui demanda Lance qui s'arrêta, indifférent à la pluie qui ruisselait sur eux.

— Où sommes-nous ? demanda-t-elle en tentant de percer l'obscurité.

Elle repéra immédiatement la masse imposante d'une maison qui se dressait sur trois étages, sa façade disparaissant à demi sous un enchevêtrement de lierre et de chèvrefeuille. De nombreuses portes-fenêtres, hautes et étroites, ouvraient sur des balcons que protégeaient des rambardes en fer forgé tarabiscoté.

Foxy la devinait élégante et stylée.

— C'est ta maison ? s'enquit-elle en penchant la tête pour tenter d'apercevoir le toit hérissé de cheminées.

— Elle appartenait à mon grand-père, répondit Lance, attentif à la réaction de la jeune femme. Il me l'a léguée, sachant que ma grand-mère préférait leur propriété de Martha's Vineyard.

— Elle est magnifique ! murmura-t-elle.

Elle ne prêtait plus aucune attention à la pluie qui dégoulinait sur ses cheveux trempés.

— C'est si beau !

— C'est vrai, approuva Lance, visiblement soulagé de la réaction de Foxy.

— On dirait qu'il pleut, dit-elle en souriant.

Pour toute réponse Lance se pencha vers elle et l'embrassa.

— J'aime boire l'eau à tes lèvres, lui chuchota-t-il à l'oreille, et voir toutes ces petites perles glisser sur tes cheveux.

Il la couvait d'un regard tendre et débordant d'amour.

Une onde de désir fulgurante la fit frissonner.

— Rentrons avant que tu ne prennes froid, décida-t-il, se méprenant sur le tremblement de la jeune femme.

— Lance, protesta-t-elle, tu peux me poser à présent.

Mais il ne l'écoutait pas et, déjà, gravissait d'un pas léger les marches du perron.

— Et faillir à la tradition ? objecta-t-il. Il n'en est pas question !

Il resserra son étreinte et, d'une main, parvint à introduire la clé dans la serrure et à ouvrir la porte. Ainsi chargé de son précieux fardeau, il franchit le seuil.

— Bienvenue chez nous, murmura-t-il en l'embrassant tendrement.

— Lance, chuchota à son tour la jeune femme, je t'aime.

Délicatement, il la posa à terre et ils restèrent ainsi quelques secondes, face à face, leurs silhouettes enlacées se détachant en ombres chinoises sur le ciel assombri.

— Lance, je suis vraiment désolée de t'avoir fait cette scène ridicule dans la voiture.

— N'en parlons plus. D'ailleurs, tu t'es déjà excusée.

— Tu étais tellement en colère ! Tu mérites que je renouvelle mes excuses.

Il éclata de rire, lui piqua un baiser sur le nez puis, se ravisant, l'embrassa passionnément.

Foxy eut le sentiment à la fois fugace et puissant qu'un seul baiser de Lance pouvait tirer d'elle beaucoup plus que ce qu'elle pensait pouvoir offrir.

— La colère est le barrage le plus sûr contre les larmes, lui certifia-t-il en lui effleurant le bras du bout des doigts. Tu m'as touché, Foxy. Tu me touches toujours lorsque tu baisses ta garde et que je te vois désemparée.

Ses yeux graves la fixèrent intensément tandis que ses doigts dessinaient à présent le contour de son visage.

— J'aurais peut-être dû t'en parler avant, reprit-il. Le manque d'habitude, sans doute. Nous aurons certainement quelques petits ajustements à faire.

Il prit les mains de la jeune femme entre les siennes et les porta à ses lèvres.

— Tu veux bien me faire confiance ?

— Je vais essayer.

Lance relâcha ses mains puis referma la porte sur l'humidité fraîche de la nuit. Durant quelques secondes, l'entrée fut plongée dans une obscurité totale avant d'être brusquement inondée de lumière.

Foxy, ébahie, tourna lentement sur elle-même. A sa gauche se trouvait un majestueux escalier en chêne massif dont la rampe du même bois luisait comme de la soie. Un immense placard vitré, dans lequel s'étaient probablement mirées des centaines de fois les aïeules de Lance, lui faisait face. Elle admira une paire de candélabres en bronze, s'attarda sur une toile de Gainsborough, représentant le portrait en pied d'une délicate jeune femme.

— Je ne t'aurais jamais imaginé dans un décor pareil, fit-elle remarquer lorsqu'elle eut achevé son tour d'horizon de la pièce.

— Vraiment ? s'étonna Lance en s'adossant contre le mur, attendant qu'elle précise sa pensée.

— C'est vraiment magnifique, poursuivit-elle d'une voix pleine de respect, mais tout est si... si immuable ! Et cela te correspond si peu ! Je suis sûre que derrière cet homme d'affaires avisé se cache un homme prêt à décoller sur-le-champ pour d'excitantes aventures !

— Quelle chance j'ai d'avoir épousé une femme qui me comprend si bien ! s'exclama-t-il, son éternel sourire narquois au coin des lèvres.

A sa vue et comme toujours, le cœur de Foxy se mit à battre plus vite.

Lance s'approcha d'elle et se mit à jouer négligemment avec les mèches fauves échappées de son chignon.

— Et si belle reprit-il. Si vive, si intelligente, suffisamment impulsive pour en devenir fascinante, et dotée d'une voix exceptionnellement sensuelle...

Foxy rougit imperceptiblement sous cette pluie de compliments.

— Il semblerait que tu aies fait une bonne affaire, alors ? souffla-t-elle, mi-amusée, mi-embarrassée.

— Evidemment, plaisanta-t-il. Un homme d'affaires digne de ce nom se trompe rarement. As-tu faim ? ajouta-t-il brusquement.

— Non, pas vraiment.

Puis elle se souvint des longues heures que Lance avait passées au volant.

— Mais j'imagine que toi, tu dois être affamé. Il doit bien y avoir une boîte de conserve quelque part, non ?

— Je pense que nous devons pouvoir trouver mieux, annonça-t-il en la prenant par la main.

Il l'entraîna à sa suite dans un couloir sur lequel ouvraient de nombreuses pièces qui, plongées dans l'obscurité, semblèrent à Foxy chargées de mystère.

— J'ai appelé Mme Trilby hier matin et je lui ai demandé

de veiller à ce que la maison soit propre, et les placards garnis de victuailles.

Ils débouchèrent soudain dans une pièce que Lance s'empressa d'allumer.

— Oh, Lance ! Quelle merveille ! s'écria Foxy en découvrant la cuisine. Est-ce qu'elle fonctionne ? demanda-t-elle en désignant une cheminée ancienne creusée dans le mur.

— Parfaitement, lui certifia Lance en souriant à la vue de sa jeune épouse qui, accroupie sur le carrelage, avait plongé la tête dans l'âtre pour mesurer la hauteur du conduit.

— J'adore cette cheminée ! s'écria-t-elle en se redressant. Je l'allumerai même en été !

Elle fit glisser le bout de ses doigts le long de l'immense table en pin qui trônait au milieu de la pièce.

— Tu feras comme bon te semblera. Désormais, tu es la maîtresse de ces lieux, Foxy, lui rappela Lance.

Il dénoua sa cravate et la fit glisser derrière le col de sa chemise. Il y avait dans ce geste pourtant anodin quelque chose d'extrêmement intime et sensuel qui n'échappa pas à Foxy. Un léger frisson la parcourut.

— J'ai bien peur de ne pas être à la hauteur, confessat-elle humblement. Je n'ai aucune idée de l'endroit où peut se trouver le café.

— Essaie ce placard, derrière toi, lui suggéra Lance.

Tandis qu'elle s'exécutait, il alla inspecter le contenu du réfrigérateur.

— Sais-tu cuisiner ?

— Un vrai cordon-bleu, ironisa Foxy qui venait, enfin, de repérer un paquet de café. Il te suffit de demander ce que tu veux !

— Pour ce soir, nous ferons l'impasse sur le bœuf Wellington. Que dirais-tu d'une omelette ?

— Un jeu d'enfant, répondit Foxy en lui jetant un coup d'œil par-dessus son épaule. Et toi, tu sais cuisiner ?

— Seulement le couteau sous la gorge.

Un moment plus tard, ils se régalaient de l'omelette née de leurs efforts conjugués, accompagnée d'une tasse de café.

Dehors, la nuit était devenue d'un noir d'encre, et la pluie crépitait joyeusement contre les vitres.

Foxy avait perdu toute notion du temps. Elle jouissait tant de ce moment de parfaite quiétude en compagnie de l'homme qu'elle aimait qu'elle aurait voulu arrêter le temps.

Mais sous la conversation badine qu'elle entretenait, elle sentait une nervosité croissante la gagner peu à peu. Elle avait beau tenter de se calmer, elle n'y parvenait pas ; derrière l'image de la jeune femme détendue et confiante qu'elle offrait à son mari se cachait une petite fille terrorisée. Elle chipota le reste de son omelette tandis que Lance remplissait de nouveau leurs tasses vides.

— Je commence à comprendre pourquoi tu es si mince, la taquina-t-il. J'ai bien vu que tu ne mangeais pas assez durant la saison. D'ailleurs, je trouve que tu as maigri.

Foxy haussa négligemment les épaules, se moquant bien de son poids.

— Ne t'inquiète pas, d'ici à quelques jours, j'aurai repris des kilos, dit-elle en lui souriant. Mais, pour le moment, je rêve d'un bain bouillant.

— Je vais te conduire jusqu'à la salle de bains, lui proposa-t-il en se levant. Ensuite, je redescendrai chercher les bagages. Le reste nous sera livré demain.

Foxy se leva à son tour et commença à débarrasser la table. Elle se sentait de plus en plus nerveuse.

— Tu n'as pas besoin de m'accompagner, laissa-t-elle tomber vivement. Indique-moi simplement où elle est, je finirai bien par la trouver.

Lance la regarda empiler les assiettes dans l'évier.

— La salle de bains se trouve à l'étage, juste à côté de notre chambre. Deuxième porte sur ta droite. Et laisse ça, ordonna-t-il en pointant la vaisselle du menton. Mme Trilby s'en chargera demain.

Foxy s'apprêtait à refuser mais la main de Lance fermement posée sur son bras l'en dissuada.

— Très bien, accepta-t-elle en tournant les talons. Je n'en ai pas pour très longtemps. J'imagine que toi aussi tu dois avoir envie de te plonger dans un bon bain ?

— Prends tout ton temps, ce ne sont pas les salles de bains qui manquent ici.

Ils quittèrent la cuisine ensemble et se séparèrent dans le corridor.

Foxy grimpa l'escalier quatre à quatre et trouva leur chambre sans difficulté.

Elle était spacieuse et dotée d'une porte-fenêtre à la française qui ouvrait sur un balcon surplombant le jardin. Les murs étaient tapissés d'un épais papier couleur crème sur lequel courait, tout autour du plafond, une frise bariolée. Le mobilier, mélange joyeux de différents styles, donnait à l'endroit une impression de chaleur et de naturel que la jeune femme adora sur-le-champ. Dans un des angles de la pièce se trouvait une petite cheminée en marbre dans laquelle l'efficace Mme Trilby avait disposé des bûches toutes prêtes à s'enflammer. Au milieu trônait un imposant lit à baldaquin recouvert d'un couvre-lit de soie bleue. Probablement du linge de maison hors de prix que l'on se faisait passer de génération en génération, songea Foxy, mal à l'aise. C'était le genre de détails auxquels il allait falloir s'habituer. Ou plutôt avec lesquels elle allait devoir vivre.

— Pourquoi penser à des choses pareilles ? murmura-t-elle. Après tout, c'est Lance que j'ai épousé. Pas son argent ni sa famille.

Elle poussa un profond soupir et continua son inspection.

Son regard se porta de nouveau sur l'immense lit puis sur l'anneau qui brillait à son doigt. Elle tenta d'ignorer le frémissement qui parcourait son corps et commença à se dévêtir. Une fois dans la salle de bains, elle eut une nouvelle preuve de la compétence de Mme Trilby qui avait pris soin de disposer des draps de bain propres près des radiateurs et une profusion de savonnettes, gels et huiles de bain sur le rebord d'une somptueuse baignoire, profonde et assez large pour pouvoir accueillir deux personnes.

Quelques minutes plus tard, Foxy se coulait avec délices dans l'eau chaude et parfumée et n'en ressortit qu'une demi-heure après, la peau soyeuse, les muscles parfaitement détendus. Elle s'enveloppa sommairement dans une immense serviette vert tilleul et, fredonnant un air joyeux, ôta les pinces qui retenaient ses cheveux. La masse de ses boucles fauves cascada sur ses épaules et elle y passa ses doigts en guise de peigne.

Lorsqu'elle pénétra de nouveau dans la chambre, les lampes diffusaient une douce lumière tamisée et le feu crépitait dans la cheminée. Lance portait un kimono de satin noir et l'attendait, tranquillement assis à une petite table de verre. Il reposa la bouteille de champagne qu'il s'apprêtait à ouvrir et se mit à la dévorer des yeux. Dans un geste d'une dérisoire pudeur, Foxy resserra un peu plus la serviette qui cachait son corps nu. De sa main libre, elle repoussa en arrière ses cheveux encore humides.

— Alors, s'enquit-il sans la lâcher des yeux, tu te sens mieux ?

Foxy chercha ses bagages du regard.

— Oui. Je ne t'ai pas entendu entrer, dit-elle d'une voix qu'elle sentait mal assurée. Je venais chercher ma brosse à cheveux et un peignoir.

Lance prit le temps de remplir deux coupes puis lâcha d'un ton égal :

— Pourquoi ? Le vert te va très bien.

D'une main tremblante, Foxy resserra un peu plus le drap de bain sur ses seins nus, les yeux rivés sur le sourire ensorceleur, presque démoniaque, qui flottait sur les lèvres de Lance, ce sourire qui la faisait chavirer et auquel ses sens ne pouvaient résister.

— Et j'adore tes mèches rebelles. Viens, dit-il en levant une coupe dans sa direction. Trinquons.

Les choses ne se passaient pas du tout comme Foxy l'avait

prévu. Elle aurait voulu accueillir son mari dans l'irrésistible déshabillé que lui avait offert Pam comme cadeau de mariage. Elle aurait voulu donner d'elle l'image d'une femme élégante qui, sûre d'elle, allait se donner sans complexes. Au lieu de cela, elle avait débarqué hirsute, enroulée dans un drap de bain humide et affichant un étonnement stupide !

Tandis qu'elle s'approchait timidement de Lance, sa bouche devint sèche, son pouls s'accéléra. Elle allait porter le verre à ses lèvres lorsque Lance, d'une main posée sur son poignet, l'en empêcha.

— Tu ne veux pas trinquer avec moi, Foxy ? demanda-t-il dans un souffle, son éternel sourire au coin des lèvres.

Il se leva et, le regard rivé à celui de son épouse, approcha sa coupe de la sienne.

— A une course rondement menée !, déclara-t-il d'une voix forte.

Foxy but une gorgée de champagne en silence, attentive aux petites bulles qui éclataient sur son palais.

— Une seule coupe ce soir, n'est-ce pas ? insinua Lance. Je te veux l'esprit parfaitement clair.

Foxy se détourna de lui, le cœur battant la chamade.

— Je n'ai jamais vu autant d'antiquités réunies dans une seule pièce, éluda-t-elle.

— Cela te plaît ?

— Je ne sais pas, répondit-elle franchement en faisant le tour de la chambre. Je n'en ai jamais possédé. Toi, en revanche, tu parais être un amateur éclairé.

Les mots moururent sur ses lèvres tandis que, le souffle court, elle sentait le corps chaud de Lance presque contre le sien. Elle allait s'écarter légèrement de lui lorsqu'il se mit à lui caresser la nuque.

— Je ne vois qu'une façon de te faire tenir tranquille, lui susurra-t-il à l'oreille en la faisant pivoter vers lui.

Il se pencha alors vers elle et l'embrassa.

Foxy sentit le sol se dérober sous ses pieds tandis que la

langue de Lance s'amusait avec ses lèvres avant de forcer le barrage de ses dents.

— Tiens-tu vraiment à ce que nous parlions antiquités ? chuchota-t-il amoureusement en débarrassant Foxy de sa coupe à moitié vide.

Foxy le fixa intensément.

— Non.

Dans la seconde qui suivit, Lance l'embrassa de nouveau.

Foxy s'agrippa à lui, indifférente au drap de bain qui venait de glisser au sol, la dévoilant dans sa splendide nudité. Dans un gémissement de plaisir, Lance enfouit son visage dans le creux de son épaule tandis que ses mains impatientes allaient et venaient sur sa peau brûlante. Le désir qu'elle éprouvait était si intense qu'il en devenait presque douloureux. Elle se plaqua étroitement contre lui.

— Lance, murmura-t-elle d'une voix rauque, je te veux. Je te veux maintenant.

Il couvrit ses paroles d'un nouveau baiser et la porta jusqu'à leur lit.

— La lumière, souffla-t-elle tandis qu'il la déposait délicatement sur le couvre-lit soyeux.

Le regard de Lance devint sombre, exigeant.

— Non. Je veux te voir, rétorqua-t-il d'une voix impérieuse.

Leurs deux corps s'épousaient parfaitement, comme s'ils avaient été faits l'un pour l'autre. Lance répondait au besoin d'urgence que lui manifestait Foxy, brusquant ses caresses, accélérant la cadence de leurs corps imbriqués. Ses mains impatientes glissaient sur sa peau brûlante tandis que sa bouche, toujours plus avide, goûtait à la moindre parcelle de son corps avant de s'attarder sur ses seins tendus de désir.

Foxy gémit doucement lorsque la langue de Lance se mit à agacer doucement, puis avec plus de force, le bout durci de ses mamelons. Une explosion de plaisir la fit se raidir, dans l'attente de plus de jouissance encore.

Elle se mit alors à onduler lentement sous lui, dans une danse langoureuse et sensuelle, l'invitant à répondre à sa supplique muette. Lance lui faisait l'amour comme il pilotait ses voitures, avec une intensité nuancée de concentration. Il lui imposait une douce domination mais lui faisait peu à peu découvrir ce pouvoir merveilleux qu'elle avait en elle et n'avait jamais soupçonné jusque-là : le pouvoir excitant et merveilleux de déclencher le désir chez l'homme que l'on aime.

Ses mains, devenues subitement expertes, caressaient avec audace les muscles saillants de Lance, que sa minceur naturelle lui avait dissimulés. Lance s'agrippa sauvagement à ses hanches rondes et l'entraînait à présent dans une danse effrénée, son membre durci contre son ventre lui arrachant un râle de plaisir. Le plaisir était si intense qu'il en devenait une exquise torture. Il semblait à Foxy qu'elle avait brusquement glissé dans un monde parallèle, que la moindre parcelle de son corps voulait explorer, conquérir, jouir. Elle se grisait de l'odeur animale que la peau de Lance exhalait, ne s'en repaissant que lorsqu'elle léchait à petits coups de langue la sueur de son corps frémissant de plaisir. Elle vivait une passion qui allait bien au-delà de ce qu'elle avait pu imaginer, où fusions physique et émotionnelle étaient indissociables.

Elle sut à cet instant précis qu'elle appartenait corps et âme à Lance.

Soudain son souffle se fit court et elle murmura son nom dans un long gémissement.

— Lance…

Au comble de l'excitation, Lance la fit basculer sous lui, lui écarta les jambes et prit sauvagement ses lèvres tandis qu'il la pénétrait.

Le plaisir que Foxy avait cru à son apogée s'intensifia encore. Elle ondula de longues minutes sur la crête de l'orgasme, dans un voyage merveilleux qui les entraînait tous deux bien loin des rivages de la réalité.

Les premières lueurs de l'aube perçaient les ténèbres lorsque, repus et rassasiés l'un de l'autre, ils s'endormirent, enlacés.

10

Foxy se réveilla, vibrante d'un bonheur tout neuf. Elle garda les paupières closes, devinant à travers elles la promesse d'une journée ensoleillée. Elle poussa un petit soupir d'aise, retrouvant le plaisir de son adolescence de traîner au lit. Elle adorait ces samedis matin où, blottie dans la chaleur des draps, elle ruminait le plaisir des deux longues journées vacantes qui l'attendaient. Envolés les emplois du temps surchargés, le souci des devoirs à rendre. Le lundi matin et sa rentrée trop matinale lui paraissaient alors à des années-lumière de là.

Elle étira langoureusement son corps encore tout engourdi de plaisir et de sommeil, savourant l'exquise sensation de se sentir à la fois libre et protégée. Elle se rapprocha un peu plus de l'homme qui dormait à son côté. Elle ouvrit paresseusement les yeux et rencontra le regard vif que Lance posait sur elle. Elle comprit alors qu'il n'avait pas dormi et qu'il avait dû passer les courtes heures qui venaient de s'écouler à veiller sur son sommeil. Ils se fixèrent un moment sans rien dire puis, dans un élan commun, leurs lèvres se joignirent, douces et chaudes.

— Tu ressembles à une enfant quand tu dors, murmura-t-il en promenant ses lèvres sur son visage. Si jeune, si pure !

Foxy n'osa pas lui avouer que ses pensées étaient tout aussi puériles. Mais à mesure que les mains de Lance allaient et venaient dans le creux de ses reins, elle se sentait redevenir femme.

— Depuis quand es-tu réveillé ? demanda-t-elle.

— Un bon moment, répondit-il évasivement en la caressant

distraitement. J'ai adoré te regarder dormir. Peu de femmes peuvent se vanter d'être aussi attirantes que toi au réveil.

Foxy fronça les sourcils, faussement contrariée.

— Pourquoi? Tu en as connu beaucoup? demanda-t-elle d'un ton taquin.

Il lui sourit et lui chatouilla le creux de l'épaule.

— Je déteste me lever tard, éluda-t-il.

Foxy se mit à rire doucement.

— Je suppose que tu dois mourir de faim.

— Oui, j'ai un appétit d'ogre, ce matin, lança-t-il en lui mordillant le bras.

Une onde de désir électrifia Foxy.

— Et j'adore goûter à ta peau, poursuivit-il en remontant jusqu'à ses lèvres. Je ne peux déjà plus m'en passer, ajouta-t-il en englobant ses seins entre ses mains en coupe.

Malgré elle la jeune femme laissa échapper un petit cri et son corps se tendit aussitôt de plaisir.

A coups de caresses expertes et de mots passionnés, Lance l'entraîna rapidement au sommet de l'extase.

Il était plus de midi lorsqu'elle trouva le courage de se rendre dans la cuisine. Elle descendait lentement l'escalier, jouant à se persuader que, de cette façon, le temps s'éterniserait. A peine avait-elle descendu quelques marches que la sonnette de la porte d'entrée retentit. Elle s'arrêta, jeta un coup d'œil en arrière; mais rien n'indiquait que Lance était sorti de la douche. Elle décida donc d'aller ouvrir elle-même.

Deux femmes se tenaient sous le porche. Un rapide coup d'œil à leur tenue vestimentaire suffit à persuader Foxy qu'il ne s'agissait pas de démarchage à domicile.

La première, dont le visage rond et rose était encadré d'une masse de boucles brunes, avait à peu près le même âge qu'elle. Elle portait un tailleur en tweed et une chemise de soie qui lui donnaient un style à la fois chic et décontracté.

La deuxième, quoique plus âgée, était tout aussi élégante. Ses cheveux blancs coupés court dégageaient un visage aux traits délicats et racés qui ne devaient rien au maquillage sophistiqué qu'elle avait adopté. Elle avait endossé un manteau léger dont le bleu myosotis était assorti à ses yeux. Ce qui frappa Foxy au premier abord, ce fut le manque d'expression de ce visage à la beauté quasiment parfaite. Pareil à un tableau qu'un peintre aurait exécuté sans la moindre imagination.

— Bonjour, dit Foxy en leur souriant, tour à tour. Puis-je vous aider ?

— Oui, trancha la plus âgée des deux d'un ton cassant. En nous laissant entrer.

Puis, sans attendre d'y avoir été invitée, elle se rua à l'intérieur.

Plus intriguée que contrariée par cette entrée intempestive, Foxy s'effaça pour les laisser passer. Plantée au milieu de l'entrée, sa peu aimable visiteuse était en train d'ôter ses gants blancs en peau. Lorsque, enfin, elle sembla s'apercevoir de la présence de Foxy, elle ne se gêna pas pour détailler d'un air visiblement dédaigneux le jean effrangé et le pull informe que celle-ci avait enfilés.

— Pouvez-vous me dire où se trouve mon fils ? s'enquit-elle d'un ton impérieux.

Foxy se maudit de ne pas avoir deviné immédiatement que ces yeux froids qui la jaugeaient ne pouvaient être que ceux de la mère de Lance.

— Lance n'est pas encore descendu, madame Matthews, je suis sa…, commença Foxy.

— Eh bien, qu'attendez-vous pour aller le chercher ? Dites-lui que je viens d'arriver.

Ce n'était pas tant la rudesse du ton employé que le dédain dont il était empreint qui fit bondir Foxy. Elle s'appliqua à refouler la colère qu'elle sentait monter dangereusement en elle.

— C'est impossible. Il est en train de prendre une douche. Mais vous pouvez l'attendre, si vous voulez.

Elle avait riposté sur le ton qu'aurait employé une assistante dentaire pour faire patienter quelqu'un dans la salle d'attente.

Du coin de l'œil, elle capta la lueur amusée qui dansa dans le regard de la plus jeune des deux femmes.

Manifestement contrariée, la mère de Lance frappa nerveusement la paume de ses mains de ses gants.

— Viens, Melissa, lança-t-elle. Allons attendre dans le salon.

— Oui, tante Catherine, répliqua la jeune femme d'un ton faussement soumis.

Foxy inspira profondément et leur emboîta le pas. Elle fit mine de connaître les lieux, peu désireuse de laisser deviner à Catherine Matthews-Bardett qu'elle ne connaissait de cette maison que la chambre à coucher de son fils. Elle passa rapidement en revue le tapis persan, le piano à queue, la lampe Tiffany et le fauteuil dans lequel sa belle-mère avait pris place.

— Puis-je vous offrir quelque chose à boire ? leur proposa-t-elle sans entrain.

Espérant que le ton employé n'avait pas trahi ses pensées, elle esquissa un petit sourire contrit. Elle était bien consciente de la nécessité de décliner sa nouvelle identité, mais la personnalité pour le moins rebutante de sa belle-mère l'en dissuada. Il serait toujours temps de faire les présentations lorsque Lance serait descendu les rejoindre.

— Du thé ? Ou du café peut-être ?

— Rien, merci, répondit Catherine Matthews-Bardett d'un ton abrupt. Est-ce une nouvelle lubie de Lancelot de demander à de jeunes inconnues de faire patienter sa famille ?

— Je l'ignore, riposta Foxy en serrant les mâchoires. A vrai dire nous n'avons pas perdu notre temps à aborder le sujet.

— J'imagine, en effet, que ce n'est pas pour votre conversation que mon fils apprécie votre compagnie.

Puis, posant ses deux mains bien à plat sur les accoudoirs, elle se mit à pianoter du bout des doigts sur le bois lisse.

— Le choix de ses petites amies m'a toujours étonnée, poursuivit-elle toujours aussi méprisante, mais là, j'avoue que je suis stupéfaite !

Elle ponctua son propos d'un froncement de sourcils perplexe et fixa attentivement Foxy.

— Je me demande bien où il est allé vous dégotter, lâcha-t-elle avec rudesse.

— Sur le circuit d'Indianapolis, où je tenais une buvette, ne put s'empêcher de rétorquer la jeune femme. Il a promis de faire mon éducation !

— Je n'aurais pas cette prétention, intervint Lance qui venait de faire son apparition dans la pièce.

Foxy constata avec soulagement qu'il portait une tenue aussi décontractée que la sienne : jean et T-shirt. Cependant, il n'avait même pas pris la peine de se chausser.

Il l'embrassa au passage avant d'aller effleurer de ses lèvres la joue que sa mère lui tendait.

— Bonjour, mère, vous semblez être en pleine forme. Melissa, ajouta-t-il en se tournant vers sa cousine, tu es encore plus belle que la dernière fois !

La jeune femme battit des cils sous le compliment de son cousin, puis lui adressa un sourire resplendissant.

— Lance ! s'exclama-t-elle, une pointe de coquetterie dans la voix. Je suis si contente de te revoir !

— Merci, répondit-il.

Puis, il ajouta se tournant de nouveau vers sa mère :

— Je suppose que c'est Mme Trilby qui vous a informée de mon arrivée, mère.

— Oui, acquiesça cette dernière en croisant des jambes restées étonnamment belles pour son âge. Laisse-moi te dire que je trouve extrêmement désagréable d'être tenue au courant des allées et venues de mon fils par une domestique.

— N'en voulez pas à cette chère Mme Trilby. Elle aura probablement cru que vous le saviez. De toute façon, j'avais l'intention de vous appeler avant la fin de la semaine.

— J'imagine que je dois t'en être reconnaissante, railla Catherine Matthews-Bardett en effleurant Foxy d'un regard chargé d'indifférence. Puisque ta gouvernante n'est pas là, pourrais-tu demander à cette jeune personne d'aller en cuisine nous préparer du thé ? J'aimerais t'entretenir de sujets strictement personnels.

Ivre d'une rage qu'elle avait de plus en plus de mal à contenir, Foxy tourna les talons avec la ferme intention d'aller se cloîtrer dans sa chambre jusqu'au départ des deux femmes.

— Foxy !

La voix de Lance s'était élevée, calme, impérieuse.

Le regard flamboyant, Foxy se retourna sans esquisser le moindre pas vers la petite assemblée.

Lance la rejoignit et passa un bras protecteur autour de ses épaules.

— Je ne pense pas que les présentations aient été faites ? s'enquit-il d'une voix lisse.

— Est-ce bien nécessaire ? trancha Catherine Matthews-Bardett d'un ton sec.

Lance inclina légèrement la tête.

— Si vous voulez bien cesser de l'insulter, j'aimerais, mère, vous présenter ma femme.

Un silence de plomb accueillit la nouvelle. Néanmoins, aucun signe d'émotion ne vint trahir ce que ressentait véritablement Catherine Matthews-Bardett qui fixait obstinément Foxy sans paraître réaliser sa présence.

— Ta *femme*, dis-tu ?

— Oui, mère. Nous nous sommes mariés hier matin, à New York. Et nous sommes arrivés ici tout de suite après la cérémonie pour… pour une lune de miel aussi courte qu'informelle.

Foxy savait au ton de sa voix et à la petite lueur amusée qui dansait au fond de ses yeux que Lance savourait pleinement la situation. Elle devina également que ce n'était pas le cas de sa belle-mère.

— J'ose espérer que *Foxy* n'est pas son véritable prénom, laissa tomber cette dernière.

— Non, répondit Foxy que le ton condescendant de la mère

de Lance commençait à agacer prodigieusement. En réalité je m'appelle Cynthia.

— Cynthia, murmura pensivement Catherine Matthews-Bardett.

Elle jugea inutile de se fendre du moindre mot de félicitations mais, pour la première fois, sembla vraiment voir Foxy, réfléchissant probablement à la façon de sortir dignement d'une situation aussi embarrassante.

— Et quel est votre nom de famille ?

— Fox.

— Fox, répéta-t-elle en se remettant à pianoter sur le bras du fauteuil. Fox. Ce nom m'est vaguement familier.

— C'est le pilote automobile que sponsorise Lance, l'informa Melissa.

Cette dernière dévisagea Foxy avec une admiration non dissimulée.

— Vous êtes sa sœur ou une parente proche, n'est-ce pas ? ajouta-t-elle à l'intention de la jeune femme.

— En effet, je suis sa sœur.

Tout comme Lance, Melissa semblait beaucoup s'amuser de la situation.

— Tu l'as vraiment rencontrée sur un… sur un…, reprit Catherine Matthews-Bardett.

D'un geste vague de la main, elle signifia qu'elle cherchait le terme exact.

— … *circuit automobile* ? acheva-t-elle d'un air profondément dégoûté.

Pour la première fois également, une pointe de colère transparaissait dans ses paroles.

— Finalement, je prendrais bien un peu de café, dit soudain Lance. Fox, tu veux bien t'en occuper ?

Il ignora le regard furibond qu'elle lui adressa et enchaîna :

— Melissa va t'aider. N'est-ce pas, Melissa ?

— Bien sûr, acquiesça cette dernière en se levant et en entraînant Foxy à sa suite. Vous vous êtes vraiment rencontrés sur un circuit ? demanda-t-elle au comble de la curiosité dès qu'elles furent sorties.

Luttant encore contre la colère qui la submergeait, Foxy parvint néanmoins à répondre d'un ton calme :

— Oui. Il y a dix ans.

— Dix ans ? Mais vous étiez une enfant !

Melissa prit place à la table pendant que Foxy allait chercher un paquet de café dans le placard.

— Et, dix ans plus tard, il vous épouse !

La jeune femme posa les coudes sur la table, mit son menton entre ses mains en coupe et soupira.

— C'est terriblement romantique !

Foxy, qui sentait la colère se dissiper, sourit à la cousine de Lance qu'elle commençait à trouver sympathique.

— J'imagine que ça doit l'être, oui.

— Ne faites pas trop attention à tante Catherine, lui conseilla Melissa. Elle aurait eu la même attitude avec n'importe qui.

— Merci, je suis rassurée ! ironisa Foxy qui se mit en devoir de préparer aussi du thé.

— Et je ne vous parle pas de toutes les femmes de vingt à quarante ans qui vont avoir envie de vous étrangler ! ajouta Melissa en croisant ses jambes gainées de soie. En épousant Lance, vous avez anéanti tous leurs espoirs de devenir un jour Mme Lancelot Matthews.

— De mieux en mieux ! fit remarquer Foxy en s'appuyant contre le comptoir.

— Vous aurez très vite l'occasion de les rencontrer, lui annonça gaiement Melissa, que cette perspective semblait beaucoup amuser. Car vous ne pourrez pas échapper bien longtemps aux soirées de bienfaisance et autres mondanités dont les Matthews sont friands. Certes Lance sera à vos côtés pour vous protéger des coups de griffes que ces femmes bien intentionnées ne manqueront pas de vous donner, mais il vous faudra cependant rester vigilante.

— Oh, mais je n'ai pas l'intention de perdre mon temps

avec ce genre de futilités, riposta Foxy en se mettant en quête d'une théière et d'un pot à lait. Je dois travailler.

— Travailler ? Vous avez un vrai métier ?

Elle affichait une telle incrédulité que Foxy éclata de rire.

— Oui, bien sûr. Pourquoi, c'est interdit ?

— Non… non. Enfin… cela dépend. Quel métier exercez-vous ?

Foxy mit la bouilloire sur le feu et alla rejoindre Melissa à table.

— Je suis photographe.

— Ce doit être passionnant !

— Ça l'est. Et vous, Melissa, que faites-vous dans la vie ?

— Moi ? Eh bien, je…

Melissa réfléchit un instant, semblant chercher le mot juste.

— Disons que je *circule*, dit-elle avec tant de naturel que, de nouveau, Foxy éclata de rire.

— Je suis sortie de Radcliffe il y a trois ans, expliqua Melissa, puis j'ai fait le tour de l'Europe, passage obligé dans notre milieu. Je parle couramment français, sais exactement qui est fréquentable ou pas dans la bonne société bostonienne, et également où être vue et avec qui. J'ai toujours une des meilleures tables réservée chez Charles, connais les meilleures boutiques de lingerie fine et suis au courant de tous les cadavres planqués dans les placards. Je suis folle amoureuse de Lance depuis mes deux ans, et si les liens du sang ne s'en étaient pas mêlés, je peux vous assurer que j'aurais tout mis en œuvre pour être à votre place. La chose étant impossible, je vais me résoudre à bien vous aimer et à me réjouir du spectacle que ce mariage, qui ne va pas manquer d'être considéré comme une mésalliance, va m'offrir.

Elle s'interrompit pour reprendre son souffle, mais si brièvement que Foxy n'eut pas le temps d'émettre la moindre objection.

— Vous êtes déjà extrêmement séduisante mais je vous garantis qu'avec quelques vêtements de grands couturiers dans votre garde-robe vous deviendrez renversante, poursuivit-elle avec la même énergie. Mais c'est normal. Lance n'aurait jamais pu aimer une fille quelconque et dénuée de charme. En outre, vous n'avez pas l'air de vous laisser marcher sur les pieds, et croyez-moi, dans ce milieu, mieux vaut savoir se défendre. Vous pouvez compter sur mon soutien indéfectible. J'adore les gens capables de faire des choses que je suis incapable de faire. Je crois que l'eau bout, conclut-elle avec un charmant sourire.

Un peu sonnée par ce flot de paroles ininterrompu, Foxy alla retirer la bouilloire du feu.

— Tous les proches de Lance sont-ils aussi expansifs que vous ? demanda-t-elle.

— Grands dieux, non ! s'exclama Melissa. J'ai la prétention de croire que je suis unique. Je sais que la majeure partie des gens que je fréquente sont des snobs, suffisants et ennuyeux, et je ne me fais aucune illusion sur moi-même.

Elle haussa les épaules et regarda Foxy verser l'eau bouillante dans une théière en porcelaine.

— J'admire Lance de se moquer des conventions comme il le fait. Je sais que, quelquefois même, il fait les choses juste pour heurter la sensibilité de cette bourgeoisie bien-pensante à laquelle il appartient, bien malgré lui.

Foxy sentit le regard sceptique de Melissa peser sur elle.

— Vous pensez que c'est dans ce but qu'il m'a épousée ? voulut-elle savoir.

— Si c'était le cas, répondit Melissa en haussant de nouveau les épaules, quelle importance ? Vous avez tiré le gros lot, profitez-en !

Les deux femmes tournèrent la tête en même temps en direction du *gros lot* en question qui venait de faire son entrée dans la pièce, espérant qu'il n'avait pas entendu la fin de leur conversation.

— Mère voudrait partir, Melissa, annonça Lance, impassible.

Cette dernière plissa le nez en même temps qu'elle se levait de sa chaise.

— Zut! J'avais pensé que la nouvelle de votre mariage l'aurait suffisamment perturbée pour qu'elle en oublie la vente de charité à laquelle elle veut me traîner. Apparemment, je me suis trompée. Je suppose qu'elle t'a mis au courant de la soirée que donne oncle Paul demain soir? A mon avis, vous n'allez pas pouvoir y échapper.

— Elle m'en a parlé, en effet, répondit Lance sans grand enthousiasme.

— Il me tarde d'y être, pouffa Melissa. Juste pour voir la tête de grand-mère. On peut dire que tu as le chic pour déranger l'ordre établi, toi!

Elle adressa un clin d'œil complice à Foxy et s'approcha de son cousin.

— Je crois que je ne t'ai pas encore félicité.

— Non, dit Lance en levant un sourcil. Pas encore.

— Alors, félicitations.

Elle se dressa sur la pointe des pieds et plaqua deux baisers sonores sur les joues de Lance.

— Ta femme me plaît beaucoup, cousin. Je reviendrai donc, que je sois invitée ou pas.

— J'y compte bien, cousine. Elle aura besoin d'amies.

— N'est-ce pas le cas de tout le monde? murmura-t-elle comme pour elle-même.

Puis elle ajouta en se tournant vers Foxy :

— Je passerai vous chercher un de ces jours pour une virée shopping dont j'ai le secret. Ce sera l'occasion de faire plus ample connaissance. Oh, et si vous n'y voyez pas d'inconvénient, nous pourrions nous tutoyer, non? En attendant, à demain soir. Et gare au bûcher!

Foxy regarda la porte se refermer derrière la jeune femme.

— Je ne sais pas pourquoi, ironisa-t-elle, mais j'ai l'impression d'y être déjà passée, sur le bûcher!

Lance prit le menton de la jeune femme entre ses doigts et leva son visage vers lui.

— Tu t'en es très bien tirée, Fox, lui assura-t-il avec gravité. Je te prie d'excuser le comportement de ma mère.

— Tu m'avais prévenue. Tu savais qu'elle n'approuverait pas ta décision, n'est-ce pas?

— Je crois que ma mère n'a jamais approuvé aucune de mes décisions. Et je me fiche bien qu'elle apprécie ou pas ce que je fais. Mon mariage encore moins que tout. Chacun est maître de son destin, Foxy.

Une ride se creusa sur son front tandis qu'il se penchait vers elle pour l'embrasser.

— Souviens-toi, Fox, je t'ai demandé de me faire confiance, murmura-t-il en lâchant ses lèvres à regret.

Foxy poussa un profond soupir puis se détourna de Lance.

Il flottait dans l'air l'odeur rassurante du café et du thé mélangés.

— Il semble que nous n'ayons même pas eu les deux jours de paix auxquels nous aspirions, soupira-t-elle.

Elle sentit la chaleur réconfortante des mains que Lance venait de poser sur ses épaules. Elle se tourna vers lui et noua les bras autour de son cou. Toute la tension et la colère accumulées disparurent, comme par enchantement.

— Après tout, la journée ne fait que commencer, lança-t-elle gaiement en lui offrant ses lèvres. Et le café peut attendre, qu'en penses-tu?

En guise de réponse il la bascula sur ses épaules.

Poussant un cri, Foxy tenta vainement d'écarter le rideau de cheveux qui l'aveuglait.

— Mon amour, railla-t-elle tandis qu'ils franchissaient le seuil, tu es si romantique!

11

Foxy mit un temps considérable à choisir la tenue qu'elle allait porter pour sa première sortie officielle au bras de son riche et si convoité époux. Après de nombreuses hésitations elle opta pour un bustier de soie sauvage vert pâle qu'elle assortit à un large pantalon fluide. Elle alla se planter devant le miroir en pied pour enfiler une veste d'un vert plus soutenu qu'elle ceintura d'un lien doré. Elle brossa ensuite énergiquement ses cheveux, bien déterminée à laisser ses boucles folles flotter librement sur ses épaules.

— Puisque je vais être le point de mire de cette soirée, autant leur donner une bonne raison de jaser, décida-t-elle fermement.

Enfin prête, elle jeta un dernier coup d'œil à son reflet, enviant soudain aux femmes rondes leurs courbes voluptueuses.

— Si seulement j'avais un peu plus de formes! gémit-elle.

— Moi je te trouve parfaite comme tu es.

Nonchalamment appuyé contre le chambranle de la porte, Lance détaillait la jeune femme d'un regard approbateur.

— Tu vas les étonner, n'est-ce pas, Foxy?

Cette dernière haussa négligemment les épaules et alla reposer sa brosse à cheveux sur la coiffeuse.

— Ma mère est insupportable, n'est-ce pas? ajouta Lance en s'approchant.

Foxy arrangea machinalement la disposition de flacons parfaitement à leur place et hésita à répondre.

— C'est de bonne guerre, risqua-t-elle. J'imagine qu'elle aussi a dû me trouver insupportable.

Elle entendit Lance soupirer derrière elle, puis sentit son menton s'appuyer délicatement sur le haut de son crâne.

— Je n'aurais pas dû t'écouter, j'estime que tu mérites des excuses.

La jeune femme se retourna et secoua la tête.

— Non, dit-elle en esquissant un petit sourire.

Puis, bien déterminée à changer d'humeur et à se montrer sous son meilleur jour, elle fit un pas en arrière et pivota sur elle-même.

— Alors, comment me trouves-tu ? lança-t-elle gaiement.

Lance la saisit par le poignet et l'attira à lui.

— Tu es magnifique, murmura-t-il en lui effleurant les lèvres d'un baiser. Je t'avoue que je serais même tenté d'oublier ce brave oncle Paul et sa satanée soirée. Qu'en penses-tu, ma chérie ? Si nous faisions... la soirée buissonnière ?

Elle aurait tant voulu pouvoir accepter et se soumettre aux délices de cette bouche pleine de promesses. Mais elle s'écarta légèrement de Lance.

— Mieux vaut se débarrasser de cette corvée une bonne fois pour toutes, trancha-t-elle.

— Dommage, lui chuchota-t-il à l'oreille. Mais tu es un brave petit soldat. Tu mérites une récompense.

Il sortit alors de la poche de sa veste une petite boîte noire qu'il lui tendit.

— Qu'est-ce que c'est ? demanda Foxy, au comble de la curiosité.

— Comme tu peux le voir, ma chérie, se moqua-t-il tendrement, il s'agit d'une boîte.

— Merci ! riposta la jeune femme sur le même ton.

La vue de deux diamants qui scintillaient de mille feux au fond de l'écrin de velours lui arracha un cri de surprise.

— Lance ! Mais... ce sont des diamants !

— C'est en tout cas ce que l'on m'a certifié lorsque je les ai achetés, confirma-t-il, un sourire au coin des lèvres. Tu t'en souviens ? Un jour tu m'as demandé de t'offrir quelque chose d'extravagant. Eh bien, j'ai pensé que ces boucles d'oreilles étaient finalement plus originales qu'un couple de pur-sang arabes.

— Mais, Lance, je plaisantais ! Je ne cherchais pas à…

— Toutes les femmes ne font pas ressortir l'éclat de ces pierres, la coupa-t-il. Vois-tu, il faut une certaine classe naturelle pour pouvoir se permettre de porter des bijoux pareils.

Tout en lui parlant il accrocha délicatement aux lobes veloutés de Foxy les gemmes taillés en forme de gouttes. Puis il lui releva le menton pour juger du résultat.

— Sur toi, elles sont parfaites.

Il la fit pivoter vers le miroir.

— Vous êtes ravissante, madame Matthews. Et vous êtes toute à moi, lui chuchota-t-il à l'oreille.

La gorge de Foxy se serra. Le miroir lui renvoya le reflet d'un couple profondément uni. A cet instant, elle aurait donné tous les diamants du monde pour qu'un moment comme celui-là ne finisse jamais.

— Je t'aime, murmura-t-elle d'une voix tremblante d'émotion. Je t'aime tant que, parfois, cela m'effraie.

Elle prit les mains de Lance et s'y agrippa presque désespérément.

— Oh, Lance ! Tout s'est passé si vite qu'à certains moments j'ai l'impression de rêver. J'ai le sentiment que je vais me réveiller et que tu ne seras plus là, à mes côtés. Et cela me terrorise à un point que tu ne peux imaginer. J'aurais tant aimé prolonger un peu notre intimité, mon amour. J'ai si peur de ces gens que je ne connais pas et qui vont désormais entrer dans notre vie.

Lance la fit se retourner doucement vers lui et la força à le regarder droit dans les yeux.

— Ils ne pourront rien nous faire que nous ne leur laissions faire, affirma-t-il avec une telle détermination que Foxy commença à se détendre.

Tout doucement ses lèvres se posèrent sur celles de la jeune femme qui renversa la tête en arrière, l'invitant à plus d'intimité.

— Tant pis pour l'oncle Paul, murmura-t-il. Je crois que nous arriverons en retard à sa soirée.

Foxy fit glisser la veste de Lance le long de ses épaules, puis le long de ses bras pour, enfin, la laisser tomber sur le sol. Sans lâcher ses lèvres, elle retira son bustier et se plaqua, ondulante, contre les muscles bandés qu'elle sentait à travers sa chemise, se grisant de l'odeur musquée de Lance qui, en se mélangeant à son propre parfum, créait une fragrance unique.

Elle se débarrassa de ses escarpins et chuchota à son tour :

— Oui, tant pis pour l'oncle Paul...

Ce que découvrit Foxy en arrivant à la soirée de Paul Bardett dépassait largement tout ce qu'elle avait pu imaginer.

L'imposante demeure, située dans l'élégant quartier de Beacon Hill, comptait un nombre invraisemblable d'invités. Lance et elle traversèrent un charmant petit salon décoré de meubles Louis XV pour se rendre sur une immense terrasse que des lanternes chinoises éclairaient *a giorno*. Ils gravirent et descendirent des dizaines et des dizaines de marches tendues d'épaisses moquettes de velours, passèrent d'une pièce à une autre, tout aussi éblouissantes les unes que les autres, à l'image des tenues que portaient les femmes de l'assemblée, tenues nées, sans aucun doute, de l'imagination des plus grands stylistes européens.

Toute la soirée, Foxy fut l'objet de présentations interminables à la très étendue famille Matthews-Bardett. Elle eut à essuyer quantité de sourires, d'embrassades, de serrements de mains, plus ou moins cordiaux, plus ou moins chaleureux. Certains lui témoignèrent une indifférence manifeste, d'autres une franche gentillesse. Tel fut le cas de la grand-mère de Lance, Edith Matthews, qui, au premier regard, afficha son approbation.

Elle n'avait rien d'une comtesse italienne flamboyante. Sa silhouette replète était vêtue d'une stricte robe noire que n'éclairait qu'un col de dentelle blanche. Ses cheveux blanc argenté, soigneusement tirés en arrière, encadraient un visage carré empreint d'une austérité qu'adoucissaient des yeux verts malicieux.

Sa poignée de main fut franche, directe, et disait clairement que la jeune mariée appartenait désormais au clan.

— Il semble que tes cachotteries nous aient privés de tes noces, Lancelot, reprocha-t-elle à son petit-fils d'une voix aigrelette.

— Ce n'est pas bien grave, grand-mère. Les mariages, ce n'est pas ce qui manque chaque année dans cette famille.

La vieille dame arqua la courbe encore parfaitement dessinée de ses sourcils.

— Eh bien, moi, j'aurais bien aimé assister à celui-ci. Enfin, tant pis! Tu as toujours agi comme tu l'entendais, sans te soucier des conventions. Mais dis-moi, vous êtes-vous installés dans la maison que ton grand-père t'a léguée?

— Oui, grand-mère.

— C'est bien. Il aurait approuvé ta décision, acquiesça-t-elle en détournant son attention de son petit-fils pour la reporter un instant sur Foxy. Tout comme il aurait approuvé ton choix. Je crois qu'il aurait bien aimé cette jeune personne.

Estimant que la vieille dame venait, à sa façon, de formuler un immense compliment, Foxy jugea utile d'intervenir. Elle se pencha vers elle et l'embrassa spontanément.

— Merci, madame Matthews.

Les sourcils de la vieille dame s'arquèrent de nouveau, cette fois de surprise.

— Je suis vieille à présent, vous pouvez m'appeler grand-mère.

— Oui, grand-mère, répéta docilement Foxy en lui adressant un sourire plein de tendresse qui se figea aussitôt lorsqu'elle vit Catherine Matthews-Bardett s'approcher d'eux.

— Bonsoir, Lancelot, dit cette dernière de sa voix mondaine. Bonsoir, Cynthia, vous êtes tout à fait charmante.

— Merci, madame, répondit-elle poliment en feignant d'ignorer le regard mauvais dont elle était la cible.

Elle vit les yeux de sa belle-mère se rétrécir en découvrant les diamants qui étincelaient à ses oreilles.

— Je ne pense pas que vous connaissiez ma belle-sœur, Phoebe, reprit Catherine Matthews-Bardett d'une voix parfaitement lisse. Phoebe Matthews-White. Phoebe, voici l'épouse de Lancelot, Cynthia Fox.

Une petite femme insignifiante lui tendit une main molle et moite.

— Enchantée, annonça cette dernière qui ne devait pas penser un traître mot de ce qu'elle venait de dire.

Elle remonta ses lunettes sur son nez busqué et plissa ses petits yeux de myope.

— Nous ne nous sommes encore jamais rencontrées, n'est-ce pas?

— Non, madame.

— C'est curieux, répliqua Phoebe en affichant un air soupçonneux.

— Lancelot et Cynthia se sont rencontrés en Europe, expliqua Catherine Matthews-Bardett.

— Henry et moi sommes restés à Cape Cod cette année, confia Phoebe. Je n'ai pas eu l'énergie nécessaire pour un voyage en Europe. Cet hiver, peut-être…

— Lance!

Foxy vit une créature pulpeuse, étroitement moulée dans un fourreau rose, se jeter au cou de son mari. L'œil exercé de la photographe détecta immédiatement en elle l'étoffe d'un top model. La nouvelle venue possédait ce que Foxy qualifiait de « look Helen Troy », agence de mannequins réputée pour choisir ses recrues en fonction de leur physique parfaitement identique : corps sculptural surmonté d'un visage ovale à la délicatesse fragile. Foxy nota les grands yeux bleus et le petit nez droit sur une bouche outrageusement charnue, qui étaient tout autant de signes de reconnaissance.

— Je viens juste d'apprendre ton retour, minauda l'inconnue en promenant ses lèvres sensuelles sur la joue de Lance. J'aurais préféré que ce soit toi qui me l'annonces, ajouta-t-elle en baissant la voix.

— Salut, Gwen, répondit Lance que les effusions de la jeune femme laissaient manifestement de marbre. Tu es plus belle que jamais. Salut, Jonathan.

L'homme en question était la réplique masculine exacte de Gwen. L'envie démangea Foxy de photographier ce profil de statue antique, ce regard de braise qui, à présent, la déshabillait ostensiblement sans la moindre vergogne.

— Catherine, poursuivit Gwen en posant une main possessive sur le bras de Lance, vous devez absolument persuader votre fils de rester parmi nous cette fois.

— J'ai bien peur de ne pouvoir persuader Lance de quoi que ce soit, rétorqua sèchement cette dernière.

Lance serra tendrement la main de Foxy et l'attira contre lui.

— Foxy, j'aimerais te présenter Gwen Fitzpatrick et son frère, Jonathan, de vieux amis de la famille.

— *Vieux amis!* Quelle horrible présentation, Lance! se plaignit la jeune femme en dévisageant Foxy. Je suppose que vous êtes la surprise que Lance nous a réservée.

— Le suis-je vraiment? rétorqua celle-ci sur le même ton dédaigneux que venait d'employer Gwen.

Elle sirota une gorgée de champagne et dévisagea à son tour la jeune femme.

— Avez-vous déjà posé pour des photographes? lui demanda-t-elle d'un air faussement détaché.

— Certainement pas!

— Vraiment? Quel dommage! laissa tomber Foxy qui s'amusait de la profonde répulsion exprimée.

— Foxy est photographe, jugea bon de préciser Lance.

— Comme c'est intéressant! feignit de s'extasier Gwen

que cette nouvelle semblait faire mourir d'ennui. Nous avons tous été stupéfaits d'apprendre ton mariage, reprit-elle sur un ton plus léger. Cela a été si rapide ! Mais il est vrai que tu as toujours été si impulsif !

Foxy lutta pour conserver un calme apparent lorsque les yeux bleus la balayèrent une nouvelle fois avec dédain.

— Il faudra que tu nous révèles ce qu'elle a de plus que nous, ajouta Gwen avec perfidie.

— Il suffit de la regarder pour le savoir, intervint alors Jonathan.

Sans que Foxy s'y attende, ce dernier prit sa main entre les siennes et la porta à ses lèvres, tout en plongeant dans ses yeux avec insolence.

— C'est un immense plaisir de faire votre connaissance, madame Matthews.

Foxy lui sourit, immédiatement séduite par cet aplomb non dénué de charme.

Gwen fusilla son frère d'un regard glacial.

— Comme c'est charmant ! railla-t-elle.

L'arrivée de Melissa, virevoltante, mit un terme à l'entrevue qui risquait de devenir houleuse.

— Bonsoir tout le monde ! lança-t-elle à la cantonade. Lance, si tu le permets, je t'enlève Foxy un moment. Jonathan, je t'en veux, tu n'as pas encore flirté avec moi, ce soir. Je te conseille vivement de réagir lorsque je serai de retour. Si vous voulez bien nous excuser...

Toujours souriante, elle glissa un bras sous celui de Foxy et l'entraîna vers la terrasse.

— J'ai pensé que tu aurais besoin de souffler un peu, lui dit-elle lorsqu'elles furent à l'abri des regards assassins de Gwen.

— Tu es vraiment unique ! s'exclama Foxy en éclatant de rire. Et tu as parfaitement raison, il était temps que je souffle un peu.

Elle frissonna sous l'effet de la brise fraîche qui venait de se lever, annonciatrice d'un hiver précoce. Mais elle préférait cent fois la fraîcheur de la nuit à l'atmosphère étouffante qui régnait à l'intérieur.

Elle regarda Melissa tapoter soigneusement le coussin d'un fauteuil avant de s'y installer.

— J'ai également pensé qu'un petit tour d'horizon pourrait t'être utile.

— Un tour d'horizon ?

— Oui. Ou si tu préfères un « qui est qui » dans le cercle très fermé de la famille Matthews-Bardett.

Elle alluma négligemment une cigarette, en tira une longue bouffée et croisa ses jolies jambes.

— Allons-y. Commençons par Phoebe. Tante de Lance du côté de son père, relativement inoffensive. Son mari est banquier, et lorsqu'il ne travaille pas, il consacre tous ses loisirs au grand orchestre philharmonique de Boston. Paul Bardett, l'oncle de Lance du côté de sa mère. Fin psychologue, spirituel à l'occasion, sa vie tourne essentiellement autour de la pratique du droit. A la fâcheuse tendance de se montrer rasoir dès qu'il s'adresse à quelqu'un. Tu as rencontré mes parents, des cousins par alliance du côté de son père.

Melissa s'interrompit pour rejeter une nouvelle bouffée de fumée et faire tomber, d'un petit tapotement délicat, sa cendre par terre.

— Mes parents sont des gens charmants, reprit-elle. Et originaux. Papa collectionne les timbres rares et maman élève toute une colonie de terriers Yorkshire. Tous deux passent le plus clair de leur temps à leurs chers hobbies.

Elle passa le bout de sa langue sur ses lèvres.

— Passons à présent aux Fitzpatrick, annonça-t-elle. Autant le savoir, Gwen était en tête de liste au petit jeu de « celle qui sera la première à se faire passer la bague au doigt par le célibataire le plus convoité de la ville ».

— Elle doit être extrêmement contrariée alors, murmura Foxy, le regard soudain perdu au loin.

La nuit claire et étoilée lui rappela celle qu'elle avait passée avec Lance et au cours de laquelle ils avaient échangé leur premier baiser. Elle ferma les yeux, se mordit la lèvre avant de poser la question qui la tracassait.

— Etaient-ils… étaient-ils…

— Amants ? acheva Melissa d'un ton léger. J'imagine que oui. Il est tout à fait le type de Gwen.

Elle coula un regard en biais à Foxy.

— J'espère que tu n'es pas jalouse ?

— Si, admit Foxy à voix basse. Je le suis.

— Seigneur ! s'exclama Melissa d'un ton compatissant. Il ne manquait plus que cela ! Ah, j'allais oublier Jonathan, reprit-elle en écrasant le mégot de sa cigarette sous son talon. Il est dangereusement séduisant, probablement infidèle, mais j'ai décidé de l'épouser.

Foxy se tourna vers Melissa et la considéra un instant en silence. Quelle fille étrange !

— J'imagine que je dois te féliciter.

— Il est encore trop tôt, chérie, répliqua Melissa en se levant de son siège.

Elle lissa soigneusement les plis de sa robe en taffetas et ajouta d'une voix égale :

— Il ne le sait pas encore. Je lui laisse jusqu'à Noël. D'ici là, tu es parfaitement libre de flirter avec lui car moi, en revanche, je ne suis absolument pas jalouse. J'aimerais bien me marier en mai. Ou peut-être en mars. Quatre mois de fiançailles seront largement suffisants, qu'en penses-tu ?

Puis, sans laisser à la jeune femme, abasourdie, le temps de riposter, elle l'entraîna de nouveau à sa suite.

— Viens, il est temps d'aller les retrouver.

12

Foxy passa la semaine suivante à prendre ses marques. Après avoir visité la maison de fond en comble, elle avait jeté son dévolu sur une des pièces de l'entresol qui, une fois nettoyée, était devenue l'endroit idéal pour y installer une chambre noire. Et tandis qu'elle passait son temps à aménager son nouvel espace de travail, Lance passait le sien dans ses bureaux de Boston.

Elle avait fait la connaissance de Mme Trilby et lui était reconnaissante de régner sans partage sur la quasi-totalité de la maison, à l'exception de cet entresol que la gouvernante lui avait cédé sans un murmure de protestation. Mais il était clair, dans l'esprit de l'austère gouvernante, que Foxy ne devait pas dépasser les limites de son territoire, ni interférer dans son travail.

Satisfaites de leurs petits arrangements, les deux femmes y trouvaient chacune leur compte.

Foxy alternait les longues heures en chambre noire avec celles passées sur le terrain. Elle adorait explorer cette ville qui était devenue la sienne, et s'y perdre en solitaire, à l'affût du moindre angle de vue susceptible de faire une bonne photo. Elle fut néanmoins surprise de constater qu'après tant d'années d'indépendance revendiquée haut et fort il lui était difficile de supporter l'absence de Lance toute une journée. Mais elle ne s'en plaignait jamais, sachant la somme de travail qu'il avait à rattraper après des mois passés sur les circuits du championnat.

Alors qu'elle étudiait une série de clichés pris durant une course, le visage de Kirk s'imposa brutalement à elle. Etait-il possible que trois semaines se soient écoulées depuis l'accident ? Il lui semblait que cela faisait une éternité. Mais, d'une certaine façon, cet accident avait été le déclencheur de toute une série d'événements qui avaient radicalement changé sa vie. Le monde dans lequel elle évoluait aujourd'hui était à cent mille lieues de celui dans lequel évoluait alors Cynthia Fox. D'un geste machinal, elle fit tourner son alliance autour de son doigt.

Elle considéra un long moment une photo qu'elle avait faite de son frère et où il apparaissait tel qu'elle se l'était toujours représenté : indestructible. Une vague de nostalgie la submergea, la poussant à quitter son labo pour se précipiter dans le bureau de Lance. Elle referma soigneusement la porte derrière elle, se laissa tomber dans le fauteuil et s'empara du téléphone.

Elle ressentit un petit frisson de plaisir lorsqu'elle entendit la voix de Pam à l'autre bout du fil.

— Pam ! C'est Foxy.

— Madame Matthews ! Quelle bonne surprise ! Comment vas-tu ?

— Bien, répondit machinalement Foxy. Très bien même, répéta-t-elle en hochant la tête, comme pour s'en persuader elle-même.

Elle se renversa dans son siège et laissa échapper un profond soupir.

— Et Kirk, comment va-t-il ?

— Mieux. Mais tu connais ton frère ! Il est impatient de sortir de là. Tu viens juste de le manquer. Des infirmiers l'ont emmené passer des radios.

Foxy cacha sa déception et parvint à demander d'un ton léger :

— Et toi, Pam, tu t'en sors ? Mon frère ne t'a pas encore poussée à bout ?

— Pas tout à fait. Je tiens encore le coup, répondit Pam en riant. Il va être déçu d'avoir raté ton appel.

— J'ai eu brusquement envie d'entendre sa voix. Tout s'est enchaîné si vite, ces dernières semaines, que parfois j'ai l'impression d'être quelqu'un d'autre. J'avais besoin qu'il me rappelle que je suis bien toujours la même personne.

Elle laissa échapper un petit rire forcé.

— Tu crois que je deviens folle ?

— Juste un peu, plaisanta Pam. Sais-tu que Kirk s'est très bien habitué à votre mariage ? Il en est enchanté, pour tout dire. Il en est même arrivé à se persuader que c'est grâce à lui que cette idylle est née.

Pam s'interrompit un instant pour demander ensuite sur un ton plus grave :

— Es-tu heureuse, Foxy ?

Foxy se mit à réfléchir jusqu'à ce que le visage de Lance s'impose à elle. Un sourire vint alors fleurir sur ses lèvres.

— Oui, répondit-elle enfin. J'adore Lance et, comble du bonheur, je me plais beaucoup dans notre maison et dans cette ville. Je me sens un peu perdue depuis que Lance a repris ses activités, mais j'imagine que c'est normal. Ma vie est si différente ! Parfois, je me sens l'âme d'une Alice au pays des merveilles qui aurait franchi le miroir !

— J'imagine qu'à sa façon la haute société de Boston doit regorger de merveilles. Mais dis-moi, tu ne passes pas ton temps à pourchasser des lapins blancs, j'espère ?

— Mais pas du tout ! Je travaille, figure-toi, ma chère ! J'ai aménagé une chambre noire à l'entresol de la maison. D'ailleurs je t'enverrai les épreuves des courses d'ici à quelques jours. Tu n'auras qu'à choisir les clichés qui te plaisent et me dire si tu veux que je les retouche.

— Cela me semble parfait. Combien de photos as-tu prises ?

Foxy réfléchit quelques secondes.

— Environ deux cents, en comptant celles qui sont en cours de développement, annonça-t-elle.

Un petit sifflement d'admiration accueillit cette nouvelle.

— Tu n'as pas l'air de t'ennuyer, dis donc.

— La photographie non seulement est mon métier mais elle est devenue ma planche de salut, figure-toi. Grâce à elle j'ai pu me soustraire à un nombre incalculable de déjeuners mortels !

Elle ponctua ses propos d'un petit rire cristallin et s'enfonça un peu plus dans le cuir moelleux du dossier.

— Je ne suis absolument pas faite pour ce genre de *fonctions*, avoua-t-elle.

— Je suppose qu'ils peuvent se passer de toi. Tu as donc rencontré toute la famille de Lance ?

— A peu près. J'ai fait la connaissance d'une de ses cousines, Melissa, une forte personnalité, un brin originale, mais je l'aime beaucoup. Sa grand-mère s'est montrée charmante avec moi. Quant aux autres…

Elle s'interrompit et plissa le nez.

— J'ai eu le choix entre « vague cordialité » ou « franche désapprobation ». Disons que je considère ces présentations comme une obligation à laquelle je ne peux pas me soustraire. Mais ensuite, dès qu'ils m'auront tous vue et admirée sous toutes les coutures, terminé ! Rideau !

Elle haussa les épaules et esquissa un petit sourire.

— Du moins, je l'espère.

— La mère de Lance est redoutable n'est-ce pas ? avança prudemment Pam.

— Oui, reconnut Foxy. Mais comment le sais-tu ?

— Ma mère et elle se connaissent un peu.

Foxy se souvint soudain que Pam était née et avait été élevée dans ce milieu mondain, et qu'elle le fréquentait parfois, par la force des choses.

— Je l'ai moi-même rencontrée un jour où je faisais un papier sur les mécènes, ajouta-t-elle. J'ai gardé d'elle le souvenir d'une femme élégante, à l'allure aristocratique mais d'une froideur inouïe. Ne te laisse pas impressionner, Foxy. D'ici à quelques mois, les choses se seront tassées, crois-moi.

Foxy se mit à jouer avec un presse-papiers en cuivre, réplique en miniature d'une formule 1.

— J'essaie, Pam. Mais je t'assure qu'il y a des jours où j'aimerais vraiment leur fermer ma porte et m'isoler pour toujours avec Lance. A cause d'eux, notre lune de miel s'est achevée avant même d'avoir commencé ! Je suis suffisamment égoïste pour vouloir passer deux semaines loin d'eux, juste le temps de m'habituer à être une femme mariée.

— Cela me semble plus raisonnable qu'égoïste, rectifia Pam en riant. Peut-être pourrez-vous vous échapper un peu lorsque Lance aura terminé la conception de la nouvelle voiture qu'il réserve à Kirk ? D'après ce que j'en sais, le projet s'avère un peu compliqué à cause des nouvelles mesures de sécurité que Lance veut y intégrer.

Le sang de Foxy se figea dans ses veines.

— Quelle voiture ? demanda-t-elle d'une voix blanche.

— Celle que Lance est en train de dessiner pour Kirk, répéta Pam. Il ne t'en a pas parlé ?

— Non. J'imagine qu'il la prévoit pour la saison prochaine ?

— Oui. Kirk ne me parle pratiquement que de cela. Il espère même pouvoir aller à Boston dès qu'il sortira de l'hôpital pour participer à la touche finale. Les médecins pensent que c'est une excellente motivation pour accélérer le processus de guérison. Si tu voyais le mal qu'il se donne ! Il s'est mis en tête d'être sorti pour le 1er janvier, et tu verras qu'il y arrivera !

— Si ce n'est pas le cas, vous pourrez toujours le sortir sur une chaise roulante et le sangler dans son cockpit, rétorqua cyniquement Foxy. Je suis certaine que Lance n'y verrait aucune objection.

— Il en serait bien capable ! riposta Pam, à qui le cynisme de son amie avait échappé. A ce propos, pourrais-tu m'envoyer quelques photos de cette nouvelle merveille ? Si tu pouvais en faire pendant les essais… Compte tenu des rapports plus qu'étroits qui existent entre le boss et toi, ce devrait être facile !

Foxy ferma les yeux, tentant de refouler la violente migraine qui, déjà, lui martelait les tempes.

— Je ferai mon possible.

« Ce cauchemar ne cessera donc jamais ? », se demanda-t-elle en massant son front d'un geste nerveux.

— Je dois retourner au boulot, Pam. Embrasse Kirk pour moi, veux-tu ? Et prends bien soin de toi.

— Sois heureuse, Foxy, et transmets mes amitiés à Lance.

— Je n'y manquerai pas, répondit Foxy en raccrochant doucement le combiné.

Elle resta immobile un long moment. Une gangue glacée l'enveloppait tout entière, qui empêchait son cerveau de fonctionner normalement. Un vide béant bloquait ses émotions, faisant barrage à la colère froide qui pénétrait son esprit. Les images de l'accident défilaient dans sa tête avec une précision insoutenable. Elle resta assise des heures, sous le choc, indifférente au temps qui passait. Et lorsque la porte s'ouvrit sur Lance, elle le remarqua à peine.

— Tu es là ? lança-t-il en traversant la pièce sans même avoir refermé la porte derrière lui. Mais qu'est-ce que tu fais seule dans le noir, Fox ? Passer des heures dans l'obscurité de ton labo ne te suffit donc pas ?

Il s'approcha d'elle et l'embrassa tendrement. N'obtenant aucune réaction, il fronça les sourcils et se mit à étudier attentivement le visage fermé de sa jeune épouse.

— Foxy, que se passe-t-il ? demanda-t-il doucement.

Foxy leva sur lui des yeux vides d'expression.

— J'ai eu Pam au téléphone.

Un pli d'inquiétude se creusa instantanément sur le front de Lance.

— Il est arrivé quelque chose à Kirk ?

Ces quelques mots firent voler en éclats la carapace dont la jeune femme s'était protégée jusqu'à présent. Une vague de fureur la submergea, mêlée à un intense sentiment de trahison.

Elle lutta pour ne pas laisser éclater la rage qui l'empêchait de respirer. Pas encore. Pas avant d'avoir compris.

— Depuis quand la santé de Kirk t'intéresse-t-elle ? attaqua-t-elle, sarcastique.

Surpris par le ton cassant de la jeune femme, Lance lui caressa la joue.

— Depuis toujours. Fox, il y a eu des complications ?

— Des complications ? siffla-t-elle entre ses dents en plantant ses ongles dans la paume de ses mains. Cela dépend du sens que tu donnes à ce mot. Pam m'a parlé de la voiture.

— Quelle voiture ?

Il n'en fallut pas plus pour que la tension accumulée en elle explose violemment. Elle écarta brutalement la main de Lance de son visage, bondit de son siège et se planta face à lui, furibonde.

— Comment oses-tu envisager de revoir Kirk courir alors qu'il est toujours hospitalisé ? s'écria-t-elle. Tu ne pouvais pas au moins attendre qu'il soit capable de poser un pied par terre ?

La lumière sembla alors se faire dans l'esprit de Lance.

— Foxy, la conception d'une voiture comme celle-là demande des mois de travail, lui expliqua-t-il d'une voix patiente et extrêmement douce. J'étais déjà dessus lorsque nous sommes partis sur les circuits.

— Pourquoi ne m'en as-tu pas parlé ? Ou plutôt pourquoi me l'as-tu *caché* ?

— Parce que dessiner des voitures est mon métier, Foxy. Que j'en ai toujours imaginé pour ton frère et que son accident n'y change rien. Pourquoi les choses devraient-elles être différentes à présent ?

— Parce que, cette fois, il a failli y rester ! s'indigna-t-elle.

— Ce sont les risques du métier. Et ni toi ni moi n'y pouvons rien.

— Les risques du métier ! répéta la jeune femme en hurlant. Bravo ! C'est si facile de mettre la vie d'un homme sur le compte des *risques du métier* ! Vraiment, j'envie beaucoup ton implacable logique.

— Fais attention à ce que tu dis, Foxy, la prévint Lance d'une voix sourde, semblant soudain perdre patience.

Mais Foxy poursuivait, indifférente au ton menaçant de son mari.

— Pourquoi l'encourages-tu à reprendre les courses ? Si tu ne lui avais pas mis une nouvelle voiture sous le nez, peut-être aurait-il eu envie de décrocher cette fois ! Il a Pam maintenant et…

— Kirk n'a pas besoin de mes encouragements ! l'interrompit brutalement Lance. Accident ou pas, il aurait de toute façon repris le chemin des circuits. Et n'essaie pas de te persuader du contraire, Foxy. Tu sais comme moi que rien ni personne n'empêchera Kirk de reprendre sa place sur une grille de départ !

— Evidemment ! Il casse une voiture et tu lui en apportes aussitôt une neuve sur un plateau. Comment pourrait-il résister ?

— Si ce n'est pas moi, quelqu'un d'autre le fera à ma place !

Lance s'interrompit et enfonça rageusement ses mains dans ses poches.

— Je croyais que tu avais compris sa passion… Et la mienne.

— Tout ce que je comprends c'est que tu l'imagines déjà au volant d'une nouvelle formule 1, alors qu'il ne peut même pas marcher ! lui reprocha-t-elle avec aigreur.

Elle se mit à arpenter la pièce, fourrageant nerveusement dans la masse de ses boucles.

— Je pensais qu'au contraire tu userais de ton influence pour l'inciter à se retirer définitivement des courses automobiles, et au lieu de ça…

— Non ! la coupa-t-il. Je refuse de porter la responsabilité de ce que ton frère veut faire de sa vie, tu m'entends ? Je refuse !

La gorge de Foxy se noua et elle lutta contre les larmes qui lui brouillaient la vue.

— Bien sûr, je comprends, dit-elle d'un ton accusateur. Toi, tout ce que tu as à faire, c'est de tracer des lignes sur du papier, de faire quelques calculs, d'ordonner la fabrication de tes modèles. Toi, tu ne risques pas ta vie! Juste ton argent. Et ça tu es prêt à en faire profiter tout le monde, n'est-ce pas? Un peu comme au casino de Monte-Carlo, précisa-t-elle, aveuglée par sa colère. Tu t'assieds et tu assistes au spectacle, dans ta royale générosité. Mais il est vrai que l'argent ne signifie pas grand-chose pour quelqu'un qui n'en a jamais manqué. J'espère qu'au moins tu tires une satisfaction profonde du fait de rester assis en sécurité pendant que les autres prennent des risques pour toi?

Un silence de mort accueillit cette tirade.

En deux enjambées, Lance était auprès de la jeune femme et la prenait par les épaules, ses doigts s'enfonçant douloureusement dans sa chair.

— Tu n'as pas de leçons à me donner, Fox, dit-il, la mâchoire dangereusement contractée. Sache que je n'ai jamais payé personne pour prendre des risques à ma place. J'ai couru parce que je l'ai voulu et j'ai arrêté sans que l'on m'y oblige. Et si demain je veux reprendre les courses, je le ferai, sans me justifier auprès de qui que ce soit.

Cette soudaine éventualité épouvanta Foxy, anéantissant d'un seul coup la colère qui la submergeait.

— Lance, murmura-t-elle d'une voix tremblante d'émotion, tu ne vas pas reprendre les courses, n'est-ce pas? Tu ne…

— Ne me dis pas ce que j'ai à faire!

Les mots avaient claqué, secs comme un coup de fouet.

L'angoisse qui nouait la gorge de la jeune femme céda le pas à un sentiment où se mêlaient colère, peine et frustration. Une fois encore on la faisait passer au second plan.

— Quelle idiote j'ai été de penser que mes sentiments pour toi avaient de l'importance! lâcha-t-elle en essayant de se libérer de l'étreinte de Lance.

— Ecoute-moi bien, Foxy, dit-il en l'empêchant de fuir. Kirk est un grand garçon, libre de ses choix. Et tu n'as pas à t'en mêler. De la même façon que tu n'as pas à te mêler de mes propres choix.

Elle leva sur lui un regard froid, teinté de regrets.

— Je ne suis pas d'accord, riposta-t-elle calmement. Même si je sais que Kirk pilotera ta voiture la saison prochaine et que tu feras exactement ce que tu veux faire. Effectivement je ne peux rien changer à cela. Maintenant, laisse-moi partir, je suis fatiguée.

Sans un mot, Lance scruta son visage dans la pénombre puis laissa retomber ses bras le long de son corps.

Comme un automate Foxy quitta la pièce en silence et referma doucement la porte derrière elle.

13

Lorsque le jour vint surprendre Foxy, cela faisait des heures qu'elle était étendue dans son lit, les yeux grands ouverts, à ruminer sa dispute avec Lance. Elle n'avait même pas eu conscience de sombrer dans le sommeil tant, même dans ses rêves, la scène de la veille était venue la hanter.

Sa main se tendit machinalement vers son mari mais elle ne rencontra que le vide. C'était la première fois, depuis leur mariage, qu'ils faisaient chambre à part. Qu'ils ne se réveillaient pas enlacés, prêts à débuter ensemble leur journée.

Un poids terrible pesait sur sa poitrine, l'empêchant de respirer normalement. Les mots qu'elle avait eus avec Lance avaient laissé des cicatrices profondes.

« Il est peut-être encore en bas, se dit-elle en fixant le plafond, je devrais descendre et… Non », trancha-t-elle en secouant la tête.

Le moment était mal choisi, avec Mme Trilby qui s'affairait probablement dans la cuisine, pour mettre les choses à plat. Et puis mieux valait laisser passer encore un peu de temps pour que les esprits surchauffés se calment.

Le corps lourd de fatigue, Foxy se leva et prit une douche rapide. Elle mit un soin tout particulier à choisir sa tenue et passa mentalement en revue son emploi du temps de la journée. Elle allait travailler sur les tirages des courses jusqu'à 11 heures, puis enchaînerait avec le nouveau projet qu'elle avait en tête. Satisfaite, elle descendit l'escalier.

Rien, dans le silence pesant de la maison, ne signalait la

présence de Lance, et bien que Foxy veuille se persuader que c'était mieux ainsi, elle lutta pour ne pas l'appeler à son bureau.

Après avoir rapidement avalé une tasse de café, elle alla s'enfermer dans sa chambre noire. Les tirages étaient suspendus là où elle les avait laissés la veille. Presque machinalement, elle décrocha la photo de Kirk, celle qui avait tout déclenché, et elle l'observa attentivement.

Oui, son frère était une comète, et, comme toutes les comètes, il était voué à exploser un jour. Il y aurait d'autres photos de lui l'année prochaine, mais ce ne serait pas elle qui en serait l'auteur. Elle repoussa les planches de tirage et commença à travailler sur une nouvelle pellicule. Elle était si profondément absorbée par sa tâche qu'elle sursauta violemment lorsque quelqu'un frappa à la porte. Elle fronça les sourcils, perplexe. Mme Trilby ne se serait jamais aventurée en territoire ennemi.

— Melissa ! s'exclama-t-elle en découvrant la jeune femme, souriante, qui attendait sagement sur le pas de la porte. Quelle bonne surprise !

— Mais on y voit parfaitement dans cette pièce, commenta la nouvelle venue en pénétrant dans le laboratoire. Pourquoi appelle-t-on cet endroit « une chambre noire » si l'obscurité n'y est pas totale ? Je suis déçue.

— Tu n'es pas venue au bon moment, voilà tout. Je peux t'assurer qu'il y a deux heures tu n'aurais pas pu voir le bout de ton nez.

— Je suppose que je dois te croire sur parole.

Melissa fit le tour de la petite pièce et s'arrêta devant les épreuves en train de sécher sur leur fil.

— Ma parole, mais tu es une vraie photographe !

— J'aime à le croire, en tout cas.

— Tout cela paraît si technique, ajouta Melissa en tripotant toute une série de minuteurs. C'est ce que tu as étudié à l'université ?

— Tu sais, j'ai obtenu mon diplôme dans une petite fac de province. Rien de prestigieux comme Radcliffe ou Vassar.

Melissa fit mine d'être horrifiée.

— *Une petite fac de province ?* Seigneur ! Surtout garde cela pour toi si tu ne veux pas choquer toutes ces dames de la bonne société !

— De toute façon, passé la curiosité des premiers jours, je ne présenterai plus grand intérêt à leurs yeux.

— Ce que tu peux être naïve ! soupira Melissa en tapotant la joue de Foxy. Enfin, je vais te laisser tes illusions pendant encore quelques jours.

Elle brossa du plat de la main un grain de poussière sur son pull et reprit :

— Il y a une soirée au country club samedi soir. Lance et toi viendrez, n'est-ce pas ?

— Malheureusement oui, confirma Foxy en poussant un profond soupir. Nous serons là.

— Patience, chérie ! Dans quelques mois, les sorties officielles ne seront plus de mise. Lance n'est pas du genre à en accepter plus qu'il n'est nécessaire. Et puis…

Elle s'interrompit pour adresser à Foxy un adorable sourire mutin.

— … cela nous donne une excellente raison d'aller faire les boutiques et de nous trouver une robe sublime. As-tu terminé ton travail ?

— Oui, je viens juste de finir.

— Alors, allons-y ! lança Melissa en prenant Foxy par le bras.

— Oh, non ! Tu m'as déjà entraînée dans ce genre de marathon samedi dernier, ne m'épargnant aucune des boutiques de Newbury's. En outre, je suis fatiguée et je n'ai besoin de rien pour cette soirée. J'ai déjà la robe idéale, conclut-elle en refermant la porte du laboratoire derrière elles.

— Te faut-il en avoir besoin pour t'offrir une nouvelle tenue ? s'étonna Melissa. Justement, l'autre jour tu n'as acheté qu'un chemisier. Mais dis-moi, à quoi cela te sert-il d'avoir un mari aussi riche ?

— A une multitude de choses, je n'en doute pas, riposta Foxy avec gravité.

Mais un sourire revint fleurir sur ses lèvres tandis qu'elle précisait :

— Mais certainement pas à me payer des vêtements dont je n'ai que faire. De toute façon, pour mes dépenses personnelles, j'utilise l'argent que je gagne.

Melissa croisa les bras sur sa poitrine et regarda attentivement son amie.

— Quelle étrange créature que voilà… Mais je vois bien que tu ne plaisantes pas. Quand même, avec tout l'argent que possède Lance !

— J'aurais préféré qu'il en ait un peu moins, crois-moi, répliqua Foxy avec une pointe d'amertume.

Elle s'apprêtait à monter l'escalier lorsque Melissa la retint par le bras. Sa voix était devenue tout à coup plus grave.

— Attends une minute, Foxy. Ils t'en ont fait voir, n'est-ce pas ?

— Cela n'a pas d'importance, répondit la jeune femme en haussant les épaules.

— Au contraire ! s'indigna Melissa en resserrant son emprise. Ecoute bien ce que j'ai à te dire Foxy. Et pour une fois je vais essayer d'être sérieuse. Tous ces commérages sur le fait que tu as épousé Lance pour son argent ne tiennent pas debout. Cela ne veut rien dire, tu comprends ? Ce sont des ragots colportés par des crétins. Et surtout ne va pas t'imaginer que tout le monde pense cela dans la famille. Tu as même gagné le cœur et la sympathie de beaucoup. Grand-mère, par exemple. Elle t'adore. Et tu es arrivée à ce résultat juste en te montrant telle que tu es : simple et chaleureuse. Je suppose que des amis bien intentionnés n'ont pas manqué de te parler du goût qu'avait Lance pour les femmes mariées avant de te connaître ?

Foxy tressaillit mais tenta de ne rien montrer.

— Nous n'en avons pas discuté. Ou plutôt, pour être

honnête, je n'ai pas voulu aborder le sujet. Cela me paraissait malvenu de me plaindre.

— Tu préfères rester tranquillement dans ton coin, à te faire lapider ? Réagis, Foxy ou tu vas filer tout droit dans le mur !

Foxy secoua la tête.

— Je dois être trop sensible en ce moment. Ma vie a tellement changé en si peu de temps ! J'ai dû jongler avec tant de choses !

Melissa passa un bras amical sous celui de son amie.

— Il y a autre chose, n'est-ce pas ?

— Cela se voit donc tant que ça ?

— Disons plutôt que je suis très intuitive et que mon intuition me dit que Lance et toi, vous vous êtes disputés...

— Le mot est faible, murmura Foxy en poussant la porte qui menait au rez-de-chaussée. Mais cela va s'arranger.

— A ton avis, qui est fautif ?

Foxy ouvrit la bouche, s'apprêtant à blâmer Lance, puis la referma, convaincue que c'était elle la coupable. Alors elle renonça et poussa un profond soupir.

— Aucun de nous, j'imagine. Ou tous les deux.

— Normal, trancha Melissa. Le meilleur moyen de chasser ces vilaines idées noires, c'est de sortir et de te trouver une robe fabuleuse qui te rendra encore plus belle. Crois-moi, je ne connais rien de mieux pour l'ego. Ensuite, si tu tiens à faire souffrir un peu ton mari, tu l'accueilles avec une politesse froide. Ou bien tu renvoies Mme Trilby chez elle plus tôt que prévu, et tu lui joues le grand jeu de la séduction. Tu vois ce que je veux dire ? demanda-t-elle en décrochant son sac et son blouson du portemanteau.

Foxy éclata de rire.

— Melissa ! Quelle merveilleuse façon tu as de simplifier les choses !

— Je sais, mon chou, c'est un don, railla la jeune femme en contemplant son reflet dans un miroir ancien. Alors, qu'as-tu décidé ? De venir prendre du bon temps en ma compagnie ou de continuer à t'échiner sur tes photos ?

Dans un élan d'affection, Foxy se pencha vers Melissa pour l'embrasser sur la joue.

— Tu me tentes mais je sais me montrer très volontaire lorsque c'est nécessaire.

— Tu vas vraiment passer l'après-midi à travailler ? s'étonna Melissa sur un ton où se mêlaient admiration et scepticisme. Pourtant, tu y as déjà consacré ta matinée.

La naïveté de Melissa fit rire Foxy.

— Mais qu'est-ce que tu t'imagines ? Tout le monde travaille *toute* la journée ! Non, vraiment je te remercie, mais je démarre une série de photos sur les enfants, et j'avais décidé d'aller flâner dans les jardins publics.

Melissa enfila son blouson de fourrure et fronça les sourcils.

— Tu m'abandonnes à mon triste sort alors ?

— Je ne m'inquiète pas pour toi, je suis sûre que tu t'en remettras vite.

A son tour, Melissa embrassa Foxy.

— Je ne peux pas m'empêcher de me sentir un peu coupable. Enfin, amuse-toi bien quand même ! lança-t-elle en claquant la porte derrière elle.

— Toi aussi ! cria Foxy.

Un sourire aux lèvres, elle alla enfiler son manteau, mit son sac en bandoulière sur une épaule, son appareil photo sur l'autre. C'est en se retournant qu'elle se heurta brutalement à Mme Trilby.

« Les chaussures à semelles de crêpe devraient être interdites », pensa-t-elle, irritée de ne pas avoir entendu la gouvernante entrer dans la pièce.

Cette dernière se tenait face à Foxy, bien droite, raide comme la justice dans sa robe grise et son tablier blanc.

— Vous sortez, madame Matthews ?

— Oui, j'ai du travail. Je serai de retour vers 15 heures.

— Très bien, madame.

Foxy allait franchir le seuil lorsqu'elle se retourna. Mme Trilby était toujours immobile, le visage impénétrable.

— Madame Trilby, si Lance... si Lance appelle, pouvez-vous lui dire...

Foxy s'interrompit, hésitant à poursuivre.

— Oui, madame?

— Non, rien, dit-elle en secouant la tête. Ne lui dites rien.

Elle redressa les épaules et lui adressa un sourire contrit.

— Au revoir, madame Trilby.

— Au revoir, madame. Bonne journée.

Foxy aspira avec gourmandise une profonde bouffée d'air frais. Elle aimait le froid vif et sec de cette journée d'automne. Toute ragaillardie, elle choisit de laisser sa voiture au garage pour marcher au gré de son inspiration.

Le ciel était limpide, vierge de tout nuage, quelques feuilles mortes tournoyaient doucement sur les trottoirs. La jeune femme se sentait le cœur plus léger à mesure que le projet qu'elle avait en tête se précisait.

Des mamans attentives suivaient du regard leur progéniture qui, le rouge aux joues, courait en hurlant dans tous les sens. D'autres promenaient leurs bébés emmitouflés dans des poussettes ou des landaus.

Foxy flânait parmi tout ce petit monde, l'œil aux aguets, prête à appuyer sur le déclencheur de son appareil photo à tout moment. L'expérience lui avait appris que l'art de la photographie ne se limitait pas à de simples connaissances techniques. Il fallait aussi savoir deviner ce que donnerait un sujet choisi sur le vif, une fois dans la boîte. Patience et ténacité étaient des qualités indispensables.

Elle prenait également le temps d'expliquer à un parent curieux ce qu'elle faisait.

Elle s'aplatit dans l'herbe froide et braqua son objectif sur une fillette de deux ans qui jouait avec un adorable petit chien. Absorbés par leur jeu, aucun des deux ne prêta la moindre attention à cette étrangère qui, bizarrement, rampait autour d'eux, l'œil rivé au viseur de son appareil photo. La jeune femme appuya sur le déclencheur au moment où le chien, qui tournait en jappant autour de la petite fille, échappait encore une fois à ses menottes maladroites. Foxy passa de longues minutes à les immortaliser, puis, lorsqu'elle eut fini, elle s'assit sur ses talons et leur sourit. Après une rapide discussion avec la mère de l'enfant, elle se leva et mit en place une pellicule neuve.

— Quelle performance fascinante !

Foxy sursauta et leva les yeux sur Jonathan Fitzpatrick qui se tenait face à elle.

— Oh, bonjour, dit-elle en rejetant ses cheveux en arrière.

— Bonjour, madame Matthews. Belle journée pour se rouler dans l'herbe !

Son sourire était si manifestement charmeur que Foxy éclata de rire.

— C'est vrai. Ravie de vous revoir, monsieur Fitzpatrick.

— Jonathan, corrigea-t-il en ôtant une feuille morte prisonnière des boucles rousses. Et si vous me le permettez, je vous appellerai Foxy, comme le fait Melissa. C'est un nom qui vous va très bien, d'ailleurs. Est-ce indiscret de vous demander ce que vous faisiez ?

— Non, répondit la jeune femme en continuant de charger son appareil. Je prenais des photos. C'est mon métier.

— Je l'ai entendu dire, en effet. Etes-vous vraiment une professionnelle ?

— C'est en tout cas ce que je dis lorsque je me présente aux éditeurs pour qui je veux travailler.

Elle fit claquer le boîtier de son appareil et regarda fixement Jonathan. La ressemblance avec sa sœur était frappante, mais elle ne ressentait pas, face à lui, le malaise qu'elle avait ressenti en présence de Gwen. Jonathan Fitzpatrick était, en revanche, tout le contraire de Lance, aussi blond que son mari était brun, affichant une réelle décontraction de même qu'une sincère gentillesse. Agacée de se laisser prendre ainsi au jeu des comparaisons, Foxy s'empressa de poursuivre :

— Je travaille actuellement sur un projet qui tourne autour des enfants.

— Puis-je vous accompagner un moment? Je suis libre cet après-midi.

— Bien sûr, répondit spontanément Foxy en prenant la direction de Mill Pond. Mais j'ai bien peur que vous ne vous ennuyiez à mourir!

— J'en doute, riposta tout aussi spontanément le jeune homme en lui emboîtant le pas. Je m'ennuie rarement en présence d'une jolie femme.

Foxy lui coula un regard en biais. Melissa avait fait le bon choix, songea-t-elle.

— Et vous, Jonathan, que faites-vous dans la vie?

— Je fais... au gré de mes envies, répondit-il en fourrant ses mains dans les poches de sa veste en cuir. Théoriquement, j'occupe un poste de cadre dans l'entreprise familiale d'import-export. Mais, en réalité, je passe mon temps à charmer des femmes mûres, ou à escorter leurs filles lorsqu'elles me le demandent.

Les yeux de Jonathan pétillaient d'humour, ce qui enchanta Foxy.

— Et vous aimez votre... *travail*? demanda-t-elle, tout aussi ironique.

— Je l'adore.

— Moi aussi, j'adore le mien. D'ailleurs, si vous voulez bien vous écarter un peu...

L'œil acéré de la professionnelle venait de repérer un banc auprès duquel un saule pleureur trempait nonchalamment ses longues branches fines dans les eaux calmes du lac. Une femme lisait, tout en surveillant son fils qui s'amusait à donner du pain sec aux canards. Après quelques mots échangés avec la maman, Foxy se mit au travail. Prenant garde à ne pas déranger le petit garçon, elle le photographia au moment où, battant des mains, il regardait les canards se disputer bruyamment pour les quelques miettes qu'il venait de leur lancer. Jouant habilement de la lumière naturelle, elle parvint à capturer en images la joie et l'innocence qui émanaient de ce visage angélique aux joues rebondies. Changeant inlassablement d'angle de vue, de vitesse, de filtre, elle mitrailla son modèle jusqu'à ce que, enfin satisfaite, elle replace la bandoulière de son appareil sur son épaule, signe que la séance était terminée.

— Vous paraissez très concentrée lorsque vous travaillez, fit remarquer Jonathan, visiblement impressionné, en rejoignant la jeune femme. Très compétente aussi.

— S'agit-il d'un compliment ou d'une constatation?

— Les deux. Vous êtes fascinante, Foxy Matthews. Vous êtes une raison de plus d'en vouloir à Lance.

— Vraiment? s'étonna-t-elle sans la moindre trace de coquetterie. Y en a-t-il beaucoup d'autres?

— Des tonnes, mais celle-ci arrive en tête de liste. Est-il vrai que votre frère est le fameux pilote Kirk Fox, et qu'en vous épousant Lance vous a arrachée au milieu des courses?

Foxy se raidit imperceptiblement.

— J'ai en effet grandi sur les circuits.

Surpris par le ton de la jeune femme, Jonathan leva un sourcil sceptique.

— Il semble que j'ai touché un point sensible, j'en suis désolé. Mais il s'agissait de simple curiosité, Foxy, n'y voyez aucune critique de ma part. J'ai suivi de près la carrière de votre frère. Lui aussi m'a toujours fasciné. Vous avez dû vivre une vie passionnante à ses côtés!

Foxy comprit que Jonathan était sincère, et elle se détendit un peu.

— C'est moi qui suis désolée, répliqua-t-elle en haussant les épaules. C'est la deuxième fois aujourd'hui que je me montre un peu trop sensible. Mais vous savez, ce n'est pas facile d'être en permanence le point de mire de tout le monde.

Jonathan lui prit tendrement la main.

— C'est parce que personne ne s'attendait à une telle surprise. Dans ce milieu très particulier qu'est le nôtre, expliqua-t-il, il y a ceux qui rentrent dans le moule dès leur naissance et ceux qui, comme Lance, imprévisibles, portent leurs choix sur du rare, de l'unique. Comme vous.

— Unique, moi ? murmura Foxy en fixant Jonathan sans la moindre ambiguïté. Je n'ai pas d'argent. A part Kirk, je n'ai plus de famille, et j'ai grandi dans un milieu strictement masculin, peuplé de pilotes et de mécaniciens. Je n'ai pas fréquenté d'université prestigieuse, et le peu que je connais de l'Europe, je l'ai entraperçu entre deux courses.

— Souhaitez-vous prendre un amant ? demanda brusquement Jonathan avec une rare désinvolture.

Foxy écarquilla de grands yeux étonnés.

— Bien sûr que non ! protesta-t-elle avec véhémence.

— Avez-vous déjà fait de la barque ? poursuivit-il sur le même ton.

Foxy ouvrit la bouche, puis la referma, se demandant bien où son étrange compagnon voulait en venir.

— Non, avança-t-elle prudemment.

— Parfait ! déclara-t-il en lui reprenant la main. Alors nous allons opter pour la barque ! Etes-vous d'accord ?

Toute méfiance envolée, Foxy lui adressa un sourire radieux.

— Avec plaisir ! acquiesça-t-elle gaiement.

« Melissa ne s'ennuiera jamais avec un mari pareil », songea-t-elle en se laissant guider par Jonathan.

— Voulez-vous un ballon, Foxy ?

— Oh ! oui. Le bleu, là.

Les deux heures suivantes furent les plus agréables que Foxy passa depuis qu'elle avait endossé l'identité de Mme Lance Matthews. Ici, avec Jonathan, aucune des obligations mondaines qu'exigeait son nom, mais juste le plaisir de s'entasser dans une barque en compagnie de touristes émerveillés et d'enfants aux doigts poisseux. Ils flânèrent ensuite à travers le parc en mangeant des glaces qui leur coulèrent le long des doigts.

Lorsque Jonathan déposa la jeune femme devant l'imposante demeure en pierre, elle était toujours d'humeur joyeuse.

— Voulez-vous entrer un moment, Jonathan ? lui proposa-t-elle en récupérant son appareil photo sur la banquette arrière. Vous pourriez même rester dîner avec nous.

— Merci mais j'ai rendez-vous avec Melissa. Une autre fois, peut-être.

— Embrassez-la pour moi.

Foxy ouvrit la portière et, sur une impulsion subite, se pencha vers Jonathan pour l'embrasser sur la joue.

— Merci, Jonathan. C'était bien plus drôle que de devenir amants, et certainement beaucoup plus simple !

Jonathan acquiesça d'un hochement de tête dubitatif.

— A samedi, dit-il en passant un doigt sur l'arête de son nez.

— A samedi. Ah, j'oubliais ! ajouta Foxy avant de se glisser hors de la voiture. Pouvez-vous dire à Melissa que j'approuve totalement ses projets ?

Elle éclata de rire devant la mine déconfite de Jonathan.

— Elle comprendra, précisa-t-elle.

Elle claqua la portière derrière elle et gravit en courant les marches du perron. La porte s'ouvrit brusquement devant elle.

Lance se tenait dans l'entrée, l'air pincé, visiblement contrarié.

— Salut, Foxy, dit-il d'un ton sec. Tu as l'air de t'être bien amusée, on dirait.

La jeune femme, qui ne voulait pas rejoindre son mari sur ce terrain, ignora sa mauvaise humeur manifeste pour lâcher sur un ton léger :

— Tu es rentré tôt, aujourd'hui.

Elle lui souriait, heureuse de le retrouver et impatiente de lui faire partager sa joie.

— Ce qui n'est pas ton cas, rétorqua-t-il en refermant la porte.

Foxy jeta un coup d'œil à sa montre et constata, stupéfaite, qu'il était 18 heures. Elle posa son appareil photo sur un fauteuil.

— Tu es rentré depuis longtemps ? demanda-t-elle.

— Un bon moment, oui.

Il regarda d'un air soupçonneux les joues de la jeune femme, que l'air vif avait joliment rosies, et se dirigea vers le salon.

— Veux-tu boire quelque chose ? s'enquit-il.

— Non merci.

L'accueil glacial de Lance la perturbait. Elle le suivit dans le salon, mal à l'aise.

— Nous n'avons rien de prévu pour ce soir, n'est-ce pas ? s'enquit-elle.

Lance se servit une rasade généreuse de whisky avant de se tourner vers elle.

— Non, pourquoi ? Tu avais l'intention de ressortir ?

— Non, je…

Elle s'interrompit, paralysée par le regard dur que Lance fixait sur elle.

— Non.

Lance but une gorgée, sans la lâcher des yeux par-dessus son verre. La tension, qui s'était relâchée pendant ces heures joyeuses d'évasion, la submergea de nouveau. Venue de très loin, l'impression qu'un fossé était en train de se creuser entre eux s'insinua en elle, mais elle fut incapable d'aborder la discussion qui pouvait, peut-être, désamorcer le conflit latent.

— Je suis tombée sur Jonathan Fitzpatrick au parc où je suis allée faire des photos, finit-elle par dire en déboutonnant nerveusement son manteau. C'est lui qui m'a ramenée.

— J'ai vu.

Lance, immobile, son verre à la main, affichait toujours le même masque impénétrable.

— Il a fait si beau aujourd'hui, poursuivit Foxy tout en cherchant un moyen d'échapper à cet échange insensé de politesses banales.

Elle regarda Lance se servir un deuxième verre de whisky et reprit :

— Il y avait un nombre incroyable de touristes, mais Jonathan m'a affirmé qu'il n'y en aurait plus un seul en hiver.

— J'ignorais qu'il s'intéressait à la population touristique de Boston, lâcha-t-il, sarcastique.

Foxy fronça les sourcils puis ôta son manteau.

— C'est moi que cela intéressait, rétorqua-t-elle. Il y avait tant de monde sur le lac que nous avons eu du mal à trouver deux places pour un tour en barque.

— Jonathan dans une barque avec toi ? Comme c'est charmant ! ironisa Lance sans laisser à Foxy le temps de répondre.

Puis il vida son verre d'un trait.

— Eh bien je n'en avais jamais fait, alors…

— Voudrais-tu insinuer que je te néglige ? la coupa-t-il brusquement.

Foxy le regarda d'un air désapprobateur remplir de nouveau son verre. Elle sentait la colère la gagner peu à peu.

— Ne sois pas ridicule ! Et tu devrais arrêter de boire, Lance.

— Je boirai si je veux, riposta-t-il en la défiant du regard. Quant à être ridicule, il y a des hommes qui battraient leur femme pour avoir passé leur après-midi avec un autre homme.

— Mais qu'est-ce que tu crois ? protesta Foxy. Nous ne sommes plus à l'époque de Cro-Magnon ! Et puis nous n'avons rien fait de mal, nous étions dans un endroit public !

— Je sais, il t'a même offert une promenade en barque !

— Tu oublies le ballon et le cornet de glace ! ajouta Foxy en se plantant devant lui, les poings bien enfoncés dans ses poches.

— Tes goûts sont décidément aussi simples que le milieu d'où tu sors !

La jeune femme sentit son cœur s'arrêter de battre. Ce fut comme un coup de poing qu'elle aurait reçu dans le ventre. La respiration bloquée, elle devint blême, et un voile de souffrance assombrit son regard. Elle entendit le chapelet d'injures que Lance dirigeait contre elle puis le bruit du verre qu'il reposait bruyamment avant de se précipiter vers elle.

— Excuse-moi, Foxy, je ne voulais pas. Les mots ont dépassé ma pensée.

Foxy le repoussa vivement.

— Ne me touche pas ! lui ordonna-t-elle d'une voix tremblante de rage. Cela fait trois semaines que je supporte les

insinuations de ta famille et de tes amis, leurs sourires hypo-
crites, leurs commérages! Mais jamais, tu m'entends, jamais
je ne t'aurais cru capable, toi, d'une telle bassesse! J'aurais
préféré cent fois que tu me frappes plutôt que d'entendre ça!

Luttant contre les sanglots qui lui montaient à la gorge, elle
lui tourna le dos et se précipita dans l'escalier. Lance s'élança
à sa suite, l'empêchant, d'une poigne solide, de s'enfermer
dans leur chambre.

— Ne m'abandonne pas, Foxy, dit-il d'une voix sourde et
menaçante. Ne m'abandonne plus jamais.

— Fiche-moi la paix! hurla la jeune femme en se débattant
pour tenter d'échapper à son emprise.

Puis la gifle claqua sur la joue de Lance, sèche, d'une
violence inouïe.

— Très bien, marmonna-t-il, les mâchoires contractées.
Disons que je l'ai méritée. Mais maintenant, calme-toi.

— Lâche-moi, siffla Foxy entre ses dents. Je veux rester seule.

— Pas avant que nous ayons eu une petite explication.

La jeune femme rejeta la tête en arrière et l'épingla d'un
regard lourd de reproches.

— Je n'ai rien à expliquer. Et ôte tes mains de moi, je ne
peux pas les supporter, ajouta-t-elle en se tortillant de nouveau.

— Ne me pousse pas à bout, Foxy, menaça Lance d'une
voix dangereusement calme. Je n'ai pas vraiment le contrôle de
moi-même depuis la nuit dernière. Alors, s'il te plaît, calme-toi
et discutons-en, veux-tu?

— Je n'ai rien à te dire, s'entêta Foxy, qui cessa cependant
de se débattre. Entre hier et aujourd'hui, je crois que nous
nous sommes déjà tout dit, non?

— Tu as raison, approuva Lance qui, prenant la jeune
femme par surprise, lui scella la bouche d'un baiser.

Il lui tenait fermement les poignets, l'empêchant ainsi de
se débattre. Elle reconnut d'instinct cette rudesse et cette
détermination dont il était capable. Elle sut alors qu'il était

vain d'essayer de lui échapper et força son corps et ses lèvres à rester passifs.

— Tu peux rester de glace, décréta-t-il, cela m'est égal. Je sais exactement comment m'y prendre pour te faire fondre.

Tandis qu'il la portait jusqu'à leur lit, Foxy se remit à gesticuler comme une tigresse.

— Non, Lance ! Pas comme ça ! supplia-t-elle.

Ses cris redoublèrent tandis que Lance la laissait tomber sans ménagement sur le lit. Il était sur elle avant qu'elle ait pu esquisser le moindre geste. Elle détourna la tête mais d'une main ferme il la maintint face à lui et se pencha pour, de nouveau, prendre ses lèvres. Lorsqu'il sentit qu'elle s'abandonnait, il commença à la déshabiller. Il lui retira d'abord son jean, puis son pull et enfin la fine chemise de soie, dernier rempart à sa peau nue et déjà consentante. Elle s'arc-bouta, vaincue, tandis que la bouche de Lance s'écrasait sur ses seins tendus de désir. De sa langue, de ses mains, il exploitait ses faiblesses, sondant le moindre recoin caché, jusqu'à ce qu'il la sente au bord de l'orgasme. Alors seulement, et tandis qu'il la rejoignait sur les pics de la volupté, il la pénétra, imposant à son corps moite la cadence infernale qu'il avait choisie.

Mais Foxy savait qu'aucun des deux n'avait remporté la bataille.

14

La pluie se mit à tomber tôt, ce samedi matin. Puis le froid s'installa, transformant la pluie en neige. Foxy regardait les flocons légers tomber et fondre, sitôt qu'ils avaient touché le sol. Lance avait déjà quitté la maison lorsqu'elle s'était réveillée. Elle avait repensé à leur joute amoureuse de la veille qui leur avait laissé comme un goût d'amertume. Le plaisir qu'ils avaient éprouvé n'avait pas pour autant effacé le malaise qui régnait entre eux. Et depuis qu'elle avait ouvert les yeux et découvert qu'elle était seule dans le grand lit froid, un sentiment d'angoisse l'avait étreinte, qui n'avait fait que s'amplifier au fil des heures. Elle avait bien essayé de l'oublier dans le travail, mais le cœur n'y était pas.

— Comment en sommes-nous arrivés là ? murmura-t-elle avec tristesse. Nous venons à peine de nous marier et, déjà, tout semble nous échapper.

Elle passa le doigt sur la vitre embuée, contempla la fine pellicule blanche qui fondait au sol.

La sonnerie du téléphone la fit sursauter. Lance ! Elle se rua sur le combiné, le cœur battant.

— Allô !, dit-elle d'un ton qu'elle voulait léger.

— Salut, Foxy, lui répondit la voix de Kirk. Comment vont les choses en ce bas monde ?

— Kirk ! C'est si bon d'entendre ta voix, affirma-t-elle en s'affalant dans un fauteuil. Comment vas-tu ? Tu penses sortir bientôt ? Et Pam, elle est à côté de toi ?

— Toujours aussi curieuse, n'est-ce pas ? Si tu me parlais plutôt de toi ? Tu dois avoir des tas de choses à me raconter.

— Toi d'abord ! répliqua Foxy en riant. Alors, comment vas-tu ?

— Plutôt bien. Je dirais même que je suis sur la voie de la guérison. Il se peut même que je sorte dans quinze jours si Pam accepte de faire les allers et retours nécessaires pour ma rééducation.

Foxy devina à la voix de son frère que ses blessures n'étaient déjà pour lui qu'un mauvais souvenir. « Les risques du métier », comme l'avait dit Lance.

— J'imagine qu'elle ne se fera pas trop prier. Oh, Kirk, je suis si contente que tu ailles mieux ! Tu dois commencer à t'ennuyer, non ?

— Tu n'imagines même pas à quel point ! J'en suis réduit à passer des heures sur les mots croisés du *Times* !

— Si tu veux, je peux t'envoyer des livres de coloriage.

Elle sourit en l'entendant ronchonner au bout du fil.

— Je ne m'abaisserais pas à répondre à cela. Dis-moi plutôt comment ça se passe à Boston. Est-ce que tu t'y plais ?

— C'est une ville magnifique. Le froid est en train de s'installer. D'ailleurs, il neige en ce moment.

— Et la famille de Lance ?

— A vrai dire, ils sont…

Elle s'interrompit, chercha les mots exacts puis finit par éclater de rire.

— Disons… différents. J'ai un peu l'impression d'être comme Gulliver, propulsée dans un monde où les règles sont différentes. Nous essayons de nous adapter les uns aux autres. Je me suis même fait quelques amis. En revanche, je crois que la mère de Lance ne m'apprécie pas trop.

— Quelle importance ? Ce n'est pas elle que tu as épousée, répliqua Kirk avec sa logique implacable. Je n'arrive pas à t'imaginer te laissant malmener par une poignée de notables suffisants !

419

Les choses paraissaient si simples, formulées de cette façon, que Foxy ne put s'empêcher de sourire de nouveau.

— Et Lance, comment va-t-il? enchaîna Kirk.

Foxy se mordit la lèvre.

— Il va bien, répondit-elle machinalement. Il est très occupé par son travail.

— J'imagine qu'il doit passer un temps fou sur la conception de la nouvelle formule 1.

Elle sentit la voix de Kirk vibrer d'excitation à cette idée et se força à ne faire aucun commentaire.

— Il paraît que c'est un véritable petit bijou! reprit-il. Il me tarde de sortir d'ici et de venir la voir! Tu as de la chance, ma vieille, ton mari est un sacré génie!

— Tu le penses vraiment?

— Mais oui! Car c'est une chose d'avoir des idées, Foxy, mais c'en est une autre de savoir les matérialiser. Crois-moi, ce n'est pas donné à tout le monde!

Il avait parlé avec une pointe d'envie telle que cela obligea Foxy à considérer son mari sous un nouvel angle.

— C'est curieux, on a du mal à l'imaginer dessinant des tableaux de bord toute la journée, tu ne trouves pas? lança-t-elle, pensive.

— Tu devrais savoir mieux que personne que Lance n'est pas du genre à se laisser enfermer dans le moule du conformisme.

Foxy fronça les sourcils, semblant réfléchir à ce que venait de dire son frère.

— Bien sûr. Je le savais mais tu as raison de me le rappeler. Et puis c'est très agréable d'entendre mon frère dire de mon mari qu'il est un génie!

— J'ai toujours su qu'il était plus attiré par la mécanique que par les courses elles-mêmes. A part ça, comment vas-tu?

— Moi? Oh, très bien! Tu diras à Pam que j'ai fini de développer toutes les photos et que je vais les lui envoyer.

— Es-tu heureuse, Foxy?

Il avait posé la question avec la même gravité que Pam quelques jours auparavant.

— Voyons, Kirk, est-ce une question à poser à une femme qui vient juste de se marier ? feignit-elle de s'offusquer d'un ton léger.

— Foxy...

— Je l'aime. Ce n'est pas toujours facile, ce n'est pas toujours parfait, mais je l'aime et j'ai besoin de lui.

— C'est parfait alors. Ecoute, Foxy... En fait, je t'ai appelée pour t'annoncer une grande nouvelle. Je voulais t'en parler avant, mais...

Foxy attendit patiemment quelques secondes une suite qui ne venait pas.

— Mais quoi ? finit-elle par demander.

— J'ai demandé à Pam de m'épouser.

— Enfin !

— Cela n'a pas l'air de te surprendre, constata Kirk avec une pointe de déception.

— En fait, je me demandais si tu allais attendre encore longtemps, plaisanta Foxy. Quand comptez-vous vous marier ?

— A vrai dire... c'est déjà fait. Nous nous sommes dit « oui » il y a une heure.

— Quoi ?

— Pam ne voulait pas attendre que je sois sur pied, expliqua Kirk, satisfait de son petit effet, alors nous avons fait appel à un pasteur, et nous nous sommes mariés ici, à l'hôpital. J'ai essayé de te joindre pour te prévenir mais je n'arrivais pas à t'avoir.

— J'étais en bas dans ma chambre noire.

Elle ramena ses jambes sous elle et posa la tête sur ses genoux.

— Oh ! Kirk, je suis si contente pour vous ! Je n'arrive pas à croire que tu aies franchi le pas !

— Pour être tout à fait honnête, moi non plus. Mais Pam est si différente !

— Je comprends ce que tu ressens. Je peux lui parler ?

— Elle n'est pas là. Elle est allée visiter la maison que nous avons l'intention de louer. En tout cas, nous avons bien l'intention de venir à Boston dans les premiers jours de janvier. J'ai tellement hâte de voir le nouveau bolide que me réserve Lance !

« Il ne changera jamais », se dit Foxy en fermant les yeux. Lance avait raison : rien ni personne ne pourrait le détourner de sa passion. Kirk courrait jusqu'à son dernier souffle et elle avait été stupide de penser le contraire. Une vague de culpabilité la submergea.

— Je serai très heureuse de vous avoir à la maison, Pam et toi.

— Tu comptes refaire le circuit avec nous, cette année ?

— Non, Kirk, annonça-t-elle sans hésiter. Non, je ne viendrai pas.

— C'est bien ce que pensait Pam. Bon, je dois te laisser, voilà mes bourreaux qui arrivent. Dis à Lance de prévoir le champagne pour fêter mon retour parmi vous. Et du bon !

— Promis ! Prends soin de toi, Kirk.

— Ne t'inquiète pas. Salut, sœurette ! Je t'aime.

— Moi aussi, dit Foxy en raccrochant.

Elle regarda pensivement la neige qui, à présent, tombait drue.

— Il n'a plus besoin de moi, murmura-t-elle avec un brin de nostalgie.

Le lien qui les unissait était si fort depuis la tragédie qui les avait rendus orphelins ! Mais elle réalisait que désormais Kirk avait Pam, et elle, Lance. Elle se demanda soudain si ce dernier avait besoin d'elle. Certes, il l'aimait, la désirait, mais Lance Matthews, si sûr de lui, si arrogant, avait-il réellement *besoin* de son épouse ? Y avait-il quelque chose en elle qu'il percevait comme lui étant complémentaire ou indispensable ? Elle ne s'était jamais posé la question.

Les sens soudain en alerte, elle leva la tête pour apercevoir Lance qui, immobile sur le seuil, l'observait en silence. Elle bondit de son fauteuil et tira bêtement sur son chandail déjà informe, se maudissant de recevoir son mari dans une tenue aussi négligée. Tous les beaux discours qu'elle se répétait mentalement depuis le matin s'étaient envolés. Elle le fixait, l'esprit parfaitement vide.

— C'est toi…, balbutia-t-elle. Je ne t'ai pas entendu arriver.

Il posait sur elle un regard insistant mais dénué de toute émotion.

— Tu étais au téléphone, répliqua-t-il d'une voix lisse.

— Oui, je… C'était Kirk.

Une extrême tension enveloppa la jeune femme. Elle passa une main nerveuse dans ses cheveux.

Lance restait immobile, le visage toujours impénétrable.

— Comment va-t-il ?

— Bien. En fait très bien, même. Pam et lui se sont mariés ce matin, lâcha-t-elle précipitamment.

Puis elle se mit à arpenter nerveusement la pièce, ne s'arrêtant que pour arranger inutilement la disposition de bibelots parfaitement en place.

— Tu es contente ? demanda-t-il en se dirigeant vers le bar.

Il souleva une bouteille de whisky puis, semblant se raviser, la reposa sans se servir.

— Oui… oui, très contente.

Elle s'arrêta pour prendre une profonde inspiration, bien déterminée à lui présenter des excuses.

— Lance…, commença-t-elle. Je…

Lance l'écoutait s'empêtrer dans un discours qui ne franchissait pas ses lèvres. Puis il glissa ses mains dans ses poches et plongea son regard gris dans le sien.

— Les excuses n'ont jamais été mon fort, affirma-t-il d'une voix qui ne trahissait rien de ses émotions. Cependant, compte tenu des circonstances, je ne peux pas faire autrement que de t'en présenter. Je te prie donc de bien vouloir m'excuser pour toutes les horreurs que je t'ai dites. Je te fais le serment que cela ne se renouvellera pas.

Le ton d'extrême politesse qu'il avait employé ne fit qu'accroître la nervosité déjà intense de Foxy. Cet étranger indifférent qui lui faisait face et qui s'excusait sur un ton si courtois ne pouvait pas être son mari.

— Dois-je comprendre que tu refuses de me pardonner ? insista-t-il d'une voix cette fois teintée de douceur.

Elle le regarda, attendrie. Ses traits étaient tirés, probablement à cause d'une nuit sans sommeil. Elle s'avança vers lui et lui caressa doucement la joue.

— S'il te plaît, Lance, oublions tout cela. Nous avons tous les deux dit des choses qui dépassaient largement notre pensée.

Lance retira ses mains de ses poches et, d'un geste plein de douceur, enroula une boucle fauve autour de son doigt.

— J'avais oublié à quel point tu pouvais être désarmante de tendresse. Tigresse et chatte à la fois.

Le regard qu'il posa sur elle disait à présent tout l'amour qu'elle lui inspirait.

— Je t'aime, Fox, murmura-t-il.

Emue, la jeune femme passa ses bras autour de son cou et enfouit son visage au creux de son épaule.

— Tu m'as tellement manqué, mon amour, murmura-t-elle à son tour.

Lance glissa sa main sous le pull de Foxy.

— J'étais au bureau, tu aurais pu m'appeler.

— Je n'osais pas, je croyais… Enfin… je ne voulais pas que tu croies que je te surveillais.

— Ma douce idiote, lui chuchota-t-il à l'oreille, je te rappelle que je suis ton mari.

— C'est vrai que j'ai tendance à l'oublier, dit-elle en souriant. J'ai du mal à réaliser que je suis mariée et puis je ne connais pas encore les règles de la parfaite épouse.

— Nous allons faire de notre mieux, lui promit-il en l'embrassant.

La bouche de Foxy, avide, répondit instantanément.

— Ce soir, je veux que nous buvions du champagne, lui dit-elle à l'oreille. J'ai envie d'une petite fête.

— En l'honneur de Pam et Kirk?

— D'abord en *notre* honneur. Ensuite en celui de Pam et Kirk.

— D'accord, ma chérie. Et, demain, nous irons au cinéma voir un film en nous gavant de pop-corn.

Le visage de Foxy s'éclaira de joie, et ses yeux se mirent à pétiller de bonheur.

— Oh! oui. Quelque chose de très triste, ou alors de très gai! s'écria la jeune femme, enthousiaste. Et après, nous irons manger une pizza! Une pizza aux poivrons!

— Quelle épouse exigeante! feignit de se plaindre Lance tandis qu'il portait la main de Foxy à ses lèvres.

Soudain ses doigts se raidirent sur ceux de sa femme, et son visage se ferma. Sentant un revirement dramatique d'humeur, Foxy baissa les yeux sur la fine trace mauve que la ficelle du ballon avait laissée sur son poignet.

— Il semble que je te doive d'autres excuses, lâcha-t-il d'un ton redevenu sec et tranchant.

— Lance, ce n'est rien.

— Tu te trompes.

Désemparée et frustrée, Foxy se mit à faire les cent pas.

— Arrête, Lance! Je ne supporte pas cette froideur! Si tu es en colère contre moi dis-le, crie-le, casse quelque chose mais, par pitié, ne reste pas là sans bouger, planté comme un piquet! Je ne comprends pas le langage des piquets, moi!

Un rictus vint flotter sur les lèvres de Lance tandis qu'il écoutait Foxy gronder et tempêter.

— Pourquoi rends-tu les choses aussi difficiles?

— Ce n'est pas mon intention! hurla la jeune femme en lançant un coussin à travers la pièce. Au contraire, j'aime que les choses soient simples car *je suis* simple, tu comprends ça?

— Pas du tout, corrigea Lance avec un flegme horripilant, tu es infiniment complexe, au contraire.

— Non, non, non! hurla de nouveau la jeune femme, ivre de rage de les voir s'engager une nouvelle fois dans une discussion stérile. Tu ne veux pas comprendre ! Puisque c'est comme ça, je monte !

Elle planta là son mari et alla se faire couler un bain qu'elle parfuma de tout un mélange d'huiles et de sels. Elle resta un long moment allongée, s'immergeant de temps en temps entièrement.

— Il est stupide, marmonna-t-elle en se frottant énergiquement avec une éponge naturelle. Je devrais réussir à ne plus l'aimer si j'y mettais toute ma volonté. Avec un peu de chance je parviendrais même à le détester, conclut-elle avec un sourire mauvais.

Lorsque Lance entra dans la pièce, elle le fusilla du regard.

— Cela ne te dérange pas que je me rase ? demanda-t-il avec désinvolture.

Sans attendre de réponse, il se débarrassa de sa veste et prépara son rasoir.

— J'ai décidé de te détester, annonça Foxy le plus sérieusement du monde.

Lance prit le temps d'étaler la mousse sur son visage et commença à se raser.

— Encore ?

Il croisa dans le miroir les yeux furibonds de sa femme.

— Ce n'était rien. Ce sera encore pire ! siffla-t-elle entre ses dents, vexée.

— Tu as parfaitement raison, ma chérie. Mieux vaut viser haut.

Ivre de rage, Foxy jeta l'éponge trempée dans la direction de Lance. Celui-ci reposa calmement son rasoir, se baissa pour ramasser l'éponge et se dirigea nonchalamment vers la jeune femme.

« Il ne va tout de même pas oser », se dit Foxy en se recroquevillant néanmoins dans un angle de la baignoire.

Médusée, elle regarda Lance poser calmement l'éponge sur le bord de la baignoire puis, avant qu'elle ait réalisé quoi que ce soit, sa main se posait sur sa tête et la poussait impitoyablement sous l'eau. Elle refit surface, crachant, éructant, essuyant fébrilement ses yeux irrités par la mousse.

— Je te hais! cria-t-elle en frappant l'eau comme une furie pour éclabousser Lance.

Pour toute réponse, ce dernier enjamba la baignoire et se coula dans l'eau tout habillé. La colère de Foxy se mua en fou rire hystérique.

— Lance! tu es complètement fou!

Leurs corps se cherchèrent instantanément. Lance attira un peu plus la jeune femme contre lui.

— Tu n'as rien à craindre cette fois, lui murmura-t-il. J'ai juste envie de te faire l'amour.

Il y avait dans sa voix et dans ses caresses une douceur que Foxy ne lui connaissait pas encore.

— Lance...

— Chut, chuchota-t-il en prenant ses lèvres.

— Lance, insista mollement la jeune femme, nous devrions quand même par...

Sa peau frissonnait sous les lèvres douces et chaudes de Lance qui effleuraient tour à tour son cou, ses épaules, ses seins.

— Demain, chérie. Nous parlerons demain, lui promit-il d'une voix rauque de désir. Ce soir, je veux juste faire l'amour avec ma femme.

Foxy poussa un petit gémissement de plaisir et s'abandonna totalement aux caresses savantes de son mari.

15

Le lendemain, Foxy attaqua sa journée de travail beaucoup plus tard qu'elle n'en avait l'habitude. Aussi était-il plus de 11 heures lorsqu'elle tira la dernière épreuve destinée à Pam. Elle glissa les clichés dans une épaisse enveloppe en papier kraft, consciente de tourner là une page importante de sa vie.

Elle se mit ensuite à développer les photos qu'elle avait faites de Boston et des enfants dans le parc, précisant ainsi le projet qu'elle avait de les réunir dans un livre. Elle travailla jusqu'au début de l'après-midi, son esprit dérivant sans cesse vers Lance. Elle savait bien que la nuit passée à faire l'amour n'avait résolu aucun de leurs problèmes. Et que, tant qu'elle ne lui aurait pas parlé, elle vivrait dans la terreur de le voir reprendre le chemin des courses. Il fallait qu'ils aient une conversation sérieuse à ce sujet. Elle réalisa au même moment qu'il était grand temps de savoir ce que chacun attendait de l'autre, et, surtout, ce que chacun était capable de donner à l'autre.

Peu à peu, au fil des photos qui défilaient sous ses yeux, des ébauches de réponses surgissaient. En même temps qu'elle découvrait les visages de ses jeunes modèles, elle découvrit qu'elle désirait ardemment un enfant.

Oui, elle voulait des enfants. Les enfants de Lance. Avec lui, elle voulait fonder un foyer, une famille unie.

Mais aurait-il ce même désir? Elle tenta d'imaginer la réponse. En vain. Elle avait beau connaître Lance intimement, elle ne savait pas.

Un rapide coup d'œil à sa montre lui indiqua qu'elle avait

encore de longues heures devant elle. Elle rassembla ses affaires, prit l'enveloppe destinée à Pam et monta passer un coup de fil au bureau de Lance.

La voix haut perchée de son assistante lui répondit.

— Bonjour, Linda. Madame Matthews à l'appareil. Pouvez-vous me passer Lance, s'il vous plaît ?

— Je suis désolée, madame Matthews, mais votre mari n'est pas là. Puis-je vous aider ?

— Non merci. Enfin, si !

Elle venait de décider que les choses seraient réglées dans la journée.

— Je sais qu'en ce moment il travaille sur une nouvelle voiture. Une formule 1.

— Absolument. Celle que pilotera votre frère.

— Oui, et si c'était possible j'aimerais passer faire quelques photos.

— Bien sûr, si toutefois vous ne craignez pas de faire un peu de route. M. Matthews et son équipe sont allés sur le circuit pour effectuer des essais.

— Pourriez-vous m'indiquer la direction à prendre, je n'y suis jamais allée, demanda Foxy en s'armant d'un stylo et d'une feuille de papier.

Trente minutes plus tard, elle garait sa voiture sur le parking du circuit. Dès qu'elle ouvrit la portière, elle entendit le rugissement du moteur. Elle mit sa main en visière devant ses yeux et regarda tourner quelques instants le bolide rouge.

Elle mit son appareil photo en bandoulière et se dirigea vers la piste d'un pas décidé. Après avoir choisi la meilleure position elle régla son objectif, changea le filtre et attendit que la voiture passe. Véritable boule de feu, le nouveau modèle semblait plus rapide que les autres. Le genre de bolide qui allait enchanter Kirk, se dit-elle en imaginant déjà celui-ci dans le cockpit.

— Toujours à traîner dans nos pattes, hein, gamine ?

Foxy pivota brusquement pour sourire à Charlie.

— Eh oui ! Tu sais bien que je ne peux pas me passer de toi !
Elle lui retira son éternel cigare de la bouche et plaqua deux baisers sonores sur ses joues.

— Décidément, y a plus de respect ! ronchonna-t-il.
Il se racla la gorge et plissa les yeux.

— A part ça ?

— A part ça, tout va bien, répondit Foxy. Et toi ?

— Occupé. Entre ton frère et ton mari, j'ai pas vraiment le temps de m'ennuyer !

— Que veux-tu, c'est le prix à payer pour rester le meilleur !
Charlie renifla, considérant les paroles de la jeune femme comme un compliment.

— Kirk sera sur pied dès que la machine sera prête, décréta-t-il avec assurance. En attendant, heureusement que Lance est là et qu'il en connaît un rayon !

Foxy s'apprêtait à faire un commentaire lorsque les paroles de Charlie prirent tout leur sens. Elle riva les yeux sur le bolide qui tournait sans cesse à un train d'enfer. Un goût de fer lui emplit la bouche. Lance. Elle secoua la tête, refusant de croire à ce qu'elle voyait.

— C'est Lance qui conduit ? demanda-t-elle d'une voix blanche.

— Ouais, acquiesça Charlie avant de s'éloigner, laissant Foxy à la panique qui la submergeait.

Elle resta immobile, incapable du moindre geste, se remémorant les dizaines d'accidents auxquels elle avait assisté.

— Mon Dieu, non ! Lance…

Elle reconnaissait sa façon si particulière de piloter ; totale maîtrise, détermination farouche. Elle fut prise de tremblements compulsifs, et un voile sombre passa devant ses yeux. D'une main moite et glacée, elle remonta sur son épaule la bandoulière de son appareil et resta ainsi, véritable statue de sel, jusqu'à ce que Lance vienne se garer devant le groupe de mécaniciens qui l'avaient accompagné. Toujours impassible, elle le regarda sortir du cockpit, retirer son casque puis sa cagoule. Elle l'avait vu accomplir ces mêmes gestes un nombre incalculable de fois et pourtant, à cet instant, une douleur insoutenable lui vrilla le cœur. Elle l'entendit rire tandis qu'il se penchait vers Charlie, puis froncer les sourcils tandis que le vieil homme pointait du doigt l'endroit où elle se trouvait.

Ils se fixèrent à distance un long moment.

Les larmes lui montèrent trop brutalement aux yeux pour qu'elle puisse les retenir. Elle entendit Lance crier son nom tandis qu'elle se ruait vers sa voiture, tournait d'une main fébrile la clé de contact et démarrait en trombe.

Il faisait presque nuit lorsqu'elle s'engagea dans la rue qui menait chez eux. Elle vit la voiture de Lance garée devant la porte du garage. Elle rangea sa MG juste derrière, coupa le moteur puis posa son front brûlant contre le volant. Les deux heures qu'elle venait de passer à rouler sans but l'avaient calmée mais aussi vidée de toute son énergie. Elle attendit de reprendre des forces pour regagner la maison. Encore une fois, la porte s'ouvrit sur Lance qui l'attendait.

Il la dévisagea attentivement, comme s'il la voyait pour la première fois. Pas un trait ne bougeait sur son visage impassible.

Foxy soutint son regard sans ciller. Elle ignora la main qu'il lui tendait pour franchir le seuil, passa devant lui, et alla poser son appareil photo sur un des fauteuils de l'entrée. Elle pénétra dans le salon sans avoir ôté son manteau. Sans un mot, elle se dirigea vers le bar et se servit un fond de brandy qu'elle avala d'un trait. Sa décision était prise. Restait à la formuler.

Lance la regardait faire depuis le seuil où il se tenait, immobile. La pâleur des traits de sa jeune épouse l'alarma.

— Je suis descendu dans ta chambre noire pensant t'y trouver, commença-t-il. J'ai vu les photos que tu as faites. Elles sont extraordinaires, Foxy. *Tu* es extraordinaire. Tu me surprends chaque jour davantage.

Lorsqu'elle se tourna pour lui faire face, il pénétra à son tour dans la pièce.

— Je te dois une explication pour cet après-midi.

— Surtout pas! riposta la jeune femme en posant son verre vide sur un petit guéridon. Tu m'as dit l'autre jour que ton métier ne me regardait pas. Je ne veux donc pas d'explication.

Lance fit un pas vers elle.

— Que veux-tu alors, Foxy?

— Je veux divorcer, annonça-t-elle simplement.

Puis, sentant le nœud d'une émotion trop forte lui bloquer la gorge, elle enchaîna très vite :

— Nous avons fait une erreur, Lance, et plus vite nous la réparerons, mieux ce sera pour nous deux.

— Tu es sûre de vouloir divorcer? demanda-t-il en la regardant droit dans les yeux.

Son regard insondable la fouillait au plus profond d'elle-même.

— Oui. Et si tu veux bien t'en occuper... Ce devrait être assez facile avec tous les avocats que tu as à ta disposition. Je ne te demanderai aucune compensation, bien sûr.

Lance ne dit rien et à son tour se dirigea vers le bar.

— Je te sers un autre verre? demanda-t-il avec désinvolture.

— Volontiers, répondit-elle sur le même ton faussement léger.

Carafe en main, il la rejoignit et remplit son verre vide.

Dans un trait d'humour cynique, Foxy se demanda s'ils devaient trinquer à leur prochain divorce.

— Je refuse, déclara alors Lance.

— Comment cela, tu refuses?

— Je refuse de divorcer, répéta-t-il patiemment. Mais y a-t-il autre chose que je puisse faire pour toi?

Les yeux de Foxy s'écarquillèrent puis se plissèrent dangereusement.

— Tu ne m'empêcheras pas de te quitter, Lance! Ma décision est prise, et rien ne m'arrêtera! fulmina-t-elle en reposant violemment son verre sur une table basse.

— Nous verrons bien, rétorqua Lance avec flegme. Mais à ce petit jeu, je doute que tu sortes gagnante.

Il la rejoignit, posa son verre à côté du sien et, sans qu'elle s'y attende, prit sa tête entre ses mains, la forçant à le regarder dans les yeux.

— Je ne te laisserai pas partir, Foxy. Ni maintenant, ni jamais. Je te l'ai déjà dit, je suis un parfait égoïste. Je t'aime et je n'ai pas l'intention de me passer de toi.

Ivre de colère, la jeune femme tenta de le repousser de toutes ses forces.

— Comment oses-tu ? Comment oses-tu ne penser qu'à toi sans tenir compte de ce que je ressens ? En fait, tu ne m'aimes pas ! Tu ne connais même pas le sens de ce mot !

— Foxy, calme-toi, tu vas finir par te faire mal.

Il noua ses bras autour de la taille de la jeune femme et la souleva comme si elle était aussi légère qu'une plume. Elle ferma les yeux, refusant de le voir, furieuse de devoir céder sur tous les fronts.

— Lâche-moi, siffla-t-elle entre ses dents.

— M'écouteras-tu à la fin ? dit-il en resserrant son étreinte.

— Je n'ai pas vraiment le choix, que je sache !

— S'il te plaît, Foxy.

Elle fléchit, déstabilisée par la somme de douceur qu'il avait mise dans sa prière. Elle opina d'un léger hochement de tête. Lorsqu'il l'eut reposée à terre, elle s'approcha de la fenêtre et admira un instant le disque parfait de la lune.

— J'ignorais que tu devais venir sur le circuit aujourd'hui, commença Lance.

Foxy laissa échapper un petit rire amer et posa son front sur la vitre froide.

— Tu pensais qu'en ne me disant rien tu m'épargnerais ?

— Fox…

Le son de sa voix était si tendre à présent qu'elle se retourna vers lui.

— Je n'ai réfléchi à rien, lui expliqua-t-il. J'ai l'habitude de participer aux essais, c'est tout. Et je n'avais aucune idée de la souffrance que tu pouvais endurer avant de la lire sur ton visage.

— Cela fait-il une différence, de toute façon?

— Fox, pour l'amour du ciel!

— Quoi? N'est-ce pas une question *raisonnable*?

Au comble de la nervosité, Foxy se mit à arpenter la pièce à grandes enjambées.

— Cela me semble pourtant à l'ordre du jour, reprit-elle. Parce que j'ai découvert quelque chose sur moi que j'ignorais : je n'accepterai jamais de passer au second plan dans ta vie.

Elle s'interrompit pour prendre une profonde inspiration.

— Il n'est pas question que je reste en retrait comme je l'ai toujours fait avec Kirk. J'ai besoin... j'ai besoin de quelque chose de permanent, de solide et de stable, comprends-tu? J'ai attendu cela toute ma vie. Cette maison...

Elle fit un geste dérisoire de la main, censé exprimer ce qu'elle n'arrivait pas à formuler.

— Je voudrais tant qu'elle soit mon port d'attache! Peu importe que nous la quittions régulièrement si nous devons y revenir. Je veux un foyer, Lance. Et des enfants. *Tes* enfants.

Elle s'interrompit, la voix tremblante d'émotion.

— Je veux tout cela, dit-elle en plongeant dans le regard de Lance.

Elle s'éloigna de nouveau, refoulant la boule qui se formait dans sa gorge.

— Quand je t'ai vu dans cette voiture cet après-midi, je ne peux pas t'expliquer ce que j'ai ressenti. C'est certainement stupide, mais c'est plus fort que moi, je n'arrive pas à me contrôler.

Elle pressa ses pouces sur ses tempes douloureuses.

— Je ne peux plus vivre dans cette terreur permanente. Je t'aime tant, Lance, que parfois je peux à peine croire que nous sommes mari et femme. Et même si je t'aime tel que tu es, je ne supporterai pas que tu reprennes les courses, je...

— Qu'est-ce qui te fait penser que je veuille recommencer à courir ? demanda-t-il d'une voix calme.

Foxy haussa légèrement les épaules.

— Tu me l'as fait comprendre le jour où j'ai appris que tu étais en train de concevoir une nouvelle voiture pour Kirk. De plus, je sais que c'est important pour toi.

— Tu m'as vraiment cru capable de te faire subir cela ? Alors, depuis ce jour, tu t'es mis cette idée dans la tête ?

Il s'approcha d'elle et posa les mains sur ses épaules.

— Ecoute-moi bien, Foxy. Courir ne m'intéresse plus. Mais si c'était le cas, j'y renoncerais par amour pour toi.

Il la secoua légèrement dans un geste qui se voulait affectueux.

— Comment pourrais-je envisager une telle éventualité quand je sais l'état dans lequel cela te met ? Tu n'as donc pas compris que tu passais avant tout ?

Elle ouvrit la bouche pour répondre mais il ne lui en laissa pas le temps.

— Non, probablement pas. Mais c'est ma faute. Sans doute n'ai-je pas été assez clair. Il est grand temps que je le sois, décida-t-il en laissant retomber ses bras le long du corps. Tout d'abord, j'ai profité de l'accident de Kirk pour te précipiter dans un mariage hâtif. Je le regrette. Non, laisse-moi terminer. Je te voulais désespérément et tu avais l'air tellement perdue ce soir-là ! A cause de mon égoïsme, tu n'as pas eu le beau mariage auquel tu avais droit. Mais, pour être honnête, j'avais peur que tu ne m'échappes, et puis je me disais que je me rattraperais plus tard.

— Lance, l'interrompit Foxy en lui caressant la joue, je me fiche d'avoir ou non un beau mariage.

Lance prit les mains de sa femme entre les siennes et les porta à ses lèvres.

— Si je t'avais offert un mariage digne de ce nom, insista-t-il, peut-être n'aurais-je pas été dévoré de jalousie à l'idée que tu avais passé l'après-midi avec Jonathan. C'est moi qui aurais dû être à sa place.

A son tour, il se mit à arpenter nerveusement la pièce.

— C'est difficile d'être patient lorsque l'on aime une femme depuis plus de dix ans.

— Pardon? dit Foxy en s'asseyant maladroitement sur le bras d'un fauteuil. Qu'est-ce que tu viens de dire?

Lance se tourna vers elle et lui adressa un petit sourire contrit.

— Si j'avais joué la carte de la franchise dès le début, nous aurions peut-être évité pas mal de problèmes. Je ne sais pas exactement à quel moment je suis tombé amoureux de toi, mais, du plus loin que je me souvienne, je l'ai toujours été.

— Pourquoi... pourquoi ne m'as-tu rien dit? s'enquit Foxy, abasourdie par une telle révélation.

— Parce que tu étais trop jeune et que moi j'étais déjà un homme.

Il éclata de rire et passa une main dans ses cheveux.

— Kirk était mon meilleur ami. Si j'avais touché à un seul de tes cheveux, il m'aurait tué de ses propres mains. Tu le connais. Et en fait, ce soir-là, au Mans, si je n'arrivais pas à trouver le sommeil c'est parce que j'étais amoureux fou d'une adolescente de seize ans. Et si je me suis montré brutal avec toi, c'était tout simplement pour me protéger. T'éloigner de moi était la seule chose sensée à faire. Il fallait que je te laisse le temps de grandir, de vivre ta vie. Les six années que j'ai passées sans te voir ont été incroyablement longues. C'est à cette époque que je me suis lancé dans la conception des voitures de course et que je me suis installé dans cette maison. Je t'imaginais l'habitant avec moi, aucune autre femme que toi n'y avait sa place. Et même si des maîtresses ont jalonné ma vie, je n'ai jamais aimé que toi, Fox.

Foxy avala péniblement sa salive avant de demander :

— Lance, as-tu besoin de moi?

— J'ai compris pas mal de choses ces derniers temps, dit-il en lui passant tendrement la main dans les cheveux. Moi qui me suis toujours moqué de ce que l'on pensait de moi, j'ai réalisé que ton opinion m'était très importante. Chaque jour, je découvre que tu m'es un peu plus indispensable. Je ne pourrais plus me passer de toi.

La jeune femme lui sourit, rayonnante d'un bonheur retrouvé.

— Je t'ai toujours aimé, Lance, même lorsque j'essayais de me l'interdire. Et te retrouver a été pour moi comme retrouver un port d'attache. Oh, mon amour ! Je veux que tu m'embrasses jusqu'à ce que je ne puisse plus respirer.

Il effleura ses lèvres d'un baiser puis frotta sa joue contre la sienne.

— Fox…

— Continue, murmura-t-elle. Je peux encore respirer.

Leurs bouches se prirent alors sauvagement, avides l'une de l'autre. Lorsqu'elles se quittèrent, à regret, Foxy demanda à voix basse :

— Pourquoi nous sommes-nous comportés comme des idiots alors qu'il nous suffisait de parler ?

Lance frotta son nez contre celui de Foxy et lui sourit.

— Nous sommes de jeunes mariés, nous avons besoin de quelques ajustements.

Foxy se serra un peu plus contre lui, savourant ce moment d'exquise plénitude.

— Je me sens enfin ta femme, Lance. Et j'adore ça.

— Alors, en tant qu'épouse, tu as droit à une vraie lune de miel, décréta-t-il. A partir de ce soir et pendant quinze jours, tu peux considérer que je suis en vacances. Où aimerais-tu aller, ma chérie ?

— Je peux choisir n'importe quelle destination ?

— Bien sûr.

— Alors je choisis de rester ici, décida-t-elle en glissant ses mains sous le pull de Lance.

Sa peau douce et chaude sous ses paumes la fit frissonner de désir.

— Il paraît que le service y est parfait.

Elle chercha le téléphone à tâtons et lorsqu'elle l'eut trouvé passa le combiné à Lance.

— Tiens, appelle Mme Trilby et dis-lui que nous partons pour... les îles Fidji! Et dis-lui aussi que nous ne serons de retour que dans quinze jours!

— Quel bonheur d'avoir épousé une femme aussi intelligente!

Il décrocha le combiné et le laissa négligemment tomber par terre.

— Mme Trilby peut attendre, décréta-t-il en embrassant Foxy. Que disais-tu à propos d'enfants...?

Les yeux de la jeune femme s'ouvrirent pour se refermer aussitôt.

— Je disais...

— Combien en voudrais-tu, mon amour?

— Je ne sais pas... Je n'y ai pas encore réfléchi, murmura-t-elle.

— Nous pourrions commencer par un. Et je propose que nous nous attaquions tout de suite à un projet aussi important. Qu'en penses-tu?

— Que tu as entièrement raison, mon chéri, acquiesça Foxy dans un souffle.

DANS LA MÊME COLLECTION

Par ordre alphabétique d'auteur

JINA BACARR — *Blonde Geisha*

JILL BARNETT — *Souvenirs d'enfance******

MARY LYNN BAXTER — *La femme secrète*
MARY LYNN BAXTER — *Un été dans le Mississippi*

JENNIFER BLAKE — *Une liaison scandaleuse*

BARBARA BRETTON — *Le lien brisé*

BENITA BROWN — *Les filles du capitaine*

MEGAN BROWNLEY — *La maison des brumes*

CANDACE CAMP — *Le bal de l'orchidée*
CANDACE CAMP — *Le manoir des secrets*
CANDACE CAMP — *Le château des ombres*
CANDACE CAMP — *La maison des masques*

MARY CANON — *L'honneur des O'Donnell*

LINDA CARDILLO — *Le tourbillon d'une vie*

ELAINE COFFMAN — *Le seigneur des Highlands*
ELAINE COFFMAN — *La dame des Hautes-Terres*
ELAINE COFFMAN — *La comtesse des Highlands*

JACKIE COLLINS — *Le voile des illusions*
JACKIE COLLINS — *Reflets trompeurs*
JACKIE COLLINS — *Le destin des Castelli*

PATRICIA COUGHLIN — *Le secret d'une vie*

MARGOT DALTON — *Une femme sans passé*

EMMA DARCY — *Souviens-toi de cet été*

CHARLES DAVIS — *L'enfant sans mémoire*

SHERRY DEBORDE — *L'héritière de Magnolia*

BARBARA DELINSKY — *La saga de Crosslyn Rise*
BARBARA DELINSKY — *L'enfant du scandale*

WINSLOW ELIOT — *L'innocence du mal*

SALLY FAIRCHILD — *L'héritière sans passé*

MARIE FERRARELLA — *Une promesse sous la neige****
MARIE FERRARELLA — *Maman par intérim******

ELIZABETH FLOCK — *Moi & Emma*

CATHY GILLEN THACKER — *L'héritière secrète*

LYNNE GRAHAM — *Une passion en Irlande*

GINNA GRAY — *Le voile du secret*
GINNA GRAY — *La Fortune des Stanton*
GINNA GRAY — *Amants de toujours********

... / ...

DANS LA MÊME COLLECTION
Par ordre alphabétique d'auteur

JENNIFER GREENE	*Le cadeau de l'hiver*
JILLIAN HART	*L'enfant des moissons*
METSY HINGLE	*Une vie volée*
KATE HOFFMANN	*Destins d'Irlande*
KATE HOFFMANN	*Fille d'Irlande*
FIONA HOOD-STEWART	*Les années volées*
FIONA HOOD-STEWART	*A l'ombre des magnolias*
FIONA HOOD-STEWART	*Le testament des Carstairs*
FIONA HOOD-STEWART	*L'héritière des Highlands*
LISA JACKSON	*Noël à deux***
RONA JAFFE	*Le destin de Rose Smith Carson*
PENNY JORDAN	*Silver*
PENNY JORDAN	*L'amour blessé*
PENNY JORDAN	*L'honneur des Crighton*
PENNY JORDAN	*L'héritage*
PENNY JORDAN	*Le choix d'une vie*
PENNY JORDAN	*Maintenant ou jamais*
PENNY JORDAN	*Les secrets de Brighton House*
PENNY JORDAN	*La femme bafouée*
PENNY JORDAN	*De mémoire de femme*
BRENDA JOYCE	*L'héritière de Rosewood*
BRENDA JOYCE	*La tentation de Lady Blanche*
MARGARET KAINE	*Des roses pour Rebecca*
HELEN KIRKMAN	*Esclave et prince*
ELAINE KNIGHTON	*La citadelle des brumes*
ELIZABETH LANE	*Une passion africaine*
ELIZABETH LANE	*La fiancée du Nouveau Monde*
CATHERINE LANIGAN	*Parfum de jasmin*
RACHEL LEE	*Neige de septembre*
RACHEL LEE	*La brûlure du passé*
LYNN LESLIE	*Le choix de vivre*
MERLINE LOVELACE	*La maîtresse du capitaine*
JULIANNE MACLEAN	*La passagère du destin*
DEBBIE MACOMBER	*Rencontre en Alaska*****
DEBBIE MACOMBER	*Un printemps à Blossom Street*
DEBBIE MACOMBER	*Au fil des jours à Blossom Street*
DEBBIE MACOMBER	*Retour à Blossom Street*

... / ...

DANS LA MÊME COLLECTION

Par ordre alphabétique d'auteur

DEBBIE MACOMBER — *La saison des roses*
DEBBIE MACOMBER — *Un parfum de bonheur*
DEBBIE MACOMBER — *La baie des promesses*
DEBBIE MACOMBER — *Les secrets de Rosewood Lane*
DEBBIE MACOMBER — *Le printemps des rêves*
DEBBIE MACOMBER — *Un Noël sous le givre*****
DEBBIE MACOMBER — *L'île du paradis******
DEBBIE MACOMBER — *Le jardin de Susannah*
DEBBIE MACOMBER — *Un été à Cranberry Point*
DEBBIE MACOMBER — *Un Noël à Cedar Cove*

MARGO MAGUIRE — *Seigneur et maître*

ANN MAJOR — *La brûlure du mensonge*
ANN MAJOR — *Le prix du scandale**

SUSAN MALLERY — *Un parfum d'été*
SUSAN MALLERY — *Le rêve de Gracie*

KAT MARTIN — *Lady Mystère*
KAT MARTIN — *La maîtresse du corsaire*

SANDRA MARTON — *Une passion impossible*******

ANNE MATHER — *L'île aux amants***

CURTISS ANN MATLOCK — *Sur la route de Houston*
CURTISS ANN MATLOCK — *Une nouvelle vie*
CURTISS ANN MATLOCK — *Une femme entre deux rives*

MARY ALICE MONROE — *Le masque des apparences*
MARY ALICE MONROE — *Le passé à fleur de peau*
MARY ALICE MONROE — *Dans l'ombre du secret*

CAROLE MORTIMER — *L'ange du réveillon****

BRENDA NOVAK — *L'écho du souvenir*
BRENDA NOVAK — *L'héritière du manoir*
BRENDA NOVAK — *Un réveillon sous la neige********

DIANA PALMER — *D'amour et d'orgueil***
DIANA PALMER — *Les chemins du désir*
DIANA PALMER — *Les fiancés de l'hiver****
DIANA PALMER — *Le seigneur des sables*
DIANA PALMER — *Une liaison interdite*
DIANA PALMER — *Le voile du passé*

PATRICIA POTTER — *Noces pourpres*

MARCIA PRESTON — *Sur les rives du destin*
MARCIA PRESTON — *La maison aux papillons*

EMILIE RICHARDS — *Mémoires de Louisiane*
EMILIE RICHARDS — *Le testament des Gerritsen*

... / ...

DANS LA MÊME COLLECTION
Par ordre alphabétique d'auteur

EMILIE RICHARDS	*La promesse de Noël***
EMILIE RICHARDS	*L'écho du passé*
EMILIE RICHARDS	*L'écho de la rivière*
EMILIE RICHARDS	*Le refuge irlandais*
EMILIE RICHARDS	*Promesse d'Irlande*
EMILIE RICHARDS	*La vallée des secrets*
EMILIE RICHARDS	*Du côté de Georgetown*
EMILIE RICHARDS	*Un lien d'amour******
EMILIE RICHARDS	*L'héritage des Robeson*
EMILIE RICHARDS	*Le chemin de l'espoir*
EMILIE RICHARDS	*Le temps des promesses*
EMILIE RICHARDS	*Le rêve de Molly*********
NORA ROBERTS	*Retour au Maryland*
NORA ROBERTS	*La saga des Stanislaski*
NORA ROBERTS	*Le destin des Stanislaski*
NORA ROBERTS	*L'héritage des Cordina*
NORA ROBERTS	*Love*
NORA ROBERTS	*La saga des MacGregor*
NORA ROBERTS	*L'orgueil des MacGregor*
NORA ROBERTS	*L'héritage des MacGregor*
NORA ROBERTS	*La vallée des promesses*
NORA ROBERTS	*Le clan des MacGregor*
NORA ROBERTS	*Le secret des émeraudes*
NORA ROBERTS	*Un homme à aimer**
NORA ROBERTS	*Sur les rives de la passion*
NORA ROBERTS	*La saga des O'Hurley*
NORA ROBERTS	*Le destin des O'Hurley*
NORA ROBERTS	*Un cadeau très spécial***
NORA ROBERTS	*Le rivage des brumes*
NORA ROBERTS	*Les ombres du lac*
NORA ROBERTS	*Un château en Irlande*
NORA ROBERTS	*Filles d'Irlande*
NORA ROBERTS	*Pages d'amour*
NORA ROBERTS	*Rencontres*
NORA ROBERTS	*Une famille pour Noël*****
NORA ROBERTS	*Passions*
NORA ROBERTS	*La promesse de Noël*
NORA ROBERTS	*Contre vents et marées******
NORA ROBERTS	*Rêves d'amour*
NORA ROBERTS	*Liens d'amour*
NORA ROBERTS	*Séduit malgré lui********
NORA ROBERTS	*La promesse d'une nuit*********
NORA ROBERTS	*Idylles magiques*
ROSEMARY ROGERS	*Le sabre et la soie*
ROSEMARY ROGERS	*Le masque et l'éventail*

DANS LA MÊME COLLECTION
Par ordre alphabétique d'auteur

ROSEMARY ROGERS	*La maîtresse du rajah*
ROSEMARY ROGERS	*Lady Sapphire*
ROSEMARY ROGERS	*Nuits de satin*
ROSEMARY ROGERS	*Un palais sous la neige*
JOANN ROSS	*Magnolia*
JOANN ROSS	*Cœur d'Irlande*
MALLORY RUSH	*Ce que durent les roses*
EVA RUTLAND	*Tourments d'ébène*
PATRICIA RYAN	*L'escort-girl***
DALLAS SCHULZE	*Un amour interdit*
DALLAS SCHULZE	*Les vendanges du cœur*
DALLAS SCHULZE	*La promesse d'un enfant*
DALLAS SCHULZE	*L'appel de l'aube*
KATHRYN SHAY	*L'enfant de l'hiver*
JUNE FLAUM SINGER	*Une mystérieuse passagère*
ERICA SPINDLER	*L'ombre pourpre*
ERICA SPINDLER	*Le fruit défendu*
ERICA SPINDLER	*Trahison*
ERICA SPINDLER	*Parfum de Louisiane*
ERICA SPINDLER	*Un parfum de magnolia*
ERICA SPINDLER	*Les couleurs de l'aube*
LYN STONE	*La dame de Fernstowe*
TARA TAYLOR QUINN	*Le cadeau d'une vie*
CHARLOTTE VALE ALLEN	*Le destin d'une autre*
CHARLOTTE VALE ALLEN	*L'enfance volée*
CHARLOTTE VALE ALLEN	*L'enfant de l'aube*
SOPHIE WESTON	*Romance à l'orientale***
SUSAN WIGGS	*Un printemps en Virginie*
SUSAN WIGGS	*Les amants de l'été*
SUSAN WIGGS	*L'inconnu du réveillon**
SUSAN WIGGS	*La promesse d'un été*
SUSAN WIGGS	*Un été à Willow Lake*
SUSAN WIGGS	*Le pavillon d'hiver*
SUSAN WIGGS	*Retour au lac des Saules*
SUSAN WIGGS	*La maison du Pacifique*
SUSAN WIGGS	*Neige sur le lac des Saules*
SUSAN WIGGS	*Rendez-vous sous le gui*****
SUSAN WIGGS	*Les amants du Pacifique*
SUSAN WIGGS	*Un été de rêve******
SUSAN WIGGS	*L'amoureuse rebelle*******

... / ...

DANS LA MÊME COLLECTION

Par ordre alphabétique d'auteur

SUSAN WIGGS	*Le rêve de Leah*
SUSAN WIGGS	*Le refuge du lac des Saules*
LYNNE WILDING	*L'héritière australienne*
LYNNE WILDING	*Les secrets d'Amaroo*
BRONWYN WILLIAMS	*L'île aux tempêtes*
REBECCA WINTERS	*Magie d'hiver***
REBECCA WINTERS	*Un baiser sous le gui*******
JOAN WOLF	*Le blason et le lys*
SHERRYL WOODS	*Refuge à Trinity*
SHERRYL WOODS	*Le testament du cœur*
SHERRYL WOODS	*Le rêve de Noël*********
SHERRYL WOODS	*La Maison Bleue*
SHERRYL WOODS	*Soleil d'avril*
SHERRYL WOODS	*Dans la chaleur de l'été*************
SHERRYL WOODS	*Le temps de l'espoir*
SHERRYL WOODS	*La promesse d'une rose*
SHERRYL WOODS	*Une preuve d'amour**************
SHERRYL WOODS	*La maison de la baie*
LAURA VAN WORMER	*Intimes révélations*
KAREN YOUNG	*Un vœu secret***
KAREN YOUNG	*L'innocence bafouée*
KAREN YOUNG	*La mémoire blessée*

* *titres réunis dans un volume double*

** *titres réunis dans le volume intitulé : Magie d'hiver 2007*

*** *titres réunis dans le volume intitulé : Passions d'été*

**** *titres réunis dans le volume intitulé : Magie d'hiver 2008*

***** *titres réunis dans le volume intitulé : Magie d'hiver 2009*

****** *titres réunis dans le volume intitulé : La Maison sur l'île*

******* *titres réunis dans le volume intitulé : Promesses d'été*

******** *titres réunis dans le volume intitulé : Magie d'hiver 2010*

5 TITRES À PARAÎTRE EN AVRIL 2011

Composé et édité par les
éditions Harlequin

Achevé d'imprimer en Allemagne
par GGP Media GmbH, Pößneck
en janvier 2011

Dépôt légal en février 2011
N° d'éditeur : 15524